PENDRAGON

2
La Cité perdue de Faar

DANS LA MÊME SÉRIE
DÉJÀ PARU

Pendragon n° 1, *Le Marchand de peur*

D. J. MACHALE

BOBBY
PENDRAGON

2

La Cité perdue de Faar

Traduit de l'américain par Thomas Bauduret

Jeunesse

ÉDITIONS DU
ROCHER
Jean-Paul Bertrand

Titre original : *Pendragon 2. The Lost City of Faar*.

La présente édition est publiée en accord avec l'auteur, représenté par Baror International Inc., Armonk, New York, États-Unis.

Tous droits de traduction, de reproduction et d'adaptation réservés pour tous pays.
© D. J. MacHale, 2003.
© Éditions du Rocher, 2004, pour la traduction française.
ISBN 2 268 050149

Pour ma mère, Ellie.

Journal n° 5

CLORAL

Salut, les gars. Je dois m'excuser d'être resté si longtemps sans donner de nouvelles. Il s'est passé tellement de choses depuis que je vous ai quittés que je sais plus trop par où commencer. D'abord, il y a au moins un mystère de résolu. Vous vous souvenez du requin géant qui a bien failli me bouffer dans cette mine sur Denduron ? Eh bien, maintenant, je sais d'où il venait. Le territoire où je me trouve actuellement s'appelle Cloral... et il est entièrement aquatique. Non, je ne plaisante pas. C'est un monde submergé. Sur Cloral, les quigs ont l'apparence d'énormes requins mangeurs d'hommes. Sympathique, non ?

Et croyez-moi, je me suis encore fourré dans un joli pétrin. Il faut que je vous raconte ça...

J'ai failli me faire dévorer. J'ai aussi manqué de peu de finir noyé ; on m'a presque arraché les bras, et je crois que j'ai deux côtes cassées — et tout ça une heure à peine après mon arrivée. Pas de doutes, dans ce monde, on sait s'amuser !

Si j'écris ce journal maintenant, c'est parce que je suis enfin au calme. J'ai bien besoin de repos. Je pense que je ferais mieux de commencer au moment où je vous ai quittés tous les deux. Bon sang, j'ai l'impression que des années se sont écoulées !

Il me reste encore des tonnes de questions sans réponses, mais deux d'entre elles sont tout en haut de la liste. D'abord, pourquoi moi, Bobby Pendragon, ai-je été choisi pour devenir un Voyageur ? Ce n'est pas beaucoup demander, vu qu'en tant que Voyageur, je risque sans arrêt ma peau. Ensuite, je voudrais savoir ce qu'est devenue ma famille. Je n'arrête pas de harceler l'oncle Press pour qu'il y réponde, mais autant essayer de faire saigner un navet. (Pas que j'aie personnellement essayé, notez, mais cela me semble relativement improbable.) Il me répète constamment : « Au fil du temps, tu finiras par comprendre. » Super. En attendant, on va de catastrophe en catastrophe, et je n'ai plus qu'à espérer pouvoir rester en vie assez longtemps pour découvrir ce que je fiche ici alors que je préférerais mille fois rentrer chez moi pour me planquer sous mon lit avec mon chien. Attendez, je n'ai que quatorze ans ! Est-ce vraiment trop demander ?

Je présume que ça l'est, puisque ma maison n'est plus à son emplacement habituel. La dernière fois que je vous ai vus tous les deux, c'était devant le terrain vague où elle se dressait avant. Difficile de décrire toutes les émotions contradictoires qui m'ont tiraillé à ce moment-là. Le fait de devoir partir avec l'oncle Press pour vivre une autre aventure me rendait nerveux et je regrettais d'avoir à vous abandonner une fois de plus. Mais le pire, c'était certainement la peur de l'inconnu.

L'oncle Press m'a promis que je reverrai ma famille. Maman, papa, Shannon, et même mon labrador, Marley. Il ne m'a pas pour autant dit où ils étaient. Selon lui, ils m'avaient élevé et préparé pour le moment où je quitterai la maison pour devenir un Voyageur, mais il ne m'a pas précisé pourquoi. Était-ce prévu depuis le jour de ma naissance ? Ma famille faisait-elle partie d'un complot quelconque ? Il m'a aussi dit qu'il n'était pas mon véritable oncle. Que nous n'étions pas du même sang. Mais il n'a pas répondu à la plus importante de toutes ces questions : *pourquoi ?* Pourquoi existe-t-il des Voyageurs qui traversent l'espace et le temps pour aider les territoires à négocier les virages dangereux ? Qui les choisit ? Et surtout, pourquoi moi ?

Pour être franc, j'ai arrêté de lui poser ces questions, parce que ses réponses sont toujours détournées, succinctes, comme s'il était un maître Jedi dispensant ses perles de sagesse. Et ça commence à me taper sérieusement sur le système. Je brûle toujours d'impatience, mais je me suis fait une raison. J'imagine qu'il vaut mieux ne pas me presser et apprendre en cours de route. Il craint sans doute, s'il me déballait tout d'un coup, que ma tête explose et que je finisse dans un asile, à fixer un mur. Et c'est probablement vrai.

Quand je vous ai fait mes adieux, je suis monté dans la voiture avec l'oncle Press et Loor, la fille que j'ai rencontrée lors de mes aventures sur Denduron[1]. J'abandonnais mes deux meilleurs amis pour partir avec ma nouvelle amie et coéquipière. Disons que je considérais Loor comme une amie. Sur Denduron, nous avions vécu de sales moments, et même si je n'étais pas un guerrier comme elle, j'avais gagné son respect. Enfin, je l'espérais.

Sans attendre d'y être invité, je me suis serré à l'arrière de la Porsche, sur la minuscule banquette arrière. De toute évidence, l'oncle Press prendrait le volant, et comme Loor était plus grande que moi, elle ne pourrait jamais s'encastrer là derrière. Elle était peut-être habillée comme une native de la Seconde Terre, mais elle ne ressemblait pas pour autant à mes camarades d'école. Elle n'était guère plus âgée que moi, probablement dans les seize ans, cependant avec son corps musculeux sans un poil de graisse, elle avait l'air parée pour les jeux Olympiques. Avec sa peau sombre, elle aurait pu passer pour une Africaine, mais je savais ce qu'il en était vraiment. C'était une guerrière originaire du territoire de Zadaa, qui existe à l'autre bout de l'espace et du temps. Je pense qu'un des premiers critères pour se qualifier aux jeux Olympiques est d'être originaire de la Terre. Donc, pour elle, c'est râpé.

– Ça va, là derrière ? a demandé l'oncle Press.

– Pas vraiment, ai-je répondu.

Il a éclaté de rire et appuyé sur le champignon. Dans un rugissement de moteur, nous sommes une fois de plus partis bien loin de ma ville natale de Stony Brook, dans le Connecticut. Je ne lui ai même pas demandé où nous allions, parce que je le savais déjà. Nous retournions dans cette station de métro abandonnée du Bronx pour gagner la porte donnant sur le flume qui nous emmènerait… Dieu sait où.

La dernière fois que nous avions emprunté ce même chemin, j'étais à l'arrière de la moto de l'oncle Press et je n'avais pas la moindre notion de ce qui m'attendait. Cette fois, j'en avais une petite idée, mais guère plus.

---

1. Voir Pendragon n°1 : *Le Marchand de peur*

Nous avons traversé l'échangeur du Connecticut pour continuer en direction de New York City. En une demi-heure, nous nous sommes retrouvés loin de la banlieue de Stony Brook et de ses avenues bordées d'arbres pour aborder les trottoirs fendillés de ce quartier de New York qu'on appelle le Bronx. C'est là qu'il y a le Yankee Stadium, le zoo du Bronx, le Jardin botanique de New York et un flume bien caché servant de portail vers l'inconnu pour les Voyageurs.

Alors que l'oncle Press pilotait sa voiture de sport dans les rues de la ville, tous les regards se sont tournés vers nous. C'était loin d'être un quartier rupin. On n'y voyait pas des voitures comme celle-là tous les jours. Ou peut-être regardaient-ils ce type à l'arrière qui virait peu à peu au bleu parce que ses genoux appuyaient sur sa gorge. C'est-à-dire moi.

D'un dernier tour de volant, l'oncle Press s'est garé contre le trottoir, juste à côté du petit kiosque vert. Notre destination. En fixant le bâtiment sommaire et la peinture écaillée du panneau MÉTROPOLITAIN, je n'ai pu penser qu'une chose : « C'est reparti pour un tour. »

Je ne pensais pas revoir cet endroit de si tôt. Non, en fait, j'espérais bien ne jamais le revoir. L'oncle Press et moi en étions sortis il y avait à peine quelques heures, à notre retour de Denduron. À ce moment-là, j'espérais rentrer chez moi et faire de mon mieux pour oublier cette histoire de Voyageurs. Mais tout était différent maintenant. J'avais découvert que ma famille avait disparu, et toute mon existence avec elle. Je pense que l'oncle Press m'avait ramené à Stony Brook pour que je le constate par moi-même. C'était plutôt bien vu, parce que s'il ne l'avait pas fait, je n'y aurais jamais cru. J'aurais pensé sans arrêt à rentrer chez moi. Mais maintenant, je savais que je n'avais nulle part où rentrer. Soudain, je m'étais retrouvé face à la dure, glaciale réalité : mon destin était de suivre l'oncle Press et d'en apprendre davantage sur mon statut de Voyageur. Comme quoi, le monde peut changer du tout au tout en quelques heures.

Voilà qu'on était de retour dans le Bronx, et que j'étais sur le point d'entamer ma nouvelle existence. J'avais envie de pleurer. Oui, je l'admets. J'avais envie de pleurer. Et si Loor n'avait pas été là, je ne me serais pas gêné.

L'oncle Press a été le premier à descendre. Il n'a même pas retiré la clé de contact. Loor et moi nous sommes désencastrés de la voiture. Enfin, moi surtout. J'étais serré comme une sardine sur ce siège arrière, alors mes jambes étaient en coton et j'ai bien failli tomber. Loor m'a rattrapé et maintenu jusqu'à ce que je retrouve mon équilibre. Un peu gênant comme situation, non ?

L'oncle Press ne s'est pas arrêté pour voir comment je m'en tirais. Il s'est dirigé droit vers les escaliers menant au métro.

– Heu, oncle Press ? ai-je lancé. Tu comptes vraiment laisser la voiture comme ça ?

Je me suis souvenu de notre premier trajet. Nous avions abandonné la moto et les casques au même endroit que la Porsche. J'étais sûr que quelqu'un allait les faucher, et pourtant, quand nous étions revenus ce matin, la moto était là où nous l'avions laissée, casques compris. Un incroyable coup de chance. Mais là, il tentait vraiment le diable. Une voiture de sport grand luxe avec les clés dans le contacteur… C'était trop tentant. Pire encore, il était interdit de se garer à cet endroit. Si les voleurs ne s'emparaient pas de la voiture, la police s'en occuperait.

– C'est bon, a dit l'oncle Press. Les acolytes s'en chargeront.

Hein ? Des acolytes ? Voilà autre chose. J'ai regardé Loor pour voir si elle comprenait de quoi il parlait. Elle a haussé les épaules. Avant que j'aie pu poser une autre question, l'oncle Press a disparu dans la station de métro.

– Oui, je sais, ai-je dit à Loor. Nous en apprendrons davantage en cours de route.

– Ne pose pas tant que questions, Pendragon, a-t-elle répondu. Garde-les pour quand elles compteront vraiment.

Puis elle a suivi l'oncle Press.

Quoi ? Parce que tous ces trucs bizarres ne comptaient pas vraiment ? Je voulais savoir ! Mais comme je restais planté là tout seul comme un idiot, je n'avais pas d'autre solution que les suivre. Ça, au moins, je savais faire.

J'ai dévalé les marches crasseuses et je suis passé par l'ouverture dans les planches qui scellaient l'entrée de la station. Pour le reste du monde, ce n'était qu'une station de métro désaffectée. Pour nous autres Voyageurs, c'était le croisement entre la

Seconde Terre, mon territoire d'origine, et notre point de passage vers les autres territoires lointains. Ça a l'air romantique, non ? Eh bien, ça ne l'est pas. Ça fout la trouille.

La station de métro crasseuse ne m'était que trop familière. Les rames la traversaient toujours, mais il y avait bien longtemps qu'elles ne s'arrêtaient plus dans cet endroit sinistre. En atteignant le quai, j'ai vu quelque chose qui a évoqué en moi de mauvais souvenirs. C'était la colonne derrière laquelle l'oncle Press s'était caché lors de sa fusillade avec Saint Dane. Il m'avait donné le temps de m'échapper pour trouver la porte et le flume qui m'avait envoyé sur Denduron.

Saint Dane. Voilà quelqu'un que j'aurais bien voulu oublier. L'oncle Press dit qu'il s'agit d'un Voyageur, comme nous. Mais il n'est pas tout à fait comme nous, parce que ce type est le diable en personne. Sur Denduron, il a bien failli mener à leur perte deux tribus rivales. Mais nous nous sommes interposés et avons gâché ses plans de destruction.

Malheureusement, Denduron n'était qu'un début. Saint Dane a promis de plonger tous les territoires dans le chaos au cours de sa quête insensée pour dominer Halla. Voilà la clé. Il veut dominer Halla. Bon, je ne suis pas un génie, mais vu que l'oncle Press a décrit Halla comme « tout territoire, toute personne, tout ce qui vit, tout les temps qui existent », je n'ai pas envie de le voir sous la coupe d'un type comme Saint Dane.

Le plus angoissant, c'est encore que ce Saint Dane aime faire souffrir les autres. J'ai pu le constater de visu, et plus d'une fois. Cette station de métro désaffectée avait été le premier exemple. C'est là qu'il avait hypnotisé un malheureux clochard et l'avait poussé à sauter sur le passage d'une rame qui l'avait mis en bouillie. Il l'avait fait volontairement, de sang-froid, pour « donner à ce garçon un avant-goût de ce qui l'attendait », selon ses propres termes.

Bien sûr, ce garçon n'était autre que moi. Sympa, le type, non ? Comme je l'ai déjà dit, dans mon existence de Voyageur, le pire est encore la peur de l'inconnu. Eh bien, ce n'est pas tout à fait vrai. Tout en haut de la liste de mes terreurs préférées, il y a l'idée qu'un jour, quelque part, nos chemins se croisent à nouveau.

Ce Saint Dane est plus que dangereux, et nous étions chargés de l'empêcher de nuire. Maintenant que j'étais là, sur ce quai, j'aurais bien voulu changer de boulot.

— Pendragon ! a crié Loor.

J'ai suivi le son de sa voix jusqu'à l'autre bout du quai. Je connaissais ce chemin. Nous devions descendre sur les rails en faisant bien attention de ne pas heurter le troisième rail pour finir en grillade, et avons continué le long des murs crasseux, pleins de suie, jusqu'à atteindre une porte de bois. Sur celle-ci, il y avait un symbole en forme d'étoile qui permettait de l'identifier. C'était le portail – notre destination.

Nous avons suivi l'oncle Press le long des rails. Il fallait faire vite, parce qu'une rame pouvait s'annoncer à tout moment. Il n'y avait pas un grand intervalle entre les rails et le mur, et nous risquions d'y laisser quelques centimètres de peau.

Alors que nous nous rapprochions de la porte, j'ai remarqué que l'anneau que je portais au doigt commençait à se réchauffer. D'un coup d'œil, j'ai vu qu'il était en train de se transformer. Sa couleur gris ardoise a semblé fondre et l'anneau s'est mis à luire. C'était le signe que nous approchions d'un portail. Incroyable comme désormais ça me semblait naturel. Il y a eu un temps où l'idée de suivre un anneau possédé jusqu'à une porte mystérieuse dans une station de métro abandonnée n'aurait été qu'un drôle de rêve. Mais plus maintenant. Cela semblait normal. Ou presque.

L'oncle Press a trouvé la porte, l'a ouverte et nous a fait entrer.

À l'intérieur, la caverne n'avait pas changé. J'ai aussitôt regardé dans ce tunnel sombre qui débouchait sur l'inconnu. C'était le flume qui allait prendre vie et nous emmener… quelque part. Pour l'instant, il restait inerte, attendant que nous lui donnions notre destination. Jusqu'à présent, je ne l'avais emprunté que pour passer de la Seconde Terre à Denduron et inversement. Tout poussait à croire que, cette fois-ci, nous nous rendrions ailleurs, et c'était le moment. Loor et moi avons attendu que l'oncle Press nous ouvre la voie.

— Nous allons nous séparer, a-t-il dit.

Houlà ! Ce n'était pas un bon début. Il était dingue ou quoi ? Nous ne pouvions pas rompre notre alliance ! L'oncle Press était capable de s'orienter dans le cosmos et Loor était une guerrière farouche. L'idée de prendre le flume sans eux pour me retrouver tout seul face à Saint Dane était beaucoup trop pour moi. Un million d'idées et de possibilités ont traversé mon esprit – toutes plus désastreuses les unes que les autres. Mais au moment même où j'allais céder à la panique, Loor a pris la parole :

– Pourquoi ? a-t-elle demandé froidement.

Rien ne vaut la simplicité. C'était bien de l'avoir à mes côtés.

– Depuis la mort de ta mère, a-t-il répondu, tu es la Voyageuse de Zadaa. Ils auront bientôt besoin de toi là-bas. Je veux que tu retournes chez toi et te tiennes prête.

– Et moi ? ai-je dit sur le ton de la protestation.

– Toi et moi, nous partons sur Cloral. Si Saint Dane s'y est rendu, c'est qu'il avait une bonne raison pour cela, et je veux la découvrir.

Donc, il y avait une bonne et une mauvaise nouvelle. La bonne, c'était que l'oncle Press et moi restions ensemble. La mauvaise, c'était que nous allions à la recherche de Saint Dane. Ça, c'était *vraiment* une mauvaise nouvelle.

– Mais si je suis le Voyageur de la Seconde Terre, ne devrais-je pas plutôt rester ici ? ai-je demandé, plein d'espoir. Pour, heu… m'assurer que tout va bien ?

L'oncle Press m'a décoché un petit sourire. Il savait que j'essayais de me défiler.

– Non, il vaut mieux que tu viennes avec moi.

Bon, d'accord. Je ne m'attendais pas vraiment à ce que ma tentative à deux balles réussisse. Mais on peut toujours essayer, non ?

Loor s'est avancée vers moi :

– Si tu as besoin de moi, Pendragon, je serai là.

Vous parlez d'une surprise ! Il faut croire que j'avais bel et bien gagné son respect. J'ai acquiescé et j'ai dit :

– Moi aussi.

Nous avons échangé un long regard. Le lien qui s'était forgé entre nous lors de la guerre de Denduron était plus solide que je le croyais. Je me sentais en sécurité lorsqu'elle était à proximité, mais il y avait plus que cela. J'aimais bien Loor. Malgré son inflexibilité, elle avait bon cœur. Je n'avais aucune envie de partir sans elle. Et je suis sûr que si elle avait eu le choix, elle aurait préféré venir avec moi. Mais avant que j'aie pu ajouter un mot, elle s'est retournée et s'est avancée jusqu'à l'entrée du flume. Elle a scruté l'abîme, a inspiré profondément et a crié :

– *Zadaa !*

Aussitôt, le tunnel se mit à respirer. Les murs de pierre se sont tortillés comme un serpent géant qui se réveillerait lentement. Puis est venu ce bruit familier – ce mélange de notes musicales enchevêtrées venant des tréfonds du tunnel pour devenir de plus en plus fort alors qu'elles se dirigeaient vers nous. Les murs de pierre grise se sont transformés en gemmes cristallines brillantes, tout comme l'avait fait mon anneau alors que nous approchions du portail. La clarté était désormais si brillante que j'ai dû me protéger les yeux. Loor n'a plus été qu'une silhouette sombre devant cette masse lumineuse. Elle nous a regardé une dernière fois et a agité la main. Puis, en un éclair, elle a disparu dans le tunnel. La clarté et la musique se sont éloignées, l'emmenant chez elle, sur le territoire de Zadaa.

En un instant, le spectacle s'est terminé et le tunnel est redevenu sombre.

– À ton tour, a dit l'oncle Press.

– Parle-moi de Cloral, ai-je répondu afin de gagner du temps.

Certes, les voyages en flume étaient plutôt marrants, mais je me demandais ce qui m'attendait à l'autre bout. Il me fallait quelques secondes pour me remettre les idées en place.

– Tu découvriras tout ce que tu dois savoir une fois sur place, a-t-il répondu en me poussant doucement vers l'entrée du flume. Ne t'en fais pas : je suis juste derrière toi.

– Tu ne peux jamais me répondre de façon directe ? ai-je demandé.

– Je croyais que tu aimais les surprises ! s'est-il esclaffé.

– Non, plus maintenant ! ai-je crié.

L'oncle Press ne cessait de me surprendre avec des cadeaux d'anniversaires somptueux, des balades en hélicoptère, des voyages en camping – en fait, tout ce qu'un gamin peut attendre du plus incroyable des oncles. Mais ces derniers temps, ses surprises n'étaient plus aussi chouettes qu'avant. Surtout lorsque je me retrouvais avec des bêtes féroces aux trousses, me faisait tirer dessus, ou enterrer vivant, ou échappait de justesse à une explosion... Maintenant, c'était ce genre de « surprises » qu'il me réservait.

– Allez, ne fais pas ton rabat-joie ! a-t-il raillé en me poussant dans le flume. *Cloral* ! a-t-il crié, puis il s'est reculé alors que le tunnel prenait vie.

Je n'ai même pas regardé le spectacle. Je savais ce qui allait se passer.

– Rabat-joie ? ai-je crié. Je ne vois pas ce qu'il y a de joyeux là-dedans !

– Oh, Bobby, encore une chose.

– Quoi ?

– Souviens-toi du Cannonball.

– Quel *Cannonball* ? me suis-je récrié. Qu'est-ce que ça veut dire ?

Les lumières se sont fait éblouissantes et les notes n'ont cessé d'augmenter en volume. Plus que quelques secondes avant le lancement.

– Avant d'arriver sur Cloral, pense à retenir ton souffle !

– Quoi ?

Ma dernière vision fut celle de l'oncle Press en train de rire de bon cœur. Puis la lumière s'est emparée de moi et m'a aspiré dans le tunnel. C'était parti.

SECONDE TERRE

– Qu'est-ce que vous fichez là ? s'écria M. Dorrico, le gardien en chef du collège de Stony Brook. C'est pas une bibliothèque, ici ! Vous ne pouvez pas rester là, à lire votre… hé, tu es une fille ! Les filles n'ont pas le droit d'entrer dans les toilettes des garçons !

M. Dorrico avait été gardien et concierge de Stony Brook, pratiquement tout au long de sa carrière exemplaire de près de quarante ans. Plus rien ne pouvait l'impressionner, même une fille dans les toilettes des garçons. M. Dorrico était certes vieux et mal embouché, mais il pouvait encore distinguer les filles des garçons. Enfin, la plupart du temps.

Courtney Chetwynde et Mark Dimond étaient là, assis par terre, à lire le premier journal que Bobby leur avait envoyé de Cloral. Les toilettes du troisième étage étaient situées tout près des classes de dessin. Elles étaient rarement utilisées, tant par les filles que par les garçons. Mark en avait fait sa forteresse de solitude. Lorsque le monde devenait oppressant, c'est là qu'il venait chercher le calme et la solitude – et manger des carottes. S'il recevait un des journaux de Bobby à l'école, il s'y retirait pour le lire en paix. Et comme Courtney était désormais impliquée dans l'affaire, il l'avait invitée à venir avec lui. Mais maintenant, ils se retrouvaient face à un gardien qui semblait au bord de la crise cardiaque parce qu'une fille s'était infiltrée dans les toilettes des garçons.

Mark sauta sur ses pieds et s'empressa de ramasser les feuilles du journal de Bobby.

– T-t-tout va bien. Nous allions justement p-p-partir, marmonna-t-il nerveusement.

Lorsqu'il était énervé, Mark bégayait. Courtney, par contre, donnait le meilleur d'elle-même dans les situations critiques. Elle se leva lentement, marcha vers M. Dorrico et le regarda droit dans les yeux.

– J'avais une bonne raison de venir ici, affirma-t-elle d'une voix pleine de confiance. Avec tous ces garçons dans les toilettes des filles, c'est dur d'avoir un peu d'intimité. Et ils ne relèvent jamais le siège.

– Quoi ? s'écria M. Dorrico en virant à l'écarlate.

Pour lui, une telle transgression menaçait de saper les fondations même de l'ordre, de la décence et de la société telle que nous la connaissions. Il s'empara du balai avec lequel il s'apprêtait à laver le carrelage et sortit au pas de course, tout prêt à affronter les immondes garnements qui osaient s'introduire dans le saint des saints qu'étaient les toilettes des filles.

Mark se tourna vers Courtney et dit :

– C'était pas très sympa.

– En tout cas, répondit-elle, c'est le moment de filer à l'anglaise.

Ils passèrent dans le couloir et se mirent à courir en évitant soigneusement les toilettes des filles.

Mark et Courtney faisaient un drôle de duo. Lui était un introverti qui vivait dans un monde de livres et de bandes dessinées. Il n'avait pas beaucoup d'amis. Ses cheveux étaient toujours un petit peu trop longs et pas toujours très propres. Pour lui, sport était le mot tabou et sa mère choisissait ses vêtements, ce qui signifie qu'il était toujours attifé de fringues démarquées avec deux années de retard sur la mode. Mais le truc, c'est qu'il s'en moquait. Mark n'avait jamais cherché à être cool. En fait, il se sentait plutôt bien dans sa « non-coolitude ». Là où tous les autres faisaient des efforts surhumains pour impressionner leur monde avec leurs tenues, leurs fréquentations ou les soirées auxquelles ils étaient invités, Mark ne demandait rien à personne. Donc, Mark se considérait plus cool que cool – à sa façon bien à lui.

Courtney, en revanche, avait tout pour elle. Elle était grande et belle avec de longs cheveux bruns cascadant jusqu'à sa taille et des yeux gris pénétrants. Ses notes étaient correctes. Pas vraiment la première de la classe, mais pas en dessous de la moyenne. Elle avait plein d'amis. Mais là où elle était vraiment brillante, c'était en sport. Et surtout en volley-ball. Elle était si grande et si forte qu'elle en était avantagée par rapport à la plupart des filles, si bien qu'elle avait été intégrée à l'équipe masculine de Stony Brook. En fait, on peut dire qu'elle avait aussi un avantage sur la majorité des garçons : elle les rétamait complètement. Les gars avaient peur d'elle parce qu'ils ne voulaient pas se voir ridiculiser par une fille, mais aussi parce qu'ils savaient que quiconque se frottait à Courtney risquait d'y laisser une partie de sa dentition. À quatorze ans, elle était déjà une légende.

Ainsi, Courtney Chetwynde et Mark Dimond étaient si différents qu'on ne s'attendait pas à ce qu'ils se lient d'amitié. Sauf autour de leur seul centre d'intérêt commun.

Bobby Pendragon.

Mark et Courtney le connaissaient depuis leur plus tendre enfance. Depuis le jardin d'enfants, Mark et Bobby étaient les meilleurs amis du monde. Bobby était si souvent fourré chez Mark que Mme Dimond le considérait comme son second fils. En grandissant, leurs goûts avaient divergé. Bobby était assez sportif et plutôt sociable. Mark n'était… ni l'un, ni l'autre. Mais là où d'autres se seraient éloignés, leur amitié était restée intacte. Bobby disait souvent qu'ils pouvaient paraître mal assortis, mais qu'ils riaient aux mêmes plaisanteries, ce qui voulait dire qu'au fond ils n'étaient pas si différents que ça.

Quant à Courtney, Bobby l'avait rencontrée en quatrième et en était aussitôt tombé amoureux. À peine avait-il plongé son regard dans ses incroyables yeux gris que ç'avait été le coup de foudre, et ce sentiment ne s'était toujours pas dissipé. En grandissant, ils s'étaient affrontés plus d'une fois sur le terrain de sports. Mais Bobby était un des rares gars que Courtney n'intimidait pas, bien au contraire. Elle avait beau être une fille, il ne cherchait pas à la ménager. Pourquoi l'aurait-il fait ?

Elle était trop douée pour qu'il prenne des gants. Et sur le terrain, Courtney le lui rendait bien. Lorsqu'ils couraient le quatre cents mètres, il s'arrangeait pour rester à sa hauteur. Parfois, c'était lui qui l'emportait, d'autres fois Courtney. En ligue de base-ball junior, ils étaient tous deux lanceurs dans des équipes opposées. Lorsque l'un battait, l'autre visait un peu plus bas afin de lui compliquer la tâche. Bien sûr, il arrivait qu'ils se rentrent dedans et que l'un d'eux finisse à terre. Mais ils ne s'étaient jamais fait de mal. Ils étaient peut-être adversaires, mais restaient amis.

En fait, si Bobby avait complètement craqué pour Courtney, il en était de même pour elle. Mais ils n'avaient jamais abordé la question, du moins jusqu'à cette nuit fatale où Courtney était passée chez Bobby juste avant le grand match de basket-ball. C'est alors que Courtney avait avoué ses sentiments à Bobby. Ce fut aussi ce soir-là qu'ils s'embrassèrent pour la première fois. Pour Bobby, c'était un de ces moments d'exception qui transcendaient toutes ses attentes. Un vrai instant de magie.

Malheureusement, ce fut aussi ce soir-là que l'oncle de Bobby, Press, était venu le chercher pour l'entraîner dans une incroyable aventure sur un territoire en difficulté du nom de Denduron. Le baiser de Courtney devait sceller la fin de son ancienne existence.

C'est l'inquiétude qui avait réuni Courtney et Mark : tous deux redoutaient qu'il arrive malheur à Bobby au cours d'un de ses voyages. Mark avait commencé à recevoir les journaux par le biais de l'anneau magique ; lors d'une étrange nuit, une femme mystérieuse mais douce le lui avait donné, et Mark avait cru à un rêve. Au matin, le rêve terminé, l'anneau était toujours là. La femme était Osa, la mère de Loor, celle-la même qui allait sacrifier sa vie pour sauver Bobby. L'anneau était un transmetteur par lequel Bobby pouvait envoyer à ses amis des carnets où il racontait ses incroyables aventures.

Pour Mark, lire les exploits de son ami était à la fois passionnant et effrayant. Les périls qu'il affrontait étaient bien plus excitants que n'importe quel film d'action. Toutefois les récits de Bobby n'avaient rien d'une fiction distrayante. Tout y était vrai, ce qui les rendait terrifiants. L'idée qu'il existe un groupe d'individus nommés Voyageurs traversant l'espace et le temps pour lutter contre le mal contredisait toutes ses notions de l'univers tel qu'il croyait le connaître. Et, plus étrange encore, le fait que son meilleur ami soit l'un de ces Voyageurs rendait la pilule encore plus dure à avaler.

En fait, il avait senti qu'il n'était pas à la hauteur. En tout cas, pas tout seul. C'est pour cela qu'il avait mis Courtney dans la confidence. C'est ensemble qu'ils liraient les journaux de Bobby et essaieraient de comprendre ce qui arrivait à leur ami.

Leur lieu de rendez-vous préféré était le sous-sol de chez Courtney. Son père y avait installé un atelier, mais il ne s'en servait jamais. Courtney se moquait souvent de son père en disant qu'il avait acheté tous ces outils pour la frime, mais ne savait même pas par quel bout les prendre. Donc, l'atelier du sous-sol était plutôt un musée de la machine-outil, un royaume poussiéreux qui convenait parfaitement à Mark et Courtney. Il y avait même un vieux canapé élimé où ils pouvaient s'installer pour dévorer les journaux de Bobby.

Leur échauffourée avec M. Dorrico eut lieu à la fin de leur journée d'école, si bien qu'ils n'avaient pas à retourner en classe. Ils se dirigèrent tout droit chez Courtney. Celle-ci sécha même son entraînement de volley-ball. Elle ne le ratait jamais qu'en cas d'urgence. Or l'arrivée d'un des journaux de Bobby justifiait largement cette absence.

Courtney passa devant Mark et dévala les marches du sous-sol, puis sauta sur le vieux canapé, soulevant un nuage de poussière.

– Je n'en peux plus ! s'écria-t-elle. Je veux savoir ce qui lui est arrivé sur Cloral !

Mark portait le journal de Bobby dans son sac à dos. Mais plutôt que de l'en sortir et de s'asseoir à côté de Courtney pour qu'ils puissent continuer leur lecture, il resta planté là, l'air nerveux.

– Qu'y a-t-il ? fit-elle, tentant de faire passer toute son impatience dans sa voix.

– C-C-Courtney, j'ai peur, dit-il doucement.

Normalement, face à quelqu'un comme Mark, Courtney lui aurait marché dessus sans vergogne pour obtenir ce qu'elle voulait. Mais cette fois-ci, la situation était différente. Ils formaient une équipe. Ils avaient un secret en commun. Si l'un d'entre eux avait des doutes, l'autre devait respecter ses états d'âme. Donc, aussi avide qu'elle soit d'arracher le sac au dos de Mark pour s'emparer du journal de Bobby, elle inspira profondément et tenta de se détendre.

– Moi aussi, dit-elle doucement. Mais je veux savoir s'il va bien.

– Je ne parle pas de Bobby, gémit Mark. J'ai peur pour nous.

Courtney se rassit de surprise.

– Pourquoi ?

Mark se mit à faire les cent pas dans l'espace réduit.

– Depuis qu'il est parti, il y a quelques mois, je n'ai pas arrêté d'y penser.

– Oui, ben, rien d'étonnant à ça, répondit-elle. Moi aussi.

Mais apparemment, les angoisses de Mark étaient plus fortes que celles de Courtney.

– Pense à tout ce qui est en jeu, continua Mark. Saint Dane tente de mettre la main sur Halla. Tout ce qui est, tout ce qui a toujours été… Ça fait peur, non ?

– Ben oui, répondit-elle. Il n'y a pas un mois, mon plus grand souci était de réussir mon exam d'algèbre. Et maintenant, je m'inquiète de la sauvegarde de l'Univers. Ce n'est pas tout à fait pareil.

Mark acquiesça. Il était difficile de surmonter quelque chose d'aussi énorme.

– Très bien, dit-il en continuant de tourner comme un lion en cage. Moi aussi, j'ai du mal à comprendre, mais il y a plus invraisemblable encore. L'oncle Press a dit à Bobby que tous les territoires étaient sur le point d'atteindre un moment crucial. La mission des Voyageurs est de les aider à surmonter cette crise afin de maintenir la paix. S'ils échouent, les territoires seront plongés dans le chaos, et c'est alors que Saint Dane entrera en scène.

– Oui, et alors ? fit Courtney, agacée.

Elle avait hâte de voir où il voulait en venir.

– Réfléchis un peu, continua Mark, qui s'échauffait progressivement. Bobby et Press se sont rendus sur ce territoire parce qu'il était au bord de la guerre civile. Nous venons de lire que Press a déclaré à Loor qu'elle devait retourner sur son territoire natal de Zadaa, où on aurait bientôt besoin d'elle.

Courtney l'écouta attentivement. Elle voulait voir jusqu'où Mark pousserait son raisonnement.

– Saint Dane s'est rendu sur Cloral. Bobby et Press l'y ont suivi. Donc, Cloral doit approcher de son moment de vérité, lui aussi.

– Oui, je vois. Mais qu'est-ce qu'il y a de si effrayant ?

– Réfléchis un instant. Nous lisons ces journaux comme s'il s'agissait d'aventures qui se déroulent bien loin de notre petite ville. Bien sûr, Bobby est en plein dedans, mais rien de tout ça ne nous affecte. Pas ici, dans notre banlieue bien protégée.

Courtney commençait à comprendre.

– Tu veux dire qu'il peut aussi arriver quelque chose chez nous ? fit-elle.

– Exactement ! s'écria Mark. Nous sommes aussi un territoire. La Seconde Terre. Nous ne sommes pas à l'abri. Nous faisons partie de ce Halla, ou quel que soit le nom qu'on lui donne.

Courtney détourna son regard le temps de peser cette information. En effet, si tous les territoires devaient atteindre un point critique, le leur ne serait pas épargné. Voilà qui ne lui disait rien qui vaille.

– Et il y a encore autre chose, renchérit Mark. Nous avons cherché à savoir pourquoi Bobby est un Voyageur. Eh bien, je ne peux pas dire pourquoi, mais je suis sûr de savoir *quand*.

– Hein ? Quand quoi ?

– On dirait que les Voyageurs ne partent que lorsqu'on a besoin d'eux, *quand* on a besoin d'eux. J'imagine que le moment est venu où la Seconde Terre avait besoin d'un Voyageur, et voilà pourquoi nous en avons un. En l'occurrence Bobby.

Courtney ne posa pas d'autre question. C'était inutile. Ce que disait Mark était logique, à sa façon. Jusque-là, tout ce que Bobby avait écrit s'était avéré. L'oncle Press l'avait averti que tous les territoires approchaient d'un moment crucial. *Tous* les territoires. Ce qui incluait forcément la Seconde Terre. Chez eux.

— Et tu veux en savoir davantage ?

— Pas vraiment, répondit Courtney.

— Je pense que nous faisons partie de cette histoire, toi et moi. Bobby nous envoie ses carnets. À part lui, nous sommes les seuls à savoir ce qui se passe.

— Tu penses qu'on nous prépare à affronter une bataille qui aura lieu sur la Seconde Terre ? demanda Courtney d'une voix basse, comme si elle avait du mal à prononcer ces mots.

— Je crois que c'est exactement ça.

Soudain, Courtney eut aussi peur que Mark. Il avait fini par arriver à sa conclusion, mais celle-ci ne la réjouissait guère.

— Alors qu'est-ce qu'on fait ?

Mark retira son sac à dos et s'assit à côté d'elle.

— Ça, je n'en sais rien.

Il plongea la main dans son sac et en tira le journal de Bobby. Contrairement au premier, qui était rédigé sur des parchemins grossiers et jaunis, ces pages étaient d'un beau vert clair et étonnamment souples. Chacune était à peu près de la taille d'une feuille de papier standard, mais les bords n'étaient pas anguleux. Elles avaient une drôle de forme, comme si elles étaient faites à la main. On aurait dit une sorte de caoutchouc mince et léger. Par contre, l'écriture était sensiblement la même que sur les autres journaux. Le texte était rédigé à l'encre noire et on reconnaissait le style de Bobby.

— Nous finirons bien par nous faire une idée de ce qui nous attend, dit Mark. En attendant, tout ce que nous pouvons faire, c'est lire le journal de Bobby et en apprendre un maximum pour être près quand le moment viendra.

Courtney plongea son regard dans les yeux de Mark. Son dernier commentaire avait quelque chose d'inquiétant. Ce n'était pas un jeu, ni le récit d'un autre. C'était la vérité. Son bon sens lui soufflait que, d'une façon ou d'une autre, ils s'étaient fait aspirer dans ce cauchemar. Courtney commençait à détester le bon sens. Mais la question restait posée : quand cela se produirait-il ? Ils n'avaient pas d'autre moyen de le savoir que les carnets de Bobby. Ainsi, Mark et Courtney mirent fin à leur conversation. Ils se tournèrent vers ces drôles de feuilles vertes et reprirent leur lecture.

Journal n° 5
(suite)

CLORAL

Le flume.

C'était la cinquième fois que j'empruntais un de ces tunnels magiques pour plonger dans l'inconnu, et je n'arrivais pas à m'y faire. Je pense que je ne m'y habituerai jamais. Comme je vous l'ai déjà raconté, c'est un peu comme de descendre un toboggan aquatique. Mais ce n'est pas aussi violent qu'une attraction de foire, plutôt comme de flotter sur un coussin d'air chaud. Les parois du tunnel étaient transparentes comme du cristal, comme à chaque fois que le flume était activé. Pourquoi ? Je n'en ai pas la moindre idée.

Au-delà des parois, j'ai vu des étoiles. Des milliards d'étoiles. J'étais plongé au milieu de l'Univers et je voyageais dans l'espace et le temps. Du moins c'est comme ça qu'on me l'avait expliqué. Je me demande si les flumes sont vraiment solides. Est-il possible de les endommager ? Est-ce qu'un satellite en orbite pourrait en percuter un ? Ou un météore ? Un astéroïde ? Bon, j'avais assez de soucis comme ça sans imaginer toute sorte de catastrophes hypothétiques. J'ai donc tenté de penser à autre chose.

Devant moi, j'ai pu voir les nombreux tournants du couloir. La première fois que j'étais passé par là, j'avais eu peur de me cogner contre les cloisons, si bien que j'avais essayé d'accompagner le mouvement, à la façon d'un équipage de bobsleigh. J'avais vite découvert que cela ne servait à rien. Quelle que soit la force qui me propulsait, elle m'empêchait aussi de me cogner aux parois. Je n'avais qu'à me détendre et profiter du voyage.

Jusque-là, j'avais emprunté uniquement le flume qui reliait la Seconde Terre à Denduron. C'était la première fois que j'allais dans une autre direction. Je me suis demandé si j'allais tomber sur une sorte de carrefour pour me voir catapulté dans cette nouvelle direction. J'ai eu bien vite la réponse à ma question. Il n'y avait pas de tournant, pas de croisement. J'étais sur la voie express pour Cloral.

Comment pouvais-je le savoir ? Eh bien, j'ai entendu un bruit. J'avais l'habitude de cet espèce d'embrouillamini de notes de musique accompagnant mon voyage, ce qui fait que ce nouveau son m'a sauté aux oreilles. Et il se rapprochait. J'étais presque arrivé au bout du tunnel quand j'ai enfin réalisé de quoi il s'agissait.

De l'eau.

Soudain, l'avertissement que m'avait donné l'oncle Press avant que je ne plonge dans le flume a pris tout son sens. Il m'avait dit de penser au Cannonball et de retenir mon souffle. C'est alors que j'ai compris ce qu'était ce Cannonball. Tu te rappelles, Mark ? C'est une attraction de ce parc nautique du New Jersey où l'oncle Press nous avait emmenés, il y a quelques années. Un toboggan aquatique court et rapide qui plonge sous la terre, puis te balance cinq mètres au-dessus d'une piscine glaciale remplie de neige fondue. Si je me souviens bien, tu l'avais qualifié de « brutal ». Eh bien, si j'avais vraiment tout compris, ça voulait dire que j'allais être projeté dans un plan d'eau quelconque. Alors je me suis dépêché de replier mes bras sur ma poitrine, j'ai croisé les jambes et j'ai attendu.

Ça n'a pas tardé. J'ai jailli du flume comme une torpille, les pieds en avant, pour tomber comme une pierre. Mais qu'est-ce qui m'attendait ? Je ne voyais rien. Je n'arrivais pas à reprendre mes esprits, ou mon équilibre. Je n'avais plus qu'à espérer atterrir sur quelque chose de mou… ou de liquide.

Ça a été du liquide. J'ai crevé la surface dans un grand éclaboussement pas très élégant. Mais grâce à l'avertissement de l'oncle Press, j'étais prêt. J'ai plongé les pieds en avant et ai coulé à pic. J'ai même pensé à me boucher le nez pour que l'eau ne rentre pas dans mes narines.

L'eau en question était d'une chaleur tropicale, comme si j'avais débarqué en Floride ou aux Bahamas. À peine ai-je fini mon plongeon que j'ai battu des jambes pour remonter. Je voulais savoir où j'étais et quel genre de territoire était Cloral. Quand j'ai percé la surface, j'ai jeté un coup d'œil autour de moi. Je pataugeais dans un grand bassin situé dans une caverne, ce qui n'avait rien pour m'étonner. Jusque-là, les flumes étaient tous souterrains. Mais contrairement à ceux que j'avais connus, celui-ci débouchait directement dans la paroi de la caverne à environ six mètres de l'eau. C'est de là que je venais de tomber. Merci, oncle Press.

Un premier examen m'a appris que la caverne était entièrement close et que la seule lumière provenait de l'eau où je flottais. J'en ai conclu que le soleil devait briller là-dehors et qu'il se reflétait sur le fond sablonneux pour illuminer toute la caverne.

L'endroit était à peu près de la taille de deux courts de tennis, avec une voûte arquée qui se terminait loin tout là-haut. J'ai eu l'impression d'être dans une petite église. Les murs étaient faits d'une roche mal dégrossie couleur de sable qui semblait gravée par des siècles d'érosion. Il y avait aussi des milliers de lianes couvertes de feuilles qui croissaient directement sur la pierre et recouvraient les rochers comme un rideau vert.

Mais ce qui m'a vraiment marqué, c'est encore les milliers de feuilles multicolores qui poussaient sur ces lianes. La lumière émise par la mare devait suffire pour leur croissance, ou peut-être que, sur Cloral, les fleurs s'en passaient. Quoi qu'il en soit, elles formaient une véritable mosaïque de couleurs sur les murs, un mélange de rouge vif, de bleu profond et de jaune éclatant. Les fleurs elles-mêmes étaient de taille et de forme toutes différentes et, en tout cas, ne ressemblaient pas à leurs équivalents terrestres. Certaines étaient épatées comme des trompettes, d'autres ressemblaient davantage à des pales d'hélicoptère. Plus étrange encore, elles avaient l'air bien vivantes. Je vous assure, elles n'arrêtaient pas de s'ouvrir et se refermer, lentement, comme si elles respiraient. On aurait dit que la caverne elle-même était en vie. Le spectacle était à la fois magique et vaguement effrayant.

J'ai fini par me calmer et me laisser flotter paresseusement dans la mare verte. En fait, ce n'était pas désagréable. Je crois que cet endroit enchanté m'avait hypnotisé. Je serais sans doute resté là un bon moment, à patauger dans l'eau tiède, si je n'avais pas entendu des notes musicales en provenance du flume. Il m'a fallu une seconde pour comprendre ce qui se passait. L'oncle Press arrivait. C'était plutôt une bonne nouvelle, sauf que je me trouvais à l'endroit précis où il allait atterrir. Ça, ce n'était pas conseillé. J'ai aussitôt nagé vers le bord du bassin pour m'écarter du point de chute. À peine avais-je touché la pierre que j'ai entendu un grand « Yaaahouuuuu ! ».

L'oncle Press a jailli du flume la tête la première avec une telle violence qu'il a été projeté au centre de la caverne. Il est resté un instant comme ça, suspendu entre ciel et terre, puis la gravité a fini par reprendre ses droits. Il a ramené ses bras devant lui pour effectuer un plongeon parfait. Et juste avant l'impact, il les a joints pour entrer dans l'eau quasiment à la verticale. Il a à peine laissé quelques rides à la surface. La perfection même.

Je me suis hissé pour m'asseoir au bord du plan d'eau. L'oncle Press a refait surface avec un grand sourire béat. Il a secoué la tête pour rejeter en arrière ses cheveux mouillés qui lui tombaient sur les yeux.

– Bienvenue sur Cloral ! a-t-il dit avec enthousiasme. C'est mon territoire préféré. Aucun autre ne lui arrive à la cheville.

On aurait dit un guide touristique chargé de s'assurer que je profitais de mes vacances. Mais ce n'était pas un voyage d'agrément, loin de là.

– Alors, qu'est-ce qui se passe ici ? ai-je demandé, bien que je ne sois pas sûr de vouloir entendre la réponse. Est-ce qu'une guerre a éclaté ? Est-ce qu'un désastre imminent menace les habitants ? Est-ce que Saint Dane a concocté un de ses plans diaboliques, histoire de nous pourrir la vie ?

L'oncle Press a haussé les épaules.

– Je n'en sais rien, a-t-il répondu d'un air tout naturel.

Hein ? Jusque-là, l'oncle Press avait réponse à tout. Il ne partageait pas toujours ses informations avec moi, mais c'était bon de savoir que, de nous deux, il y en avait au moins un qui ne ramait pas complètement.

— Tu ne sais pas ? ai-je rétorqué. Pourquoi est-ce que tu me caches la vérité ? Si nous devons nous fourrer dans les ennuis, j'ai le droit de le savoir.

— Je ne te cache rien, Bobby, a-t-il fait avec l'accent de la sincérité. Je ne sais vraiment pas ce qui se passe ici. Sur Denduron, j'habitais chez les Milago et savais qu'une guerre civile se préparait. Mais je ne suis venu que deux fois sur Cloral. Pour autant que je sache, tout va bien.

— Dans ce cas, ai-je dit avec colère, qu'est-ce qu'on fiche là ?

L'oncle Press m'a regardé droit dans les yeux. Il était temps de passer aux choses sérieuses.

— Nous sommes là parce que Saint Dane s'y trouve aussi. Il n'a pas encore abattu ses cartes, mais ça ne saurait tarder.

Ah, oui. Saint Dane. Sur Denduron, peu après que Loor et moi avions échappé de justesse à l'explosion de la mine, Saint Dane avait sauté dans le flume en s'écriant « Cloral ! ». Et comme la mine était sur le point de sauter comme une immense bombe, Loor et moi l'aurions volontiers suivi, sauf qu'il nous avait renvoyé un énorme requin par le flume pour nous en empêcher. Ce qui ne nous laissait que deux options : finir en casse-croûte pour le requin ou nous enfoncer au plus profond de cette mine condamnée. Nous avions préféré fuir et, heureusement, avions pu nous échapper par un conduit de ventilation avant que tout le bastringue ne vole en éclats.

Soudain, j'ai compris que si nous étions sur Cloral, c'était en bonne partie à cause de moi. C'est moi qui savait où s'était rendu Saint Dane. J'imagine que, dans cette saga, je jouais un rôle plus important que je ne l'aurais voulu.

— Parle-moi de Cloral.

Puisqu'on y était, autant savoir ce que ce nouveau territoire pouvait bien me réserver comme surprise.

L'oncle Press s'est relevé et a contemplé la caverne radieuse et colorée.

— La surface de la planète est entièrement recouverte d'eau, a-t-il expliqué. D'après ce que j'en sais, il n'y a pas un centimètre de terre ferme. Cette caverne fait partie d'un récif de corail situé à vingt mètres sous l'eau.

– Tu rigoles ? ai-je interrompu. Qui habite ce territoire ? Des poissons ?

L'oncle Press a éclaté de rire et a tendu la main vers l'une des lianes accrochées au rocher. Attachée à la racine, cachée sous les fleurs, elle avait de drôles de petites protubérances dures et sombres. Il en a arraché une comme on cueille une pomme et me l'a jetée. Je l'ai attrapée maladroitement. On aurait dit un petit concombre vert foncé. Ce devait plutôt être un cornichon.

– Casse-le en deux.

Je l'ai pris par chaque bout et j'ai brisé ce drôle de tube sans même forcer. La peau était sombre au point d'être presque noire, mais l'intérieur était d'un beau rouge vif.

– Goûte-moi ça, a-t-il dit tout en en cueillant un second.

Il a mordu dedans et s'est mis à mastiquer avec entrain. J'en ai conclu que s'il ne tombait pas raide mort, ce machin ne me tuerait pas non plus. J'en ai donc pris une bouchée. C'était délicieux ! Encore meilleur que de la pastèque. Même la peau était bonne, quoique plus dure et moins salée que la pulpe. Et il n'y avait pas de pépins.

– Je pense, a-t-il continué, qu'il y a eu un temps où le peuple de Cloral vivait sur la terre sèche. Mais c'était il y a des siècles. Il n'y a même pas d'archives pour en parler. Personne ne sait ce qui est arrivé sur cette planète. Juste que la terre a disparu il y a très longtemps.

– Mais comment peuvent-ils survivre dans l'eau ? ai-je demandé tout en essuyant le jus qui dégoulinait sur mon menton.

– Oh, ils ne vivent pas dans l'eau, mais sur l'eau. Ils ont bâti des cités flottantes qu'ils appellent des « habitats ». Des communautés entières habitent ces immenses barges. Certaines sont si grosses qu'on croirait des îles.

– Ça semble impossible, ai-je dit. Où trouvent-ils à manger ? Et les matériaux de construction ? Et…

– Et si je te les montrais ? interrompit l'oncle Press.

Bonne idée. Nous pouvions rester là à en parler pendant des heures, ou je pouvais voir par moi-même. Cela me faisait mal de le dire, mais cette notion d'un monde flottant m'intriguait.

L'oncle Press s'est essuyé la bouche et a lentement progressé sur la corniche de pierre jusqu'à ce qu'il atteigne un entrelacs de lianes à la base du mur. Il les a repoussées, et j'ai vu qu'elles dissimulaient un paquet de vêtements et d'équipements. Ça m'a tout de suite rappelé la caverne au sommet de la montagne sur Denduron, là où l'oncle Press m'avait fait passer une tenue approprié à ce territoire. Comme il était contraire au règlement de porter les tenues d'autres territoires, il fallait nous déguiser en habitants de Cloral.

— Je ne comprends pas, ai-je dit. Si tu ne savais pas que nous allions venir ici, comment se fait-il que cette petite réserve soit là, à ta disposition ?

Il a ramassé et examiné ce qui ressemblait à une bulle de plastique transparent de la taille d'un ballon de basket.

— Nous ne sommes pas tout seuls, Bobby. Sur chaque territoire, nous avons des acolytes pour nous assister. Ce sont eux qui ont apporté tout ça ici.

Des acolytes. Ils ont dû s'occuper aussi de notre moto, dans le Bronx.

— Qui sont-ils ? Et comment se fait-il que je n'en aie jamais vu un ?

— Oh, tu ne les verras pas. Ou du moins pas souvent. Mais ils sont bien là.

— S'ils sont si présents, ai-je ajouté d'un air dubitatif, pourquoi ne nous ont-ils pas aidé davantage sur Denduron ?

— Cela ne se passe pas comme ça. Eux-mêmes ne sont pas des Voyageurs. Ils ne peuvent pas jouer un rôle direct dans notre mission. Mais ils peuvent nous aider à nous fondre dans le décor. Attrape !

Il m'a jeté la bulle de plastique. Elle était légère, mais solide. Une section du globe était ouverte, la faisant ressembler à un bocal à poissons. Il y avait aussi un petit machin qui ressemblait à un harmonica.

— Passe ta tête dedans.

Ben voyons ! Je ne demandais qu'à me coiffer d'un objet extraterrestre.

— Allez, enfile-le comme un casque ! a-t-il insisté en souriant.

Ne pouvait-il pas me dire ce qui allait se passer, pour une fois ? Pourquoi devais-je toujours agir sans savoir ce qui allait m'arriver ?

Oh, et puis à quoi bon discuter ? À contrecœur, j'ai relevé le globe et l'ai baissé lentement sur ma tête, moment où il s'est produit quelque chose de vraiment bizarre. À peine le haut de mon crâne a-t-il touché l'intérieur du bocal que celui-ci s'est mit à changer de forme ! J'ai immédiatement retiré cet engin du diable, qui a aussitôt interrompu sa transformation pour reprendre sa forme ronde.

– Qu'est-ce que c'est que ça ? me suis-je exclamé, affolé.

L'oncle Press a éclaté de rire et fouillé la pile de vêtements pour en tirer un autre globe transparent.

– Les Cloriens ont une civilisation plutôt avancée. Ils ont des jouets assez incroyables.

– Par exemple, des instruments de torture qui se referment sur ta tête pour t'aspirer le cerveau ?

– Non, tout ce qui a à voir avec l'eau. L'élément liquide est leur milieu naturel. Tu ne peux pas imaginer ce qu'ils sont capables d'en faire.

Il a passé l'autre globe sur sa tête. Aussitôt, le dôme transparent s'est tortillé en changeant de forme. En quelques secondes, ce bocal rond a pris la forme de sa tête, comme une sorte de film protecteur. C'était incroyable. Il m'a souri de l'autre côté de ce masque.

– Ils ont inventé un moyen de fabriquer des matériaux solides à partir d'eau, a-t-il expliqué en tapotant la pellicule qui recouvrait son visage.

Le bocal avait durci à nouveau. Incroyable. Pourtant, je l'entendais parfaitement, bien que sa tête soit enchâssée dans… Enfin, dans ce machin.

– Et ce truc-là, a-t-il ajouté en désignant l'harmonica attaché à l'arrière de sa tête, est un filtre qui aspire l'eau, y puise automatiquement l'oxygène et l'envoie dans le masque pour te permettre de respirer. Pas mal, non ?

Maintenant, je comprenais tout. Cet étrange masque vivant était en fait un instrument de plongée. Il permettait de respirer sous l'eau. Et le plastique transparent protégeait les yeux pour permettre d'y voir. Géant, pas vrai ?

L'oncle Press a retiré le masque de sa tête. Le temps qu'il le repose sur ses genoux, il avait repris sa forme ronde.

– Après quelques siècles sur l'eau, on devient ingénieux, a-t-il dit.

– C'est sûr, ai-je acquiescé. Qu'y a-t-il d'autre ?

Sur la pile, il y avait deux appareils évoquant des gilets de sauvetage en plastique comme en utilisent les gardes-côtes. L'oncle Press en a ramassé un et me l'a montré. Ce nouveau machin avait la forme d'un ballon de rugby, d'un violet brillant, avec des poignées de chaque côté. Il mesurait un peu moins de cinquante centimètres. D'un côté, il y avait une bouche ronde. L'autre était pointue. Il y avait aussi des rangées de dents sur le haut et le bas.

– D'accord, je donne ma langue au chat.

– C'est un glisseur. Lorsque tu te retrouves dans l'eau, tu prends les poignées, tu le tiens devant toi et tu appuies sur la détente.

J'ai alors vu les détentes cachées à l'intérieur de chaque poignée.

– L'ouverture va à l'avant, a-t-il continué. Pointe-le dans la direction que tu veux prendre. L'eau passe par ces fentes pour le propulser, et toi avec. Les détentes servent d'accélérateur : plus tu appuies, plus tu vas vite. Fastoche.

Ça commençait à me plaire. Je comprenais pourquoi l'oncle Press aimait tant Cloral. Il m'a jeté une paire de palmes qui se passaient d'explications.

– Change-toi.

Il était temps de s'habiller comme un Clorien. J'étais déjà passé par là. J'ai donc traversé la corniche de pierre et me suis mis à farfouiller dans l'amas de vêtements typiques de Cloral. De son côté, l'oncle Press a fait de même. Il y avait des chemises, des pantalons et même des shorts qui, je présume, devaient servir de sous-vêtements. Parfait. Sur Denduron, j'avais dû m'en passer, et ces fichues tenues de cuir rugueux m'avaient collé des irritations qui commençaient à peine à se calmer.

Le tissu était doux et vaguement caoutchouteux. Comme Cloral était composé d'eau, je me suis dit que ces vêtements devaient êtres conçus pour nager et séchaient probablement très vite. Et ils étaient de couleurs vives : toutes sortes de tons de bleu, de vert et de violet. L'oncle Press m'avait déjà emmené faire de la plongée, et j'avais alors appris que, pour aller sous l'eau, les couleurs les plus pratiques étaient les tons de bleu car ils n'étaient pas dénaturés. Une fois en plongée, les couleurs vives telles que le rouge et le jaune se délavaient pour virer au gris, mais le bleu restait bleu. Tout comme le vert et le violet.

J'ai eu l'impression que, sur ce territoire, mes connaissances en matière de plongée risquaient de m'être fort utiles. L'an dernier, l'oncle Press m'avait inscrit à un cours et j'avais obtenu mon certificat de plongée. Ensuite, il m'avait emmené en vacances en Floride ; nous avions pu explorer l'Océan et quelques-unes des sources d'eaux fraîches. Je m'étais régalé. Nous avions nagé au milieu des bancs de poisson et nous étions laissés traîner par des tortues géantes.

On avait fait pas mal de choses de ce genre, l'oncle Press et moi. Je commençais à croire que, peut-être, toutes ces aventures n'étaient pas que des vacances, mais visaient surtout à me préparer à ma future carrière de Voyageur. Je devrais lui en être reconnaissant – sauf peut-être pour la fois où il m'avait fait sauter en parachute. Sur le moment, je m'étais éclaté comme un petit fou, mais j'aime mieux ne pas savoir à quoi il voulait me préparer. Brrr !

J'ai pris une chemise bleu clair et un pantalon à peu près de la même couleur. D'accord, personne ne me connaissait sur ce territoire, mais je ne voulais pas passer pour un imbécile incapable de marier les couleurs. J'ai aussi pris un short bleu. Je ne savais pas s'il était à ma taille, mais quand je l'ai enfilé, on aurait dit qu'il était fait pour moi. Il n'y avait ni boutons, ni fermeture Éclair. J'ai balancé mes vêtements de la Seconde Terre et j'ai passé ma sélection. Les habits élastiques se sont collés à moi comme une seconde peau. Ils ne me serraient pas, mais étaient assez moulants pour me permettre de glisser dans l'eau comme un poisson. Il y avait même des bottes avec des semelles de caoutchouc rigide que j'ai chaussées sans le moindre mal et qui semblaient faites sur mesure. On se serait cru dans un épisode de *Star Trek*.

– Passe aussi la ceinture, a dit l'oncle Press en me tendant une lanière mince et flexible.

– Ça ira, ai-je répondu. Je n'en suis pas fana.

– Ce n'est pas un accessoire de mode, mais un compensateur de flottaison.

D'accord. Si je me rappelais bien mes cours de plongée, les plongeurs devaient porter une ceinture lestée afin de ne pas remonter automatiquement à la surface. Un compensateur de flottaison est un gilet qu'on remplit d'air provenant des bouteilles à oxygène afin de régler son degré de flottaison, ce qui évite de couler comme une pierre. Lorsque tout est impec, on parle de flottaison neutre. Avec ça, on a l'impression de voler plus que nager. Mais je ne savais pas comment cette minuscule ceinture pourrait suffire.

– Elle est automatique, a expliqué l'oncle Press comme s'il lisait dans mes pensées – une fois de plus. Elle absorbe l'eau pour faire du lest ou crée de l'oxygène pour s'alléger selon tes besoins du moment. Je te le redis, ces gens sont assez avancés.

Je l'ai cru sur parole et j'ai glissé la ceinture dans les passants de mon nouveau pantalon. J'avais vraiment hâte de plonger pour essayer ces nouveaux jouets. C'était comme un retour aux bons moments passés avec l'oncle Press, en mieux. Oui, jusque-là, Cloral me plaisait bien. C'était nettement mieux que Denduron. Il faisait chaud, les vêtements étaient chouettes, les fruits étaient délicieux et, d'après ce que l'oncle Press venait de me dire, ce territoire n'était pas en guerre et était assez évolué pour fabriquer des gadgets plutôt cools. En fait, j'attendais avec impatience de sortir de cette caverne pour explorer le coin.

Du moins jusqu'à ce que l'oncle Press fasse un geste assez intriguant. À peine a-t-il eu fini de revêtir sa tenue d'indigène qu'il a pris le pantalon qui restait et a fait un nœud à l'extrémité de chaque jambe.

– Prends un maximum de fruits.

J'ai donc cueilli ces drôles de concombres. L'oncle Press a fourré le tout dans les jambes du pantalon qu'il venait de nouer. J'en ai conclu qu'il voulait s'en servir comme d'un sac improvisé pour les amener à la surface. Parfait. J'aimais bien les fruits. Il a rempli le tout jusqu'à ce que cela ressemble à deux grosses jambes bulbeuses, puis a arraché une liane du mur et l'a nouée autour de la taille pour fermer l'ouverture.

– Donne-moi un des glisseurs.

Bon, là, j'étais largué. Que voulait-il faire ? Je lui ai tendu l'un des deux glisseurs violets, et il a accroché l'autre bout de la liane scellant le pantalon aux poignées. Il y avait désormais un mètre de liane entre le glisseur et le pantalon.

– Tu peux me dire ce que tu fais ?

– Nous allons sortir de cette caverne à la nage. Enfile les palmes. Les globes nous permettront de respirer. Nous ne sommes qu'à vingt mètres de profondeur. Un skimmer devrait nous attendre à la surface.

– Un skimmer ?

– Un genre de hors-bord. Très rapide. Facile à manœuvrer. Tu vas adorer.

– Cadeau de ces fameux acolytes ?

– Exactement.

– Pourquoi tu emmènes ce pantalon aux fruits ?

– Ce n'est rien. Juste un appât à quigs.

Aïe. Nous y voilà. Fini de rire. Il a ponctué ce dernier commentaire en fouillant sous le reste des vêtements pour en tirer un fusil à harpon assez menaçant. Je m'en doutais : c'était trop beau pour durer. Des quigs rôdaient là-dehors. Si vous vous rappelez, ce sont ces bêtes féroces que Saint Dane avait mis en place pour qu'elles surveillent les portes des flumes. Sur la Seconde Terre, c'était des chiens sauvages. Sur Denduron, des sortes d'ours préhistoriques et cannibales avec une crête pointue sur le dos. Sur Cloral, ce ne pouvait être que…

– Des requins ! ai-je dit. Tu veux dire que nous allons nous retrouver dans des eaux infestées de requins géants qui attendent qu'on débarque dans nos jolis costumes tout neufs ?

– Tu en as déjà vus un sur Denduron.

C'est vrai. Dans le puits de mine où débouchait le flume. Je me souvenais de ses yeux jaunes et démoniaques alors qu'il fonçait vers nous, porté par une monstrueuse vague. Mes jambes ont failli me lâcher. Les vacances étaient bien terminées.

– Ne t'en fais pas, a dit l'oncle Press. Je vais envoyer le glisseur en premier. Ce pantalon porte déjà notre odeur. S'il y a des quigs dans le secteur, ce qui n'est pas une certitude, ils partiront à sa poursuite.

— Tu les crois assez bêtes pour tomber dans le panneau ?

— Ils sont féroces, mais pas très malins, a-t-il répondu d'un air confiant. Nous aurons tout le temps de remonter à la surface et chercher le skimmer.

Il m'a tendu le fusil à harpon, que j'ai saisi avec précaution.

— Tu ne t'attends tout ce même pas à ce que je m'en serve, non ?

— Contente-toi de le tenir.

Il a alors pris un autre petit morceau de liane et l'a enroulée autour de la poignée du glisseur. Il a tiré un coup pour l'arrimer fermement afin qu'il actionne la détente, puis a fait un nœud. Son geste devait avoir démarré le moteur, mais celui-ci ne faisait pas le moindre bruit.

— Pourquoi est-ce que tu ne le mets pas en marche ? ai-je demandé.

— Je te l'ai dit, il a besoin d'eau pour fonctionner.

L'oncle Press s'est agenouillé au bord de la mare. D'abord, il a posé le pantalon chargé de fruits dans l'eau qui s'est mis à flotter, tendant la liane accrochée au glisseur. Puis il a posé les deux mains sur celui-ci et l'a immergé à son tour. À peine les deux fentes ont-elles plongé sous la surface que j'ai entendu le gémissement sourd du moteur. La détente était tirée à fond : l'oncle Press avait mis pleins gaz. L'engin a bien failli le faire tomber de sa corniche. L'oncle Press a dû se débattre pour ne pas finir à l'eau.

— Je te l'avais dit ! s'est-il écrié gaiement. Ce petit engin a une sacrée pêche !

Il semblait bien s'amuser, un peu trop à mon goût. Il a lâché le tout, et le glisseur a bondi de ses mains. La liane retenant le pantalon s'est tendue, et l'attelage a disparu en un clin d'œil.

L'oncle Press s'est assis pour passer ses palmes. J'ai posé le fusil à harpon pour l'imiter. J'ai fait le plus vite possible : je voulais être hors de l'eau lorsque les quigs réaliseraient qu'ils chassaient un leurre rempli de fruits et reviendraient en quête de chair fraîche. L'oncle Press a ramassé un des globes transparents et me l'a lancé.

— Allons-y, a-t-il dit en souriant.

J'ai l'impression qu'il avait vraiment hâte d'y aller. Ce type est complètement cinglé, ai-je pensé. J'ai posé le globe sur ma tête et il a immédiatement épousé les contours de mon visage. Aussitôt, j'ai eu un accès de claustrophobie et j'ai dû me répéter que tout allait bien se passer. Cela avait marché pour l'oncle Press, cela marcherait pour moi. Ou ce truc m'étoufferait sur-le-champ et je mourrais dans cette caverne fleurie. Ce qui ne serait peut-être pas si mal. En tout cas, c'était toujours mieux que de faire un remake des *Dents de la mer*.

— Respire normalement, m'a conseillé l'oncle Press. Ce truc est plus facile à utiliser qu'un tuba.

Respire normalement. Ben voyons. Nous allions plonger dans un océan infesté de requins et il voulait que je respire normalement. Pendant que j'y étais, je pouvais aussi essayer de calmer mon cœur qui tambourinait dans ma poitrine.

— Je vais prendre le glisseur. On ira toujours plus vite qu'à la nage. Quand on sera à l'eau, grimpe sur mon dos et accroche-toi à ma ceinture de la main gauche. D'accord ?

— Et ma main droite ?

— Elle est réservée au lance-harpons.

— Oh, non ! Je ne vais pas prendre une telle responsabilité.

— Contente-toi de t'y accrocher, a-t-il dit d'un ton qui se voulait rassurant. Tu n'en auras pas besoin. Mais s'il y a un os, nous nous arrêterons pour que tu puisses me le donner. Ça te va ?

Ce devait être logique. Dans le doute, je préférais que nous soyons armés. Je me suis donc penché à contrecœur et j'ai ramassé le fusil. Il était fait d'une sorte de plastique vert clair. Le trait enclenché dans le fusil était transparent comme du verre, ce qui ne l'empêchait pas d'avoir l'air dangereux. Il devait être fait du même matériau que nos casques. J'ai caressé la pointe. Houlà, ça piquait ! Une fois, en Floride, j'avais manipulé un fusil sous-marin, je savais donc comment m'y prendre pour éviter tout accident. Mais à vrai dire, je n'avais jamais tiré avec. Je n'avais pas pu m'y résoudre. Je n'ai jamais aimé pêcher avec une bonne vieille ligne et un hameçon, encore moins avec une arme surpuissante. D'accord, je suis une chochotte, et alors ?

— Une fois en dessous de la surface, a repris l'oncle Press, nous allons devoir nager sous cette corniche. Ce n'est qu'une fois sortis de là que nous emploierons le glisseur. Il nous restera à parcourir une centaine de mètres jusqu'à l'endroit où est amarré le skimmer. Compris ?

Je comprenais très bien. Surtout que je n'aimais plus du tout Cloral, même si l'eau y était chaude. Mais je n'ai rien dit. Nous n'avions pas de temps à perdre. L'oncle Press s'est emparé de l'autre glisseur et est entré dans la mare. J'ai sauté à l'eau à mon tour et, aussitôt, j'ai senti ma ceinture se resserrer autour de ma taille. Ce truc était bien automatique. J'ai découvert que je n'avais même pas besoin de patauger pour rester à la surface. La ceinture avait compensé mon poids et me permettait de flotter tout tranquillement. Ce qui m'aurait impressionné si mon estomac n'était pas retourné par la peur.

— Ce leurre va vraiment attirer les quigs loin d'ici ?

— En théorie, oui.

— En théorie ? C'est des garanties que je veux !

— Plus tôt nous serons sur place, moins nous courrons de risques, a-t-il répondu, très calme.

— Alors fichons le camp d'ici !

L'oncle Press m'a décoché un clin d'œil, puis a donné un coup de bras qui l'a propulsé sous l'eau. J'ai jeté un dernier coup d'œil à la caverne et j'ai vu l'entrée du flume, tout là-haut. J'avais une énorme envie de crier « Seconde Terre ! » afin qu'il m'aspire et me ramène chez moi. Mais je ne l'ai pas fait. Maintenant que j'étais là, je devais aller de l'avant. Ou plutôt en bas. Sous l'eau. D'un battement de bras et de jambes, j'ai plongé à mon tour en dessous de la surface. Nous étions partis. Avec un peu de chance, notre voyage serait long et ne se terminerait pas dans l'estomac d'un quig.

Journal n° 5
(suite)

CLORAL

La plongée sous-marine, c'est vraiment le pied.

Quand j'étais petit, mes parents m'avaient appris le tuba sur les plages de Long Island et, comme je vous l'ai dit, l'oncle Press m'a fait passer un certificat de plongée. Je n'ai jamais trop aimé la natation en soi. Pour moi, faire des longueurs à la piscine n'est pas plus intéressant que de courir dans une roue, comme un hamster. Il n'y a rigoureusement rien à voir. Mais sous la surface, alors là, c'est une autre paire de manches. C'est comme découvrir un autre monde.

Quoique, ces derniers temps, j'étais passé par tant d'univers radicalement différents que cette expérience n'avait plus grand-chose de vraiment exotique.

Une fois sous l'eau, je n'ai pas osé respirer. J'avais l'habitude de porter un tube connecté à une paire de bouteilles à oxygènes. Rien à voir avec cette drôle de bulle qui m'enveloppait la tête. Et je n'avais pas non plus de réservoir accroché au dos. Je n'avais que ce petit truc en forme d'harmonica collé à ma nuque et qui était censé me fournir en oxygène. Soudain, tout ça m'a paru bien peu vraisemblable. Je savais que j'étais sous l'eau et que ma tête était au sec, et pourtant je n'arrivais pas à me détendre et à...

– Respire ! a ordonné l'oncle Press.

Je me suis tourné pour voir qu'il flottait juste à côté de moi. Mais le plus bizarre, c'est que bien que nous soyons sous l'eau, la tête enchâssée dans du plastique transparent, je pouvais l'entendre. Sa voix semblait aiguë et frêle, comme si les aigus de ma stéréo étaient branchés sur dix et les basses à zéro, mais je le recevais comme si… eh bien, comme si nous étions sur la terre ferme.

– Fais-moi confiance, Bobby. Regarde-moi. Je respire, non ? Ça marche.

Je ne demandais qu'à le croire. Mais j'avais aussi envie de foncer vers la surface pour prendre une goulée d'air pur. Mes poumons commençaient à me brûler. J'ai exhalé le peu d'air qui me restait, puis j'ai tenté d'inspirer. À mon grand étonnement, ça a marché. J'ignorais comment fonctionnait ce petit machin en forme d'harmonica, mais il me permettait de respirer. C'était même mieux que de se servir d'un masque et de bouteilles : au moins, on ne s'encombrait pas de tout un embrouillamini de tubes. Et comme je n'avais pas d'embout, je pouvais parler.

–Voilà qui est mieux, a dit l'oncle Press, rassurant. Ça va ?

– Oui. Comment ça se fait qu'on puisse parler ?

– C'est le respirateur, a-t-il répondu en désignant le petit gadget argenté sur sa nuque. Il convoie aussi les ondes sonores. Chouette, non ?

C'était le moins qu'on puisse dire.

– Allons-y, a-t-il ordonné.

D'un coup de palmes, l'oncle Press s'est mis à nager, laissant derrière lui un sillage de bulles d'oxyde de carbone. Maintenant que je m'habituais à respirer avec ce gadget, j'ai pu regarder autour de moi afin de m'orienter. Le bassin où nous avait relâchés le flume s'ouvrait sur un passage souterrain. L'oncle Press nageait vers une langue de lumière qu'on apercevait à une quarantaine de mètres de là. De toute évidence, c'était la sortie de la caverne telle qu'il me l'avait décrite. Derrière moi, j'ai vu que le plafond se prolongeait sur quelques dizaines de centimètres avant de se terminer en un mur de roches escarpées. C'était un endroit bien reculé pour y cacher une porte. Enfin, j'imagine que c'était le but du jeu. Les portes étaient toujours cachées dans les endroits les plus improbables afin que les habitants des territoires ne tombent pas dessus par hasard.

L'oncle Press avait pris de l'avance sur moi, et je suis parti dans son sillage. Ma ceinture faisait merveille pour conserver une flottaison neutre. J'ai pu nager en restant parfaitement vertical. Au moins, je ne risquais pas de me cogner la tête contre le plafond de pierre ou de m'enliser dans le sable en bas. Si seulement je n'avais pas eu si peur qu'un quig ne nous attaque sans crier gare, ç'aurait été parfait. Je me suis cramponné au fusil à harpons tout en regardant à gauche et à droite pour vérifier qu'il n'y avait pas d'intrus dans le couloir. L'eau était incroyablement limpide. La visibilité était d'au moins trente mètres, ce qui est exceptionnel. Au moins, si un quig nous fonçait dessus, nous pourrions le repérer de loin avant de nous faire dévorer.

L'oncle Press s'est arrêté à l'embouchure du couloir. Là, le plafond était plus bas, ce qui fait que nous n'étions plus très loin du fond sablonneux. Il s'est aventuré en eau libre, puis m'a fait signe de venir voir quelque chose. Je l'ai rejoint pour constater qu'il désignait le rocher même dont nous venions de sortir. Là, gravé dans la pierre au-dessus de l'entrée, j'ai vu ce symbole familier en forme d'étoile qui indiquait les portes des flumes. J'ai tendu la pouce à l'oncle Press, ce qui signifie « compris ! » dans le langage universel des plongeurs.

Selon la coutume, l'oncle Press m'a rendu mon geste en disant :

– Tu oublies qu'on peut se parler !

Ah oui, c'est vrai ! Inutile d'utiliser le langage des signes. L'habitude, sans doute. En levant les yeux, j'ai vu que l'avancée rocheuse sous laquelle nous avions cheminé se continuait en hauteur. En fait, la caverne et le flume étaient cachés sous une montagne sous-marine.

– Maintenant, regarde, a-t-il ajouté en désignant quelque chose derrière moi.

Je me suis donc retourné pour contempler un des plus beaux spectacles que j'aie jamais vus. Au-delà s'étendait la haute mer, une infinité aquatique bleu-vert. Le fond sablonneux faisait place à un récif de corail qui s'étendait devant nous comme une couverture multicolore. C'était fabuleux. J'avais déjà vu de mes yeux des récifs tropicaux, toutes sortes de poissons tropicaux et de formations coralliennes rares, mais jamais rien de tel. Les couleurs de ce récif étaient aussi éclatantes que celles des fleurs de la caverne que nous venions de quitter. Des sortes de cornets souples de la taille d'un parapluie, d'un bleu radieux, ondulaient paresseusement au gré des courants. Tout autour d'eux, il y avait des grappes de ces coraux qui ont la forme de cerveaux. Sauf que chez nous, ils sont d'un brun terne, tandis que sur Cloral ils étaient d'un beau jaune vif. Jaune ! Comme je vous l'ai déjà dit, à de telles profondeurs, les mers de chez nous filtrent les couleurs, mais pas sur Cloral. On pouvait distinguer toutes les nuances du spectre. Tout autour du rocher poussait une végétation sous-marine luxuriante. À notre gauche s'étendait une forêt de varech particulièrement dense. Les pousses s'ancraient au rocher et se prolongeaient jusqu'à la surface comme des lianes couvertes de feuilles – et elles étaient d'un rouge brillant ! D'autres coraux s'étaient accrochés au rocher pour donner des formes évoquant un jardin japonais. Avec un peu d'imagination, on pouvait voir une horde de petits animaux paissant sur les rochers. Sauf qu'il s'agissait de coraux. Incroyable.

Au milieu de toute cette splendeur nageaient les plus beaux poissons que j'aie jamais vus. Ils se déplaçaient par bancs, et chacun semblait savoir exactement ce que pensaient les autres, car ils changeaient de direction tous en même temps sans jamais se rentrer dedans. Cela m'a toujours étonné, même chez nous. L'un des bancs était composé de poissons ressemblant à des flûtes argentées dont les nageoires battaient telles les ailes d'un oiseau-mouche. D'autres étaient parfaitement ronds et minces, comme des CD, sauf qu'ils étaient d'un rose vif ! D'autres encore ressemblaient exactement à des petits oiseaux bleus, becs et plumes comprises. Les battements de leurs nageoires donnaient l'impression qu'ils volaient plutôt qu'ils nageaient. Tout ça ressemblait à un ballet parfaitement orchestré, et c'était un plaisir de les voir évoluer autour de ce récif coloré, vivant leur vie paisible de poissons.

Ce spectacle me laissait bouche bée d'admiration. L'eau était aussi limpide que de l'air. Cerise sur le gâteau, le globe me permettait de voir dans toute les directions. Rien à voir avec un masque de plongée, où on se contente de regarder droit devant soi. Et croyez-moi, ça en valait la peine !

Jusqu'à ce que quelque chose n'attire mon attention.

– Aïe ! a dit l'oncle Press.

Lui aussi l'avait vu. Un instant, des centaines de poissons tous plus bizarres les uns que les autres flottaient paisiblement au gré des courants. Et tout d'un coup, ils se sont éparpillés dans toutes les directions. C'est arrivé tellement vite que, si j'avais cligné des yeux, je l'aurais raté. Et il y avait un meilleur mot pour décrire la façon dont ils se sont égaillés : ils prenaient la fuite. Un sauve-qui-peut général. Quelque chose les avait effrayés. Et s'ils avaient peur, eh bien, moi aussi.

– Qu'est-ce qui se passe ? ai-je demandé, sans vraiment vouloir le savoir.

– Quelque chose les a fait filer.

– Oui, ça, merci, j'ai vu. D'après toi, qu'est-ce…

– Attention !

L'oncle Press m'a pris le bras et m'a attiré sous la corniche. Une seconde plus tard, j'ai vu ce qui avait causé une telle débandade. Oui, comme vous vous en doutez, c'était bien un requin. Un requin quig. Et il n'était pas pressé. La bête mons-trueuse a dérivé lentement au-dessus de nous alors que nous nous blottissions contre la corniche. Elle se propulsait en avant sans le moindre effort.

Ce nouveau spectacle était à la fois terrifiant et magnifique. Presque tout son corps était d'un gris évoquant un navire de guerre. Et il était énorme. Je veux dire, à côté, le bestiau des *Dents de la mer* n'est qu'une sardine. Et un détail trahissait sa vraie nature : ses yeux. Ces yeux jaunes et froids qui me disaient que ce n'était pas un requin ordinaire. Pas de doutes, c'était bien un quig. Il est passé devant nous, s'est détourné du rocher, puis s'est mis à nager dans la direction opposée.

– Peut-être qu'il ne nous a pas vus ? ai-je dit, plein d'espoir.

– Il nous a vus, a-t-il répondu sans sourciller. Mais il prend son temps pour… Le voilà !

J'ai regardé vers le large… Pour constater, à ma grande horreur, que le requin avait fait un tour à cent quatre-vingts degrés et nageait désormais droit vers nous ! Il s'était éloigné de l'arête rocheuse afin de pouvoir prendre de la vitesse pour nous foncer dessus. Nous n'avions nulle part où nous cacher. Nous étions pris au piège, et cette chose entendait bien faire de nous son casse-croûte.

L'oncle Press m'a arraché le fusil à harpon et s'est fermement planté sur la corniche. Le quig était presque sur nous et ouvrait sa gueule, attendant de pouvoir mordre un bon coup.

– Tire ! me suis-je écrié. Tue-le !

L'oncle Press a attendu d'être sûr de ne pas pouvoir le rater. J'ai espéré qu'il soit aussi bon tireur au harpon qu'avec les lances qu'il avait manié sur Denduron. Son doigt s'est crispé sur la détente, mais il n'a pas tiré.

Ce n'était pas la peine. Le requin a glissé la tête sous la corniche, mais sa nageoire dorsale a heurté le rocher, l'empêchant d'avancer. Sauvés ! Il était trop gros pour passer par le couloir et ne pouvait donc nous attraper ! Enfin, à moins que le quig ne trouve un moyen d'y rentrer de biais. Mais c'était peu probable. Les poissons ne nagent pas sur le flanc.

Maintenant que tout danger immédiat était dissipé, l'oncle Press a baissé le fusil à harpon.

– Au temps pour ta théorie du leurre, ai-je remarqué.

– Elle a marché, a-t-il répondu, mais ce gros plein de dents était plus rapide que je n'aurais cru. Regarde.

J'ai vu que le glisseur-leurre avec son pantalon et ses lianes était coincé entre les crocs du requin. Le quig avait bien pourchassé le leurre, mais pour lui, ce n'était qu'un hors-d'œuvre. Il était prêt à passer au plat de résistance, en l'occurrence nous.

L'immense quig s'est tortillé afin de pouvoir se frayer un chemin dans le couloir. Si un poisson peut ressentir de la colère, celui-là avait l'air vraiment furax. Il s'est contorsionné, a agité la queue et claqué des mâchoires en tentant de nous happer. Nous étions à quelques mètres de lui. À mon avis, ce n'était pas encore assez loin mais, de toute façon, le quig avait beau se démener, le passage restait trop étroit pour sa masse. Ouf !

– Si tu as un plan B, ai-je dit nerveusement, c'est le moment de le mettre en œuvre.

– J'ai toujours un plan de rechange, a-t-il répondu d'un ton confiant. Je vais nager sur la gauche et sortir du couloir. Je t'assure que lorsqu'il me verra, il se lancera à ma poursuite. Dès que je l'aurai dans ma ligne de mire, je l'abattrai. Son crâne n'est pas très épais. Un harpon bien placé, et il est mort.

– Pourquoi attendre ? ai-je crié. Descends-le tout de suite !

– Pas moyen de viser à travers le sable. Et je ne peux pas me permettre de rater mon coup.

Il avait raison. En se débattant, le quig avait soulevé un rideau de sable, et il était difficile de le distinguer avec précision.

– Dès qu'il sera lancé à ma poursuite, sors de là le plus vite possible et continue de nager le long du récif. Droit devant, à une centaine de mètres, tu verras une corde. C'est celle de l'ancre qui retient le skimmer. Je te rattraperai avec mon glisseur. D'accord ?

– Non, ai-je répondu, pris de panique. Et si tu rates ton coup ? Si tu te contentes de lui faire une égratignure et que ça le rend encore plus furax ? C'est quoi le plan C ?

– Il n'y en a pas, a-t-il répondu avec un sourire plein de confiance. Et je ne rate jamais mon coup.

– Oncle Press, je…

Il n'a pas pris la peine de m'écouter. D'une détente, il est parti en avant, passant dangereusement près des mâchoires du requin, puis est parti sur la gauche de toute la vitesse de son glisseur. Son plan a fonctionné, car le quig a viré de bord, non sans mal, pour se lancer à sa poursuite.

C'était le moment ou jamais. Maintenant que le quig était occupé ailleurs, j'avais tout intérêt à filer. Malheureusement, je me suis rendu compte que je ne pouvais pas bouger. J'étais paralysé par la panique. L'idée de sortir de mon abri alors que le quig pouvait revenir et m'avaler comme un biscuit apéritif avait paralyser tous mes systèmes. J'étais absolument incapable de faire le moindre geste.

C'est alors que j'ai repéré quelque chose. Le sable retombait peu à peu, et là, au fond, près d'une petite arête rocheuse, j'ai vu le glisseur que l'oncle Press avait utilisé comme leurre ! Le quig devait l'avoir laissé tomber dans ses efforts pour se retourner. Ça m'a donné un nouvel espoir. Si je pouvais profiter de sa puissance, j'avais peut-être une chance d'atteindre le skimmer avant que Moby Dick ne vienne me grignoter. Voilà. C'était la solution.

Soudain, mes jambes m'ont obéi à nouveau. J'ai donné une bonne détente et n'ai pas tardé à aborder l'embrouillamini de pantalon et de lianes qui environnait le glisseur. Mais les fruits avaient disparu. Le quig avait profité des amuse-gueule. J'ai tout de suite vu que le glisseur ne pouvait fonctionner, car les jambes du pantalon étaient entortillées autour de sa coque et empêchaient l'eau de pénétrer dans les fentes. J'ai donc tiré frénétiquement sur le tissu pour dégager le mécanisme.

Tout en m'affairant, j'ai regardé où en était l'oncle Press, mais ne l'ai vu nulle part. D'ailleurs, le quig aussi avait disparu. L'oncle Press l'avait-il déjà embroché ? J'avais une confiance absolue en lui. S'il disait qu'il allait harponner le quig, celui-ci était déjà mort. Quoique… Si le requin avait lui-même son propre plan B et avait décidé de ne pas suivre l'oncle Press ? En ce cas, tout était possible. J'avais tout intérêt à réfléchir moins et à agir plus. J'ai fini par comprendre comment le pantalon s'était entortillé autour du glisseur et, en tirant un bon coup, je l'ai dégagé.

Grave erreur.

Vous savez ce qui arrive lorsqu'on marche pieds nus et qu'on se cogne violemment le gros orteil ? C'est bizarre, mais il y a toujours un léger délai d'une demi-seconde entre le moment de l'impact et celui où votre cerveau enregistre la douleur. Juste de quoi penser « Aïe ! » avant de déguster un bon coup. Je ne sais pas pourquoi c'est comme ça, mais le fait est là. Eh bien, c'est un peu ce qui s'est produit. À peine avais-je retiré le pantalon entortillé autour du glisseur que j'ai réalisé que j'avais fait une grosse boulette. Le petit bout de liane avec lequel l'oncle Press avait bloqué la détente de l'accélérateur était toujours en place. Le glisseur était encore en marche. Mais s'il restait immobile, c'était justement à cause du pantalon qui bloquait les fentes ! Maintenant que celles-ci étaient dégagées, l'eau pouvait accéder au moteur et – comme dans mon exemple – j'ai eu à peine une demi-seconde pour penser « aïe ».

Ouais. Le glisseur était prêt à partir, mais pas moi. Dur, dur.

Tout s'est passé très, très vite. Le petit engin surpuissant s'est ranimé et a sauté de ma main. Mais alors que j'essayais de retirer le pantalon, la liane qui faisait le lien entre ledit pantalon et le glisseur s'était entortillée autour de mon poignet. Et elle était toujours attachée au glisseur ! Inutile de s'appeler Einstein pour deviner ce qui s'est passé ensuite. La liane s'est tendue et m'a entraîné. Je me suis retrouvé accroché au bout de ce glisseur qui fonçait à toute allure.

Pire encore, celui-ci m'emmenait vers le large, c'est-à-dire la direction qu'avait pris l'oncle Press pour attirer le quig. Je n'avais aucune envie de le suivre, mais ne pouvait rien faire : le glisseur était hors de ma portée. J'ai tenté désespérément de libérer mon poignet, mais en vain. J'étais totalement à la merci de cet engin affolé. J'ai tenté de regarder droit devant moi, mais nous allions si vite que la force du courant me faisait tournoyer. Je pouvais donner des coups de palmes ou me tordre dans tous les sens, rien n'y faisait. J'avais l'impression d'être accroché à un cerf-volant fou. Je ne contrôlais rien : le glisseur était privé de conducteur et, maintenant, il m'entraînait directement vers un quig affamé.

Je me suis tordu le cou pour regarder droit devant. J'ai vu l'immense silhouette grise du quig qui rôdait non loin de la corniche tout en surveillant ce qui, je présume, devait être l'oncle Press. Il était là, et bien là. Et je filais parallèlement à la corniche, droit vers lui. Dans quelques secondes, je lui passerait sous le nez et, à moins qu'il ne soit sourd et aveugle, il ne manquerait pas de me remarquer. Tout ce que je pouvais espérer, c'est qu'entre-temps, l'oncle Press aurait harponné le monstre. Mais il lui faudrait faire vite, parce que j'étais presque sur lui.

Alors il s'est produit deux choses. Quand je suis passé à la hauteur du quig, il m'a entendu et, surpris, a donné un coup de queue pour se retourner. Ce n'était qu'un petit geste, mais il m'a suffi pour apercevoir quelque chose qui m'a fait hurler. C'était la lueur d'un harpon qui jaillissait de dessous la corniche – pour rater sa cible ! Le missile est passé juste au-dessus de la tête du requin. L'oncle Press m'avait assuré qu'il ne raterait pas son coup, mais à ce moment il ne pensait pas que j'allais jaillir comme un diable d'une boîte pour détourner l'attention de sa cible.

Le quig venait d'échapper à une mort certaine et s'était trouvé une nouvelle proie facile : moi.

À présent, je filais sur le dos. Le glisseur était si puissant que j'ai cru qu'il allait m'arracher le bras. Mais en regardant en arrière, j'ai constaté que c'était bien le cadet de mes soucis. Le quig s'était lancé à ma poursuite. Et aussi rapide que soit le glisseur, il l'était davantage.

En quelques secondes à peine, l'énorme bête m'a rattrapé. Il n'y avait plus qu'une dizaine de mètres entre ses crocs et moi, et nous filions à la même vitesse. Vous ne pouvez imaginer à quel point je me sentais impuissant et vulnérable. Je savais que ce gros plein de dents ne tarderait pas à me transformer en casse-croûte. Ses yeux jaunes étaient braqués sur moi. Ils ne reflétaient aucune émotion, juste des calculs. Il cherchait le meilleur moment de frapper. Ce ne serait pas une mort douce. Je ne sais pas s'il existe vraiment une façon de mourir en douceur, mais ce n'était pas ce que le sort me réservait.

Le quig ne s'est pas approché. C'était inutile. Lorsqu'il frapperait, il aurait besoin d'élan pour m'attraper. En fait, il s'est un peu avancé et a donné de petits coups de tête vers moi, comme pour calculer la distance et la vitesse nécessaires pour me gober. C'était une véritable torture. J'aurais préféré qu'on en finisse vite.

Il a fini par frapper.

Le requin a ouvert ses mâchoires et a viré abruptement vers moi. J'ai serré les dents en attendant de ressentir la douleur.

C'est alors que j'ai vu un éclair passer juste au-dessus de la tête du monstre. Un éclair ? Non, c'était un autre harpon ! Un instant, j'ai cru que l'oncle Press avait rechargé et tiré à nouveau, mais c'était impossible : il n'aurait pu se déplacer assez vite pour tirer sous cet angle. Non, le harpon venait de quelqu'un d'autre.

Qui que soit cet archer, ce n'était pas un manche. Le trait a filé tout droit pour se ficher au sommet de la tête du requin, s'enfonçant profondément dans son crâne. Aussitôt, le quig s'est mis à se débattre violemment. Mais il se dirigeait toujours vers moi, et sa queue m'a frappé en plein dans les côtes. Aïe. Ça ne faisait pas du bien, mais je m'en moquais. Ce n'était rien à côté de ce que j'aurais dégusté si ces mâchoires s'étaient refermées sur moi.

Le quig a coulé lentement sans cesser de se tortiller. Il n'a pas tardé à s'écraser contre le récif. Le glisseur m'entraînait toujours, mais en regardant en arrière, j'ai vu que la bête était désormais secouée de spasmes violents. C'était un spectacle assez horrible.

Le poisson était fichu ; il n'essaierait plus de me dévorer, moi ou un autre.

J'étais sauvé des mâchoires du quig, mais je fonçais toujours vers le large. Je me suis demandé combien de temps ce petit moteur pourrait continuer à ce rythme avant de couler une bielle. Je commençais à avoir vraiment mal au bras. Sans parler de mes côtes, qui avaient encaissé un bon coup de queue. Je ne savais pas combien de temps je tiendrais comme ça.

Puis j'ai remarqué quelque chose du coin de l'œil. Une forme grise se déplaçait à ma hauteur. Oups. Un autre quig ? Je me suis retourné pour mieux voir, et j'ai constaté que ce n'était pas du tout un quig, mais un humain qui se propulsait à l'aide d'un autre glisseur. Pourtant, il ne s'agissait pas de l'oncle Press. Ce type-là portait un pantalon noir et un haut dépourvu de manches. À travers le globe transparent qui recouvrait sa tête, j'ai vu qu'il avait de longs cheveux noirs. Un fusil à harpon vide était accroché à sa cuisse : c'était certainement lui qui m'avait sauvé la vie. Je ne savais pas qui c'était, mais il commençait à me plaire.

Et puis, il savait manier un glisseur, pas de doute. Il s'est peu à peu rapproché de moi jusqu'à ce que nous soyons côte à côte. Une de ses mains a lâché la poignée pour se porter vers sa jambe. Que faisait-il ? Lorsqu'il a relevé le bras, j'ai constaté qu'il se prolongeait d'un gros couteau à l'air peu engageant. Pendant un instant, j'ai paniqué. Comptait-il me poignarder avec cette lame vicieuse ? Mais non, ce n'était pas logique. S'il voulait ma mort, il n'aurait eu qu'à croiser les bras et laisser faire le quig. Enfin, je pense.

Lorsqu'il a abattu son couteau, j'ai fermé les yeux. Mais j'ai vite compris son but : il voulait juste couper la liane qui me retenait au glisseur. Aussitôt, la terrible traction exercée sur mon bras s'est interrompue. L'inertie de l'eau m'a ralenti. En regardant devant moi, j'ai vu que le glisseur fou continuait son voyage vers nulle part. Bon débarras !

J'étais blessé et à moitié dans les vapes. J'ai tenté de remuer les jambes pour garder un contrôle minimal, mais je n'ai fait que patauger lamentablement. C'est alors que quelqu'un a saisi le col de ma chemise. C'était le type en noir. Sans dire un mot, il m'a entraîné vers la surface. Je me suis détendu. Il avait pris la situation en main, et je m'en remettais à lui. Tout ce que je voulais, c'était respirer un peu d'air frais.

Nous avons mis à peine vingt secondes pour atteindre la surface. Plus nous nous rapprochions, plus la lumière était intense. J'avais tellement hâte de revoir le soleil ! Puis, au moment où nous allions émerger, l'homme en noir m'a lâché et m'a laissé remonter par mes propres moyens.

C'était vraiment le pied. Ma tête a crevé la surface et la ceinture m'a permis de flotter. Ce qui valait mieux, car pour l'instant je n'étais pas en état de nager. J'ai retiré le globe pour inspirer une bonne goulée d'air. Le soleil brillait, l'air était doux et chaud, et j'étais en vie.

— Tu es un ami de Press, non ? a fait une voix derrière moi.

Je me suis retourné et j'ai vu le type en noir qui flottait à mes côtés. Comme il avait retiré son propre globe, j'ai pu voir qu'il était à peine plus âgé que moi et arborait des yeux en amande qui lui donnaient un air vaguement asiatique. Sa peau était tannée par le soleil, en accord avec ses longs cheveux noirs. Il arborait aussi le sourire le plus chaleureux, le plus amical qu'il m'ait été donné de voir.

— Il m'avait bien dit qu'il amènerait un visiteur, a-t-il dit gaiement. Désolé pour le comité d'accueil. Quand ils ont faim, ces requins peuvent être assez casse-pieds. Mais on s'en débarrasse facilement. Il suffit de connaître leur point faible, a-t-il ajouté en tapotant son front.

— Qui es-tu ?

C'est tout ce que j'ai trouvé à dire.

— Je m'appelle Spader. Vo Spader. Enchanté.

— Moi, c'est Bobby Pendragon. Tu m'as sauvé la vie ! Merci.

— Ce n'est rien. Ça arrive. Encore que je n'ai jamais vu quelqu'un se faire emporter comme ça par un glisseur. Tu parles d'un tourne-boule.

— Ouais, ai-je renchéri, un vrai tourne-boule.

Quoi que cela puisse être.

— Mais ça nous a entraînés un peu loin, a-t-il ajouté en regardant autour de lui.

J'ai fait de même, et ce que j'ai vu a fait de nouveau battre mon cœur. Parce que j'ai vu… rien. Le vide. Oh, l'eau ne manquait pas. Mais c'était tout. Nous étions au beau milieu de l'Océan, et il n'y avait pas le moindre bout de terre en vue.

Si un tourne-boule n'était pas bon signe, ce désert liquide était un pure tourne-boule.

Journal n° 5
(suite)

CLORAL

Si vous ne savez pas ce que c'est de se sentir impuissant, regardez-nous : deux lascars flottant comme des bouchons de liège à la surface d'un océan sans fin. Un tour complet sur moi-même m'avait appris qu'il n'y avait ni terre, ni bateau en vue et donc pas une chance de s'en sortir.

– Belle journée, n'est-ce pas ? a déclaré Spader.

Belle journée ? Nous étions perdus en mer et il me parlait de la pluie et du beau temps ? Soit il se cachait la vérité, soit il était fou. Dans un cas comme dans l'autre, ça n'annonçait rien de bon.

C'est alors que quelque chose m'a tiré le pied.

J'ai poussé un grand cri. Le quig était revenu ! Ou si ce n'était pas lui, c'était donc son frère. Ou il avait deux frères. Et tous les deux étaient venus me chercher, et...

L'eau s'est mise à bouillonner juste à côté de moi et, un instant plus tard, une tête recouverte d'une bulle est apparu. C'était l'oncle Press. Il a retiré son globe et m'a souri.

– Tu t'en es bien tiré, Bobby ? Ce n'était pas vraiment mon plan B.

– Parce que tu crois que je me suis volontairement fait traîner comme ça ? ai-je rétorqué, indigné.

– Hé là, du calme ! Je plaisantais.

– Je croyais que tu ne ratais jamais ton coup ?

Je n'ai pas pu m'empêcher d'ajouter ce coup bas. C'était ma faute s'il n'avait pas atteint le quig, je le savais, mais néanmoins, il avait bien précisé qu'il ne ratait jamais son coup. Pas d'exception à la règle.

– Bon, a-t-il répondu tranquillement, heureusement que Spader est arrivé.

– Bonjour Press ! s'est exclamé Spader. Ça me fait plaisir de te revoir.

– Moi aussi. Quelle chance que tu aies été dans le coin !

– Je pêchais quand j'ai repéré ton skimmer ancré pas loin de là. Ça m'a d'ailleurs étonné : tu sais bien que c'est un coin à requins…

– On s'en est aperçus ! ai-je interrompu. On ferait peut-être mieux de ne pas s'éterniser.

– Exact ! a confirmé Spader. Inutile d'attendre qu'un de ces morfals viennent nous renifler les doigts de pied !

Spader a consulté sa grosse montre de plongée. Ce devait être aussi une forme de compas, parce qu'il l'a regardée, a levé les yeux, a changé de position et a annoncé :

– Allons-y.

Il a remis le globe sur sa tête, a pointé son glisseur dans une direction précise, puis est parti à toute allure sur la surface de l'Océan.

J'ai regardé l'oncle Press. Pour moi, ce Spader était complètement fou. Il n'y avait rien, nulle part. Où allait-il ?

– J'adore ce type, a déclaré l'oncle Press.

– Où va-t-il ? On est au beau milieu de l'Océan.

L'oncle Press a remis son globe respiratoire et s'est rapproché de moi.

– Il nous conduit à notre skimmer. Tu es prêt ?

– J'ai l'impression d'avoir été secoué dans un shaker pendant une semaine. À part ça, tout va bien. Mais je ne suis pas sûr de pouvoir nager.

– Ne t'en fais pas pour ça. Mets ton globe et accroche-toi à ma ceinture.

J'ai fait comme il me disait. Une fois de plus, le globe s'est adapté à ma tête. Je me suis alors accroché à la ceinture de l'oncle Press. Mais de la main gauche : mon bras droit avait déjà assez encaissé comme ça. Il devait s'être rallongé de trois bons centimètres.

L'oncle Press a appuyé doucement sur la détente du glisseur, et nous sommes partis vers ce fameux skimmer qui nous emmènerait… quelque part. Une chance pour nous, l'Océan était calme, si bien que le trajet a été facile. Heureusement, d'ailleurs, car j'avais besoin de reprendre mon souffle. Alors que l'oncle Press me tirait au milieu des vaguelettes, je me suis mis sur le dos et j'ai regardé le soleil. Oui, le soleil. Contrairement à Denduron, où ils étaient trois, ici il n'y en avait qu'un. Et il tapait dur. Jusque-là, tout ce que j'avais vu de Cloral me donnait l'impression d'une sorte de paradis tropical. L'eau et l'air étaient chauds, mais pas trop chauds. Bien sûr, la présence des quigs rendait l'endroit un peu moins paradisiaque, mais on ne peut pas tout avoir.

Au bout de quelques minutes seulement, l'oncle Press s'est arrêté. J'ai lâché sa ceinture et me suis retourné. Là, devant nous, deux véhicules aquatiques flottaient au gré des vagues. Ce devait être ces fameux skimmers. Spader était déjà arrivé, sans doute grâce à sa montre. Impressionnant. Autant chercher la proverbiale aiguille dans une meule de foin.

Spader était déjà monté sur l'un des véhicules. Ceux-ci ressemblaient vaguement à des jet-skis, mais ces engins élégants étaient tout sauf des jouets. Ils étaient le fruit d'une haute technologie. Chaque coque était de la taille d'une baignoire peu profonde. D'un blanc éblouissant, ils semblaient faits d'une sorte de plastique. La proue était effilée, la poupe droite. Le pilote manipulait le skimmer à l'aide d'une colonne de direction évoquant le guidon d'une moto. La selle était assez longue pour accueillir un passager. Les rebords n'affleuraient que de quelques centimètres. J'imagine que personne ne se souciait de savoir si l'eau s'infiltrait à l'intérieur.

On aurait pu croire qu'ils manquaient de stabilité, mais non, car ils étaient pourvus de deux ailes. Si vous avez jamais vu un de ces canoës avec des stabilisateurs sur le côté et des pontons tout au bout, à la façon des trimarans, vous comprendrez. Ces skimmers disposaient de gréements externes. Pour l'instant, ils étaient soulevés et ne touchaient pas les flots, ce qui leur donnait l'allure d'ailes d'oiseau figées en pleine action. Au bout de chacun, il y avait un flotteur en forme de torpille. J'imagine que lorsqu'ils se mettraient en route, ils se rabaisseraient au niveau de l'eau pour stabiliser l'appareil.

L'engin de Spader était semblable à celui de l'oncle Press, sauf qu'il y avait une sorte de remorque accrochée à l'arrière pour transporter Dieu sait quels équipements.

Non, ces engins n'étaient pas des jouets. On aurait plutôt dit ces jets derniers cris qui véhiculent les gros pontes de la finance à travers le monde. Et à vrai dire, ils avaient l'air sacrément cools.

Pendant que l'oncle Press montait sur le sien, j'ai observé ce Spader. Qui était ce type ? Le Voyageur de Cloral ? En tout cas, il n'avait pas peur d'évoluer dans l'eau. Mais ça devait être un trait commun à tous les habitants de Cloral. Sa peau était très foncée, pourtant il était difficile de dire si c'était naturel ou dû à de longues heures passées au soleil. Un peu des deux, probablement. Il faisait près d'un mètre quatre-vingt-dix et semblait bâti en force. Pas le genre Monsieur Muscle, non, plutôt mince et athlétique. Ses longs cheveux noirs emmêlés tombaient sur ses épaules.

Enfin, ce qui crevait véritablement les yeux, c'était sa personnalité. Je sais, ça peut paraître bizarre, surtout que je venais à peine de le rencontrer, mais dès le départ, il m'a fait bonne impression. Il se souciait de l'oncle Press au point de partir à sa recherche dans des eaux infestés de quigs et avait pris de gros risques pour me sauver la vie. Pourtant il s'était contenté de hausser les épaules comme si ce n'était que brou- tilles. C'était plutôt chic de sa part. Et il avait toujours l'air de s'amuser comme un petit fou. Qu'il sillonne les flots sur son glisseur ou qu'il prépare son skimmer, il avait toujours le sourire aux lèvres. Un type comme ça ne peut qu'attirer la sympathie. Bref, pour ce que j'avais pu en voir jusque-là, ce Spader me plaisait bien.

– Viens, Bobby, a dit l'oncle Press.

J'ai retiré mes palmes et me suis glissé vers le skimmer. Comme je n'avais plus la moindre force dans les bras, l'oncle Press a dû me hisser dedans. Je suis resté affalé sur la coque, heureux d'être enfin sur quelque chose de solide, même si ce n'était qu'un petit hors-bord d'outre-monde.

– Ça va, Pendragon ? m'a lancé Spader depuis son propre véhicule.

J'ai lutté pour me redresser et faire comme si je n'étais pas complètement dépassé, même si c'était le cas.

– Ça va ! ai-je crié d'une façon pas très convaincante. Ça va très bien !

Spader a éclaté d'un bon rire chaleureux. Un instant, j'ai cru qu'il se moquait de moi, mais je me trompais.

– T'inquiète, mon vieux. Je suis déjà passé par là. Et pas qu'une fois ! Dès qu'on sera arrivés, on s'occupera de toi !

– Arrivés ? ai-je demandé. Où ça ?

Spader se tenait désormais aux commandes de son skimmer, tout comme l'oncle Press. Tous deux ont appuyé sur un bouton, et les skimmers ont démarré en chœur. J'ai entendu le gémissement des moteurs, puis les flotteurs se sont mis à descendre jusqu'à atteindre la surface de l'eau.

J'ai aussi remarqué que Spader et l'oncle Press s'étaient crispés, tous les deux. Ils étaient là, très raides, face à leurs commandes tout en échangeant des regards furtifs. Ils semblaient mijoter quelque chose, et ça ne me plaisait pas trop.

– Ce monde est magnifique, a continué Spader. Tu vas l'adorer.

– Je confirme, a repris l'oncle Press. Et Spader habite le plus bel habitat de tout Cloral.

Ces deux-là parlaient calmement, mais leur langage corporel disait exactement l'inverse. Qu'est-ce qui se passait ? Un autre quig nous fonçait-il dessus ? Les quatre stabilisateurs avaient désormais atteint la surface, et je pouvais entendre bourdonner le moteur, prêt à partir.

– Merci du compliment, Press. Le dernier arrivé à Grallion paye les sniggers ?

– Des Snickers ? ai-je demandé. On trouve des barres de chocolat ici ?

– Des sniggers, Bobby, a répondu l'oncle Press. C'est une boisson. (Il se tourna vers Spader :) Mais je ne connais pas le chemin.

– Ne t'en fais pas, s'est-il écrié en riant. Suis-moi !

Sur ce, Spader a fait vrombir son moteur et a démarré comme une bombe.

– Cramponne-toi ! m'a crié l'oncle Press avant de mettre pleins gaz.

Notre skimmer est parti à son tour, me projetant en arrière. Il aurait pu me prévenir un peu plus à l'avance. Maintenant, je comprenais mieux. Ces deux-là s'amusaient comme des petits fous. Ils voulaient faire la course ? D'accord, je pouvais faire avec. Je me suis mis à genoux et j'ai regagné la selle, derrière l'oncle Press. Nos deux globes respiratoires roulaient sur le pont : j'ai préféré les ramasser avant qu'ils ne tombent par dessus bord.

Nous foncions à toute allure – en fait, jamais je n'étais allé aussi vite sur l'eau. J'ai regardé les stabilisateurs et j'ai constaté qu'ils ne servaient pas qu'à maintenir l'équilibre. Ils étaient immergés sous la surface de l'eau et un jet d'eau s'échappait de chacun d'entre eux. Le skimmer n'avait pas de gouvernail : quand l'oncle Press tournait le guidon, l'un des jets diminuait de puissance. Pas mal.

En regardant droit devant, j'ai constaté que Spader avait une bonne longueur d'avance. L'oncle Press était concentré sur son pilotage, mais il avait l'air de bien s'amuser. Et je ne pouvais pas l'en blâmer. Moi aussi, j'appréciais le voyage.

– C'est quoi, Grallion ? ai-je demandé.

Bizarrement, je n'avais pas besoin de crier. Les moteurs du skimmer faisaient beaucoup moins de bruit que ceux d'un hors-bord. Ils se contentaient d'un bourdonnement constant au lieu d'un grondement. En fait, le plus bruyant était encore la proue fendant les flots. La surface était si lisse que nous foncions dessus comme un patineur sur un lac gelé.

– Grallion est l'habitat où réside Spader, a répondu l'oncle Press sans quitter son adversaire des yeux.

– Et lui, qu'est-ce qu'il fait ?

– Il est ce qu'on appelle un aquanier. Tous les habitats ont une équipe pour assurer la maintenance, afin qu'ils puissent sillonner les flots sans risques. C'est une position importante, et Spader la remplit fort bien. Et c'est plutôt un brave type.

– Oui, mais est-il le Voyageur de Cloral ?

– Regarde ! s'est-il écrié.

Il a tendu un doigt et là, sur l'horizon, j'ai vu notre destination. Tout d'abord, ça n'a été qu'une tache grisâtre qui aurait pu être une île. Mais au fur et à mesure que nous nous approchions, j'ai constaté que ses contours étaient trop réguliers pour ça. Non, c'était quelque chose de fabriqué. Et c'était grand. C'était Grallion.

L'oncle Press a accéléré et a rattrapé Spader sans mal. J'ai alors compris le but de sa stratégie. Il s'agissait de rester en arrière jusqu'à ce que Grallion soit en vue. Mais maintenant que nous savions où il était, la course commençait pour de bon.

– Tu te traînes ! a-t-il crié à Spader. Je te bat d'un trois-quart !

– Mais tu as une surcharge, mon vieux ! Ça égalise les chances !

Tous deux ont mis pleins gaz, et les skimmers ont bondi. Aussi incroyable que ça puisse paraître, nous n'avions pas encore atteint leur vitesse maximale.

À vrai dire, je me souciais moins de la course que de notre destination. Mark, tu te souviens de ce jour où nous avions fait une sortie avec l'école pour visiter le porte-avions *L'Intrépide* ? C'était impressionnant, non ? Eh bien imagine que nous nous approchions de *L'Intrépide* par la mer, en canot. Tu vois ? C'est à couper le souffle, non ? Et puis multiplie la taille du porte-avions par quatre cents et tu auras une idée de ce qu'est Grallion.

Alors que nous foncions vers l'île flottante, je croyais sans arrêt que nous serions arrivés dans une seconde, et pourtant, je me trompais. Cette monstrueuse barge ne cessait de grandir sur l'horizon. Elle faisait bien quatre étages de haut, mais ce n'était pas le plus impressionnant. Ce machin qu'ils appelaient un habitat s'étendait sur au moins trois kilomètres. Comme nous l'approchions d'un seul côté, je ne pouvais estimer son diamètre, mais s'il fallait en juger à la devanture, elle était aussi grande que Stony Brooks.

– On le tient ! s'est exclamé l'oncle Press d'un ton joyeux.

J'ai jeté un coup d'œil au skimmer de Spader. En effet, nous avions quelques mètres d'avance. Apparemment, sa remorque était plus lourde que moi. C'est lui qui avait un handicap.

– C'est la bouée qui sert de repère ! a dit l'oncle Press en tendant le doigt.

En effet, une bouée flottait non loin de la coque de l'habitat. Au-delà, j'ai vu une sorte d'entrée qui s'étendait sous la surface des flots. Elle était assez large pour que de petits bateaux puissent y entrer. Je pouvais même apercevoir d'autres skimmers à l'intérieur, ainsi que d'autres engins de forme et de conception différente.

– La bouée indique la zone de sécurité, a ajouté l'oncle Press. Une fois que tu l'as dépassée, tu dois ralentir. C'est notre ligne d'arrivée.

Nous n'étions plus qu'à quelques mètres de la victoire. Je n'aurais pu dire ce qui m'enthousiasmait le plus : savoir que nous allions l'emporter ou contempler Grallion qui nous dominait de toute sa masse. Mais Spader n'avait pas abandonné la partie. Il a tiré un peu plus de puissance de son skimmer et s'est rapproché de nous. Ce serait à la corde. Et…

Nous avons gagné ! Nous avons passé la bouée en premier. L'oncle Press a poussé un cri de joie avant de couper le moteur.

Mais Spader n'a pas fait de même. Il a continué de foncer à toute allure vers le quai. Nous n'avons rien pu faire, juste le regarder.

– Au fond, ce type est peut-être complètement cinglé, ai-je dit.

L'oncle Press a donné un coup de gaz et l'a suivi à l'intérieur, mais à une vitesse plus raisonnable. Un spectacle extraordinaire nous attendait dans le ventre de Grallion. Comme je l'ai dit, Spader était entré dans l'ouverture à toute allure, et ces skimmers étaient sacrément rapides. J'ai vu quelques mécanos ouvrir de grands yeux et s'égailler comme des pigeons pour s'éloigner de l'inévitable accident.

Spader n'a pas flanché. Il a conduit son engin droit vers les quais. Dans quelques secondes, il allait s'écraser. Mais alors que l'issue semblait inévitable, il a freiné à mort et fait pivoter le skimmer – une manœuvre que, plus tard, il appellerait « autorotation » – pour effectuer un tour complet qui a dissipé son élan. Il a continué sur la vague qu'il avait lui-même généré, de biais, et a atteint le quai sans heurt. Il n'a même pas pris une seconde pour souffler : d'un bond, il est descendu de son engin, puis s'est tourné vers nous, a fait une révérence ironique et a déclaré :

– Désolé, les enfants, mais vous avez perdu.

Nous sommes arrivés lentement à sa hauteur. Je ne pouvais qu'applaudir Spader. Je n'avais jamais rien vu de tel, même au ciné.

– Oh, non ! s'est exclamé l'oncle Press d'un ton qui se voulait furieux, même si je savais qu'il n'en était rien. Les règles sont les règles. Nous avons passé la bouée en premier.

– Mais la course s'arrêtait à Grallion ! a répondu Spader. Pas à la bouée. Elle ne compte pas.

Spader riait aux éclats, tout comme l'oncle Press. Mon séjour sur Cloral ne s'annonçait pas trop mal.

– Spader ! a alors aboyé une voix furieuse en provenance du quai.

Nous avons tous levé les yeux. La voix était celle d'une femme vêtue d'une sorte d'uniforme qui se tenait sur une passerelle surplombant le quai. Elle semblait furax.

– Wu Yenza, m'a chuchoté l'oncle Press. Chef des aquaniers.

– La patronne de Spader ?

– Oui.

Yenza devait avoir une trentaine d'années. Elle arborait des cheveux noirs coupés court et semblait plutôt athlétique. Je présume que tous les aquaniers doivent tenir la forme. Elle portait une tenue noire ressemblant à celle de Spader, mais avec des manches longues et des bandes jaunes à hauteur des poignets qui évoquaient un symbole militaire. J'irais même jusqu'à dire qu'elle était assez sexy, bien qu'un peu âgée pour moi.

– Viens, Spader ! a crié Yenza avant de tourner les talons et s'en aller à grandes enjambées furieuses.

L'interpellé s'est tourné vers nous et a haussé les épaules. Il était parti pour se faire remonter les bretelles, mais ça ne semblait guère l'inquiéter.

– Mettons que nous sommes à égalité, ça vous va ? a-t-il dit en souriant. On se retrouve chez Grolo dès que je peux me libérer. C'est ma tournée, d'accord ?

Sur ce, il a pivoté et escaladé les marches qui partaient des quais pour s'enfoncer dans les entrailles de Grallion.

– Il est fichu, ai-je déclaré.

– Non. Il va se faire enguirlander et on lui dira de ne plus jamais prendre de tels risques. Mais ils ne vont rien lui faire. Tout le monde aime Spader. C'est le meilleur aquanier de Grallion.

L'oncle Press a mis le skimmer à quai. Il l'a amarré, puis a pris pied sur le quai.

– Tu n'as pas répondu à ma question, ai-je dit.

– Laquelle ? Tu m'en as posé tellement.

– Spader est-il le Voyageur de Cloral ?

L'oncle Press n'a pas répondu tout de suite. Il s'est affairé à récupérer nos globes et nos palmes éparpillées sur le skimmer. Il ne m'ignorait pas délibérément, je le savais, mais le simple fait qu'il ne réponde pas par un oui ou un non me mettait sur les nerfs.

– Oui, a-t-il finalement répondu. Spader est le Voyageur de Cloral.

– Je le savais !

– Mais ce n'est pas tout. Il l'ignore. Il ne sait pas qu'il est un Voyageur. Et c'est à nous de le lui annoncer.

L'oncle Press s'est emparé de nos affaires et a grimpé les marches. Je suis resté un instant immobile, le temps de digérer ce qu'il venait de me dire. Je venais de rencontrer quelqu'un qui profitait à fond de la vie – du moins la sienne – et maintenant, nous étions chargés de lui dire que tout allait changer. Ça faisait peu de temps que j'étais un Voyageur, mais je ne pouvais m'imaginer chose plus difficile que découvrir que ma vie n'était pas ce que je croyais et que je devrais l'abandonner.

Je n'avais pas vraiment envie d'être celui qui se chargerait de faire voler en éclats tout l'univers de quelqu'un.

Journal n° 5
(suite)

CLORAL

Depuis que j'ai quitté ma maison à Stony Brook, je suis passé d'un désastre à un autre. Je n'ai pas arrêté d'avoir peur et d'être perdu, ou d'être perdu et d'avoir peur. Parfois, ce n'était pas la mort, mais il me suffisait de me retourner pour que tout tourne au vinaigre.

À présent que j'ai passé quelque temps sur Cloral, j'ai le bonheur de vous annoncer que, pour changer, ces dernières semaines ont été plutôt chouettes. À peine étions-nous arrivés sur l'habitat de Grallion que je me suis senti en sécurité. Et ça continue : plus j'en apprends sur Grallion et ces habitats flottants, plus j'ai l'impression que ces gens ont tout compris. Le mode de vie des Cloriens est comme une machine parfaitement huilée où chaque chose, chaque personne a un rôle important à jouer. Ils comptent les uns sur les autres, et se respectent mutuellement.

Ce qui ne veut pas dire qu'il n'y a jamais de problèmes. Les Cloriens ne sont pas des animatrons de chez Disney qui ne vivent que pour servir le bien public, loin de là. Ils ont leurs propres opinions et parfois leurs différends. Mais ils gardent toujours le sens de la perspective. Il n'y a ni guerres, ni tensions raciales. Et apparemment, pas de système de classes sociales. Certains ont plus de responsabilités que d'autres et sont mieux payés, mais personne ne considère qui que ce soit comme un citoyen de seconde zone. C'est impressionnant.

J'ai cherché à comprendre comment pouvait exister une société aussi parfaite lorsque d'autres pourtant évoluées, comme la nôtre sur la Seconde Terre, n'en finissaient pas de se déchirer.

66

Ma théorie est que chaque habitant de Cloral doit faire face aux mêmes défis : survivre dans un univers aquatique. Ils ont peut-être créé ces villes flottantes qui donnent l'impression d'être sur la terre ferme, mais celles-ci sont simplement sur l'eau. Ce qui veut dire qu'elles sont en danger permanent : une tempête un peu trop violente pourrait détruire la ville entière. Et il faut nourrir toute cette population, ce qui ne va pas sans problèmes. Un simple virus peut mettre en péril un habitat. Ces gens-là n'ont pas une vie facile. Ce qui les unit, c'est une cause commune : leur survie. Comparés aux difficultés qu'ils doivent affronter au quotidien, tous les motifs de dispute semblent bien triviaux.

Mais je me laisse emporter. D'abord, je dois vous raconter ce qui s'est passé après notre arrivée sur Grallion.

Comme l'oncle Press était déjà venu dans cet habitat, il m'a fait faire le tour du propriétaire. Alors que nous quittions les quais, j'ai remarqué deux choses. D'abord, que l'intérieur de la barge était un labyrinthe de machineries, de pompes, de moteurs et de tuyaux. J'ai regardé le long d'interminables passerelles où des ouvriers s'affairaient pour maintenir en état de marche cette immense mécanique.

Deuxièmement, rien de tout ça ne semblait fait de métal. Je ne sais pas de quel matériau il s'agissait exactement, sans doute du plastique ou de la fibre de verre ou quelque chose comme ça. Mais les passerelles, les conduites, les supports, les poutrelles, les machines elles-mêmes semblaient constitués dans ce même matériau léger. Alors que nous montions les escaliers, nos pas ne faisaient pas de bruit, en tout cas rien à voir avec le claquement des talons sur le métal. En y réfléchissant bien, c'était logique : si tout doit être capable de flotter, mieux vaut bâtir léger. Encore plus bizarre : si l'intérieur de l'habitat évoquait une gigantesque usine, il y avait moins de bruit qu'on aurait pu le croire. L'endroit était peuplé, mais le niveau sonore n'était pas plus élevé qu'à la bibliothèque de Stony Brook un samedi de pluie. C'était plutôt sympa.

– Qu'est-ce qu'ils font de leurs journées ici ? ai-je demandé à l'oncle Press alors qu'on montait les marches. Est-ce qu'ils se contentent de pêcher et de faire la course avec leurs skimmers ?

– Chaque habitat a une tâche spécifique à accomplir. Certains fabriquent des matériaux, d'autres produisent de la nourriture, il y a des centres financiers ou miniers pour l'extraction des métaux.

– Et Grallion ?

– Tu vas voir.

Nous étions arrivés au sommet des escaliers, là où une porte s'ouvrait sur la surface de l'habitat. Nous sommes passés au soleil et j'ai enfin pu voir Grallion dans toute sa splendeur. Et croyez-moi, Mark, Courtney, les mots me manquent pour décrire ce spectacle.

D'abord, ai-je précisé que Grallion était grand ? Eh bien, le mot est faible. Cet habitat est énorme. J'avais l'impression d'être sur la terre ferme. Et accrochez-vous bien. Ce qui s'est dévoilé à mes yeux, c'était… des champs. Non, je ne plaisante pas. J'ai vu des hectares entiers de plantes en fleurs, d'arbres fruitiers et de légumes colorés.

Grallion était une gigantesque ferme flottante !

– Suis-moi, a dit l'oncle Press avant de s'éloigner.

Tout d'abord, je n'ai pas pu bouger. Impossible. Il me fallait d'abord assimiler ce que j'avais sous les yeux.

– Tu verras mieux de là-haut ! s'est écrié l'oncle Press.

Il savait que je n'en revenais pas et semblait s'en amuser. J'ai couru pour le rattraper. Il m'a fait grimper l'escalier d'une tour et, de ce point élevé, j'ai pu mieux distinguer les fermes de Grallion. J'ai vu que les camps étaient divisés en sections distinctes séparées par des sentiers où se déplaçaient les fermiers. Il y avait même de petits véhicules électriques qui évoluaient rapidement et silencieusement le long du réseau de routes. Tout au fond sur la gauche, j'ai distingué des rangées d'arbres fruitiers. La plupart des fruits ressemblaient à des pommes et à des oranges, mais d'autres étaient d'allure moins familière. Certains étaient des tubes d'un vert vif ressemblant à des ballons accrochés aux branches, d'autres de grosses billes violettes évoquant des raisins, et d'autres encore des baies d'un blanc éblouissant. Tous avaient l'air bien mûrs, prêts à être cueillis.

Droit devant nous, il y avait des rangées de plantes individuelles, des milliers au bas mots, poussant dans la terre. Oui, la terre. Enfin, je crois que c'en était. C'était brun et ça avait l'air friable, donc si ce n'était pas de la terre, c'était bien imité.

Certaines plantes portaient de petits fruits et légumes, d'autres semblaient prêtes à être coupées comme des laitues ou arrachées à la terre telles des carottes ou des patates.

À notre droite, il y avait des sortes de grillages pour les plantes à support, des vignes par exemple. On y trouvait ces mêmes cornichons d'un vert brillant que nous avions vus dans la caverne sous-marine. Il y avait aussi d'autres fruits ressemblant à des disques blancs, apparemment fragiles et que le moindre souffle de vent faisait onduler.

Une autre section se cachait encore sous des bâches diaphanes évoquant de la gaze. Sans doute pour des plantes qui poussaient mieux sous une lumière indirecte. Cette zone devait couvrir un peu plus d'un kilomètre carré. Une autre était consacrée à un genre de froment. Incroyable.

Sous mes yeux, des cultivateurs ne cessaient d'aller et venir. Certains s'occupaient de la cueillette, d'autres de l'arrosage, d'autres encore sélectionnaient des échantillons. D'autres enfin se chargeaient de l'élagage.

Le meilleur terme pour décrire cette vaste ferme remplie de fruits et de légumes appétissants est… « parfait ».

– Cet habitat produit de quoi nourrir environ trente mille personnes, a expliqué l'oncle Press. On emballe le tout à l'étage en-dessous. Il y a un quai près de la proue où les bateaux en provenance des autres habitats viennent emporter leur chargement pour le ramener chez eux. Ce système est très efficace.

– Combien de monde travaille ici ?

– Environ deux cents personnes, je crois. Mais cinquante seulement y vivent à plein temps : les pilotes et leurs équipages, certains chargés de la maintenance, ceux qui dirigent les fermes et les ingénieurs agronomes.

– Les ingénieurs agronomes ?

– Des scientifiques. Ceux qui décident ce qu'il faut planter et où. Ils font des expériences avec des systèmes de jachères, des engrais et tout ça. Il y a aussi soixante aquaniers comme Spader qui assurent le bon fonctionnement de l'habitat et dirigent les allées et venues des petits bateaux. Ils habitent sur place par roulements – trois mois au maximum. Le reste est composé de fermiers migrants qui se déplacent selon les récoltes. C'est là que vivent les itinérants.

Il a désigné un point sur la gauche, là où quelques baraquements occupaient un des côtés de l'habitat. Les demeures ressemblaient à des maisons à un seul étage.

– Celles de l'autre côté sont pour les résidents : les pilotes, les agronomes, tout ça.

J'ai suivi sa direction et, du côté opposé, j'ai vu une rangée de demeures un peu plus grandes que les autres. Et pourquoi pas ? Si ces gens vivaient en permanence sur cet habitat, ils méritaient d'avoir des logements plus grands.

– Nous nous trouvons à la poupe, a-t-il remarqué. C'est là qu'on range l'essentiel des ustensiles agricoles et que travaillent les agronomes. À la proue, il y a un grand poste de pilotage d'où on contrôle la direction de l'habitat. Mais chaque cabane comporte un poste de pilotage plus petit.

– Ça peut paraître bizarre de dire ça d'une ferme, mais c'est vraiment un spectacle magnifique…

– Non, tu as raison. C'est magnifique. Et j'espère que ça le restera.

Ce qui ressemblait fort à un mauvais présage, mais il n'a pas épilogué. Il s'est mis à descendre l'escalier qui menait au quai.

– Que veux-tu dire ? ai-je demandé en lui emboîtant le pas. Que pourrait-il se passer ?

– Tu as oublié la raison de notre présence ici ? a dit l'oncle Press.

Oh, oui. Saint Dane. Le moment de vérité. Pendant un instant, je l'avais presque oublié. Difficile d'imaginer un endroit comme celui-ci plongé dans le chaos. Rien à voir avec Denduron, qui était déjà mal barré. Mais ce territoire évoquait plutôt une forme d'éden.

En tout cas, je me sentais plutôt bête d'avoir posé cette question.

– Alors que fait-on, maintenant ? ai-je demandé.

– Je pense que nous devrions rester quelque temps sur les lieux. Si Saint Dane est là, c'est qu'il mijote quelque chose. Le mieux que nous puissions faire, c'est nous fondre dans le décor, en apprendre davantage sur ce territoire et nous préparer en attendant que quelque chose ne sorte de l'ordinaire.

– Ce qui mène à une autre question…

– Bien sûr.

Il n'était pas né de la dernière pluie.

– Lorsque tu te transportes sur un nouveau territoire, que racontes-tu à ses habitants ? Ils ne se demandent pas pourquoi tu es là ? D'où tu viens ? Pourquoi tu débarques de nulle part ?

– Ahhhh, bonne question. Évidemment, on ne peut pas dire tout de go qu'on est un Voyageur en provenance d'un autre monde venu pour éviter que leur territoire ne sombre dans la chaos. Ce ne serait pas très diplomatique.

– En effet.

– Mais il y a d'autres moyens. J'ai dit à Spader que je suis issu d'un habitat lointain et que je tiens à visiter Cloral. Ainsi, je vais là où je veux au gré de mes humeurs et je travaille à l'occasion pour payer mon voyage.

Nous étions arrivés au bas de la tour. L'oncle Press s'est arrêté pour me regarder.

– En fait, a-t-il ajouté avec un sourire rusé, ce n'est pas si éloigné de la vérité. J'évite juste de préciser que je dois empêcher l'écroulement de leur civilisation. Ce serait dur à avaler.

– Comme tu dis.

Nous avons continué de marcher autour des champs.

– Donc, nous allons trouver du travail. Ils manquent toujours de bras, et ce n'est pas particulièrement difficile. Nous pourrons rester vigilants. Plus on en sait sur un territoire, plus on est à même de l'aider. C'est ce que j'ai fait sur Denduron.

– Et quand devrons-nous dire à Spader qu'il est un Voyageur ?

– Lorsque ce sera nécessaire, a-t-il répondu rapidement.

L'oncle Press a accéléré, et j'ai dû faire de même pour rester à son niveau. Soudain, il semblait bien pressé.

– Où allons-nous ?

– Tu as entendu Spader ! a-t-il répondu, plein d'enthousiasme. C'est lui qui offre à boire. Nous allons chez Grolo. On ne refuse pas une occasion pareille !

Chez Grolo. Les sniggers. Pourquoi pas ?

Nous nous sommes dirigés vers l'autre bout de l'habitat, là où se trouvaient les quartiers temporaires. De près, on aurait dit des petits appartements. Rien de luxueux, mais tout à fait corrects. Des hommes et des femmes se promenaient, ou lisaient ; d'autres encore jouaient avec leurs enfants. Deux types jouaient à se lancer une sorte de tube incurvé évoquant un boomerang. Je les ai vus le lancer ; le tube a décrit un long arc de cercle pour revenir dans la main du lanceur. C'était la version clorienne d'un Frisbee.

Tous ces gens portaient ces mêmes vêtements légers et colorés. L'oncle Press et moi passions inaperçus. La plupart nous ont souri et salués au passage. L'oncle Press a pris soin de répondre à tous, et j'ai fait de même. Ces gens ne savaient pas qui nous étions, mais ça n'avait pas d'importance. Ils avaient l'air amicaux, ce qui me suffisait largement.

Après avoir marché un bon kilomètre et demi, nous sommes arrivés à une nouvelle rangée de bâtiments peu élevés parallèles aux maisons. Je n'ai pas éprouvé le besoin de demander de quoi il s'agissait. C'était un centre commercial à la façon de Grallion. Il y avait une boutique de vêtements et un salon de coiffure, une petite bibliothèque à côté d'un magasin de fruits et légumes, plus une sorte de bazar où l'on trouvait aussi bien des jouets que des outils ou des ustensiles de cuisine.

Je me suis demandé si une arcade à jeux vidéo se cachait quelque part par là. Cela dit, ça devait plutôt être spécifique à la Seconde Terre. Oh, tant pis. Nous sommes arrivés à la fin du centre et à notre destination. Une pancarte gravée au-dessus de la porte accueillait tous ceux qui s'y aventuraient. Elle disait simplement : CHEZ GROLO.

– Le centre de l'univers de Grallion, a dit l'oncle Press. Et on y trouve le meilleur snigger de cet hémisphère.

– Puisque tu le dis, ai-je fait, histoire de rentrer dans son jeu.

– En fait, je n'en sais rien, a-t-il ajouté en cligant de l'œil avant d'entrer dans le pub, puisque c'est le seul endroit où j'en ai bu. Mais c'est ce qu'on dit !

Je l'ai suivi, tout content à l'idée de goûter enfin ces fameux sniggers.

En fin de compte, Chez Grolo ressemblait à n'importe quelle taverne. J'imagine que, quel que soit le territoire, tout le monde aime avoir un endroit où se retrouver, boire un verre, discuter et rire un peu trop fort, car c'est exactement ce qui se passait ici. On y diffusait une musique assez bizarre, bien qu'elle soit probablement tout à fait normale aux oreilles des Cloriens. Si je devais la comparer à quelque chose de chez nous, je dirais qu'elle faisait plutôt techno New Age japonisante à base de cordes. Limpide, non ? Je sais, ça ne rime à rien, mais si vous l'entendiez vous seriez probablement d'accord. Et à vrai dire, elle n'était pas désagréable. Son rythme assez dansant rendait l'endroit encore plus accueillant.

Le pub était bondé. On y trouvait des hommes et des femmes de tous les âges, bien que je sois sans doute le plus jeune. Soudain, je me suis demandé s'ils allaient me demander ma carte d'identité. Du moins s'ils avaient la même législation que chez nous, où de tels établissements sont interdits aux mineurs. Et non seulement j'étais trop jeune, mais je n'avais pas la moindre pièce d'identité sur moi. Heureusement, personne ne m'a rien demandé.

Tout le monde riait, buvait ou racontait des histoires, parfois les trois en même temps, et semblait bien s'amuser. Par contre, j'ai remarqué une table beaucoup moins festive. Deux hommes et deux femmes avaient une discussion assez intense. Leur table était couverte de grandes feuilles de papier ressemblant à des plans. Ils n'arrêtaient pas de donner des coups d'index sur les feuilles afin de défendre leur point de vue.

— Des agronomes, a dit l'oncle Press. Ce doit être les seuls gens stressés de la planète.

— Pourquoi ?

— C'est leur boulot. Grallion dépend des fermes et si Grallion ne produit pas assez, ça signifie qu'ils ne font pas leur travail.

J'ai regardé le quatuor d'agronomes, mais avec un nouveau respect. Vous parlez d'une responsabilité : s'ils échouaient, tout le monde se serrerait la ceinture.

— Press ! a lancé quelqu'un par-dessus le fracas. Qu'est-ce qui t'a retenu ? Je croyais que tu t'étais retrouvé face à un autre requin !

C'était Spader. Il nous avait pris de vitesse. Il était déjà assis au bar au milieu d'un petit groupe de gens qui buvaient et riaient avec lui.

L'oncle Press s'est dirigé vers le groupe.

– Je croyais que tu devais te faire tirer les branchies par Yenza ! s'est-il exclamé.

Allons, bon ! Nous venions à peine d'arriver et l'oncle Press employait déjà le jargon local. J'avais tout intérêt à rester vigilant.

– Moi ? a répondu Spader d'un ton bravache. Pourquoi cette chère Yenza voudrait-elle se disputer avec moi ? Moi qui ensoleille ses journées ! De plus, a-t-il ajouté d'un ton rusé, je crois que je lui plais bien. Si elle me chassait de Grallion, elle en mourrait de désespoir.

Tout le monde a éclaté de rire devant ces vantardises éhontées. Mais tous savaient qu'il se contentait de faire le clown. Personne ne le prenait au sérieux.

– C'est ça ! a crié un des gars. C'est à peu près aussi crédible que de voir ce vieux Grolo tomber en panne de sniggers !

Tous ont pris des mines horrifiées. Un simple coup d'œil autour de moi m'apprit que tout le monde buvait dans des sortes de tasses transparentes remplies d'un liquide rouge foncé. Sans doute ce légendaire snigger. Spader s'est penché sur le bar et s'est emparé de la poignée d'une sorte de pompe à bière qui devait dispenser la boisson. Il a fait semblant de la tirer et a ouvert de grands yeux.

– Vide ! a-t-il crié. Hobie-ho-ho ! S'il est à court de snigger, cela veut dire que Yenza m'aime bien !

Tout le monde a ri de plus belle. Derrière le comptoir, une armoire à glace qui devait être Grolo en personne a repoussé Spader de la pompe avec un air jovial.

– Ne va pas lancer des rumeurs, a-t-il dit en riant, où ce sera l'émeute, et c'est toi qui devras calmer la foule.

Spader a ri à son tour en obtempérant. Grolo s'est emparé de la pompe pour tirer une autre pinte de liquide mousseux. Grâce à Spader, tout le monde semblait bien s'amuser. Il était au centre de l'attention et ne risquait pas de décevoir ceux qui comptaient sur lui pour mettre de l'ambiance. Il a pris une chope et s'est écrié :

– Alors, Press, où est-il ?

– Ici même, à profiter du spectacle.

Hein ? De qui parlait-il ? Spader a tendu à Press la chope de snigger et s'est retourné. Ses yeux se sont posés sur moi. Aïe. C'est de moi qu'il s'agissait. J'imagine qu'il avait déjà raconté comment je m'étais retrouvé coincé avec le glisseur et comment il m'avait aidé pour m'en dépêtrer. J'aurais bien voulu disparaître ou me cacher dans un trou de souris. Si je devais rester sur Grallion, je ne voulais pas passer pour un gros nul. J'ai sérieusement pensé tourner les talons et m'enfuir, mais ça n'aurait qu'aggravé ma situation. Non, j'allais devoir accepter le ridicule. Pourvu que ça ne dure pas.

— C'est lui ! a crié Spader.

Tous se sont tournés vers moi. Je n'avais pas le choix. Peut-être pouvais-je trouver une répartie, quelque chose qui fasse passer cette histoire pour une plaisanterie. Mais mon esprit s'est bloqué. Je n'ai rien trouvé. Mes côtes et mon épaule douloureuses ne me rappelaient que trop cet épisode.

— Sans ce type, a commencé Spader, l'oncle Press aurait fini dans la gueule d'un requin !

Hein ? J'ai regardé l'oncle Press. Il m'a souri en levant sa chope.

— Press était coincé sous ce plateau rocheux, a continué Spader d'un ton dramatique, ce vilain croqueur lui fonçait dessus. Et croyez-moi, il était gros. Mais c'est alors que Pendragon ici présent a jailli sur son glisseur. Ignorant la peur, il a attiré l'attention du monstre et a donné à Press l'occasion de filer. Je n'ai jamais vu un acte aussi courageux. Bien sûr, par chance, j'étais juste dans la bonne position pour mettre un terme à la carrière du croqueur.

Cela ajouté d'un ton de fausse modestie. Tous ont poussé de grands cris, comme s'ils ne le croyaient pas. Non, dans leur esprit, c'était moi le véritable héros ! Je n'arrivais pas à y croire. Soudain, on m'a fourré une chope de snigger dans les mains.

— À Pendragon ! a crié Spader en levant sa chope à ma santé. Tous les autres convives ont fait de même. Y compris l'oncle Press, qui arborait un grand sourire.

— Bienvenue sur Grallion ! a ajouté Spader.

— Hobie-ho-ho ! se sont exclamés tous les autres en levant leurs verres.

Incroyable. Comment tourner une défaite en victoire. Bien sûr, je me sentais un peu coupable. Tout ne s'était pas passé exactement comme Spader l'avait décrit. Après tout, ce n'était pas si loin de la vérité. J'ai regardé Spader, qui m'a décoché un petit sourire : il n'était pas dupe. Mais pour lui, cela ne semblait pas avoir d'importance. Il m'a fait signe de boire une gorgée de snigger, et j'ai obéi.

Je ne savais pas vraiment à quoi m'attendre. J'avais goûté de la bière, une fois, et pensais que le goût serait à peu près équivalent. Mais non, ce qui n'était pas plus mal, vu que j'avais horreur de la bière. À vrai dire, cette première gorgée m'a semblé assez infecte, comme de boire du jus de laitue carboné. Mais ce goût terriblement amer a aussitôt disparu pour laisser une sensation d'une douceur incroyable qui a fait frémir mon palais. Un jour, dans le Maine, j'avais goûté à un soda du nom de Moxie. Lorsqu'il entrait en contact avec votre langue, il y laissait un goût sucré, mais l'arrière-goût était terriblement amer et assez désagréable. Ce snigger était exactement l'inverse. La première approche était peu engageante mais le goût s'évaporait aussitôt pour laisser un bon souvenir qui persistait jusqu'à la gorgée suivante. Voilà une boisson à mon goût ! Hobie-ho-ho !

– Mets tout ça sur mon ardoise, Grolo ! a annoncé Spader en descendant du bar. J'ai à faire avec mes amis !

– Tu n'as pas d'ardoise chez moi ! a aboyé Grolo.

– Alors c'est le moment d'en ouvrir une ! a rétorqué Spader, toujours aussi bravache.

Grolo a répondu par un geste de la main et un faux air dégoûté. Je ne crois pas que ça le dérangerait d'offrir quelques pintes à Spader. L'aquanier était le centre même de la fête. Plus il racontait d'histoires, plus les clients consommaient. Sa présence était bonne pour le commerce. Il a passé un bras autour des épaules de l'oncle Press, l'autre autour des miennes, et nous a entraînés vers la porte.

Mais lorsque nous avons atteint la table des agronomes, il s'est arrêté et s'est tourné vers eux. Les scientifiques se sont détournés de leur travail pour nous regarder.

– Nous voulons juste vous dire que vous faites de l'excellent travail, les gars, a dit Spader. Sincèrement.

Les scientifiques n'ont pas su comment réagir. Ils sont restés là, à nous dévisager.

– Maintenant, au boulot ! a repris Spader avant de nous entraîner à nouveau vers la porte. Ces savants ! a-t-il murmuré en chemin. Ils sont formidables, mais se laissent vite distraire.

Nous sommes sortis de chez Grolo en riant pour affronter la clarté du soleil.

Ce type me plaisait bien. Mais même si je lui étais reconnaissant d'avoir fait de moi un héros, je ne pouvais laisser passer ça sans rien dire.

– Dis-moi, cette histoire que tu as racontée. Tu sais que ce n'est pas ce qui s'est passé.

– Vraiment ? C'est pourtant ce que j'ai vu. Il y a toujours deux façons de considérer un événement, Pendragon. De par ma modeste expérience, j'ai pu constater qu'il vaut mieux voir ce qu'il y a de positif dans une situation. D'abord, c'est plus amusant comme ça ; ensuite, ça te mènera plus loin que de ne voir que l'aspect négatif. Telle est ma philosophie.

Spader n'était certes pas un vieux sage, mais ça me semblait logique. Je crois que je n'avais jamais rencontré quelqu'un d'aussi drôle et plein d'énergie. Il n'avait pas besoin de faire quoi que ce soit pour qu'on se sente bien en sa compagnie. Visiblement, il avait conquis même l'oncle Press. Celui-ci m'avait déclaré que Cloral était son territoire préféré. Il devait avoir ses raisons pour ça, mais je suis sûr que Spader en faisait partie. Il était de très bonne compagnie. Dans les quelques semaines qui suivraient, j'allais apprendre à mieux connaître Vo Spader, et je n'ai que du bien à en dire.

C'est le genre de personne qui, lorsqu'il y a quelque chose à faire, sait toujours à qui s'adresser. Il nous a installés dans une petite maison près de la sienne, l'oncle Press et moi. C'était dans la section où habitent les ouvriers temporaires et, comme c'est ce que nous étions désormais, nous nous sentions chez nous. L'appartement était petit mais confortable. Il y avait un lit superposé (j'ai eu droit à celui d'en haut), une petite cuisine et un mobilier tout simple.

Mais ce qu'il y avait de mieux, c'est que la fenêtre de derrière donnait en plein sur l'Océan. Le pied !

Il nous a dégoté du travail dans les fermes. Je craignais que ce soit une torture, mais je me trompais. Enfin, en général, ce n'était pas trop dur. Chez nous, sur la Seconde Terre, les grandes fermes embauchent des saisonniers au moment des récoltes. Lorsque celles-si sont terminées, ils passent à autre chose. C'est un travail assez pénible et pas très gratifiant.

Sur Grallion, tout est différent. Plutôt que se contenter d'aller cueillir tout ce qui est mûr, les employés sont chargés d'un quadrant. C'est une zone qui fait à peu près un hectare. Les ouvriers sont appelés des « vateurs », et sont entièrement responsables de leur quadrant. Ils doivent arroser les plantes, leur donner de l'engrais, les élaguer et, au final, cueillir le résultat de leur travail. Or leur boulot ne se termine pas au moment de la cueillette. Les vateurs suivent l'évolution de leur récolte : nettoyage, triage, emballage, jusqu'à ce qu'on envoie le tout à d'autres habitats. C'est plutôt bien : on a vraiment l'impression d'avoir accompli quelque chose. Ce doit être toute la différence entre le travail à la chaîne dans une usine automobile, mettons, où votre simple tâche est de fixer les roues sur les essieux qui défilent, par rapport au fait de construire cette même voiture de ses mains, pièce par pièce, et de la contempler fièrement lorsqu'elle sort de la chaîne, prête à démarrer.

Bon, je sais ce que vous devez vous dire : pourquoi je perdais mon temps à diriger une ferme ? Et vous n'avez pas tort. Avant de débarquer sur Grallion, je n'aurais pas su distinguer une racine d'un ver de terre. Et je doute fort que l'oncle Press soit plus avancé que moi, du moins sur ce point. Mais ça n'avait pas d'importance, car nous n'étions pas les seuls vateurs chargés de notre quadrant. Il y en avait six autres, avec largement plus d'expérience que nous. Ils nous ont montré comment examiner les plants pour chercher les symptômes d'une éventuelle maladie et comment les traiter avec des composés naturels venus tout droit du fond de l'océan. Et les engrais aussi sont d'origine naturelle. Apparemment, même si Cloral est recouverte d'eau, l'essentiel de ce qu'on utilise à la surface est ramené des fonds marins et traité pour servir l'habitat.

Sur Grallion, les fruits poussent vite, et donc il faut récolter assez souvent, dans l'espace de quelques jours. On pourrait croire que c'est la partie la plus difficile, et c'est peut-être le cas, mais ce n'est pas si terrible. Je veux dire, nous n'avions pas à parcourir les champs pour remplir des paniers de fruits, puis à les entasser quelque part. Le système est beaucoup plus civilisé. Derrière chacun de ces sentiers qui forment tout un réseau autour des champs, il y a un tapis roulant. Nous n'avions qu'à cueillir le fruit et le jeter au sol. Ce même tapis roulant l'emmenait à une sorte de centre où d'autres vateurs de notre quadrant se chargeaient de les laver, de les trier et de les empaqueter. C'est très simple, en fait.

L'oncle Press et moi sommes passés plusieurs fois sous ce point central pour y recevoir les fruits de notre quadrant et nous assurer qu'ils étaient correctement lavés et empaquetés. Puis, grâce à un chariot à palettes, nous avons emmené le tout vers les quais de chargement.

C'est là que nous avons vu travailler Spader. Les quais bourdonnaient d'activité. Des vaisseaux de transport ne cessaient d'aller et venir pour apporter leurs cargaisons de fruits et de légumes aux autres habitats. Ceux-ci ne devaient jamais s'approcher à moins d'un kilomètre de Grallion : ça aurait été trop dangereux. Il valait mieux envoyer des bateaux plus petits capables d'entrer dans les zones de chargement. Spader était une sorte d'agent de la circulation. Juché sur son skimmer, il allait se planter devant les vaisseaux à l'arrivée et leur donnait les instructions nécessaires pour qu'ils abordent sans risques. Ensuite, il sautait à terre, arrimait le navire au quai et faisait signe aux manutentionnaires de commencer le chargement. Une fois que celui-ci était terminé, il jouait les poissons-pilotes pour guider les vaisseaux chargés vers le large afin qu'ils puissent regagner leur habitat.

Mais ce n'était pas tout : Spader faisait aussi partie de l'équipage des pilotes. Comme on s'en doute, le pilote est l'équivalent d'un capitaine de vaisseau, chargé de le diriger et responsable du navire comme de son contenu. Spader était une sorte de sous-officier, et il s'occupait surtout de veiller au grain. À un moment donné, il pouvait y avoir jusqu'à dix vigies autour d'un habitat afin de le prévenir en cas de problème. Un boulot plutôt ennuyeux, mais d'une importance capitale. J'imagine que la vigie du *Titanic* devait s'ennuyer ferme. Sauf au moment de l'iceberg. Cela doit vous donner une idée de l'importance réelle de cette tâche.

Je sais ce que vous pensez. À m'entendre, on dirait que travailler sur Grallion est plutôt sympa. Eh bien, ce n'est pas vraiment le mot. C'était du boulot, parfois dur, mais ça n'avait pas vraiment d'importance. J'avais l'impression d'être un rouage essentiel dans la mécanique de ce monde.

Travailler à la ferme n'était pas facile tous les jours, mais il y avait bien des à-côtés autrement plus sympas.

Spader m'a emmené à l'aventure. Vous savez comme j'adore la plongée sous-marine et, sur Grallion, se balader sous la surface de l'eau était tout à fait normal. J'ai déjà décrit la facilité d'usage des globes. Grâce à eux, marcher sur le fond de l'Océan semblait aussi naturel que se balader sur le pont de Grallion. En fait, c'était même mieux. C'était ce qui se rapproche le plus de pouvoir voler. Spader et moi faisions la course sous Grallion. J'ai fini par pouvoir maîtriser ces glisseurs. J'ai découvert qu'en changeant légèrement de position, je pouvais virer plus sec et avancer plus vite. Tout était une question d'aérodynamisme, ou plutôt d'aquadynamisme. Je n'ai pas tardé à devenir aussi rapide que Spader.

Et ce dernier m'a aussi emmené à la pêche. Comme je ne suis pas doué pour ça, il a ramassé la plupart des prises. Je lui ai plutôt servi d'éclaireur qui lui indiquait les plus belles proies. J'étais l'équivalent aquatique d'un chien de chasse. Quoique, c'est un rôle que j'avais choisi. Au moins, ensuite, je pouvais manger le produit de notre pêche (parce qu'en plus, Spader est plutôt bon cuisinier !).

Tout d'abord, j'ai eu peur des quigs, mais Spader m'a affirmé qu'ils ne s'approchaient jamais de Grallion. Sans doute parce qu'ils patrouillaient autour des portes et des flumes, mais je n'allais pas tout révéler à Spader – du moins pour l'instant.

Il m'a aussi montré quelque chose de vraiment bizarre. Une autre ferme était ancrée non loin de Grallion. Une ferme sous-marine ! Les gens de Grallion ne se contentait pas de mettre des champs sur leurs habitats, ils avaient aussi des récoltes qui poussaient au fond de l'Océan ! Cette ferme submergée disposait de ses propres vateurs qui s'en occupaient à l'aide de leurs globes. Ils cultivaient aussi des fruits aux longues pousses feuillues qu'on coupait à la racine et ramenait tout entières. Spader m'a expliqué que ces fermes sous-marines étaient encore plus importantes pour Cloral que celles des habitats. Selon lui, c'était ces cultures submergées qui nourrissaient les Cloriens depuis des siècles. En fait, installer des fermes sur les habitats était une pratique relativement récente. Les plus importantes étaient sous-marines.

Spader m'a aussi présenté un autre sport sous-marin qui m'a d'abord fait peur, mais quand j'ai eu le courage d'essayer, j'en suis devenu accro. Spader l'appelait le « tournicotis », et voilà la règle. Le tournis est une sorte de poisson qui voyage en bancs de taille réduite, en général quatre ou cinq, et ressemble à un dauphin maigre. Non, je ne plaisante pas. Imaginez-vous ce bon vieux Flipper, mais de six centimètres de diamètre. C'est ça, un tournis. À l'arrière du crâne, ils ont de drôles de protubérances. Je ne sais à quoi elles leur servent, mais elles sont essentielles pour jouer au tournicotis.

Un jour, alors qu'on se baladait, Spader m'a fait signe de me taire et de regarder. Il m'a alors laissé pour nager avec précaution derrière les tournis, qui dévoraient joyeusement du varech. Ils ne l'avaient pas remarqué. Ils ressemblaient peut-être à des dauphins miniatures, mais étaient loin d'être aussi malins. Spader a pu se glisser juste derrière eux. D'un seul coup, il a sauté sur l'un d'eux et a saisi la protubérance derrière sa tête ! Apparemment, le tournis n'a pas apprécié, car il s'est mis à gonfler ! On aurait dit un de ces poissons-globes qui deviennent tout ronds dès qu'on s'en approche. Mais vu la taille du tournis, lorsqu'il se gonflait ainsi, il devenait énorme ! Et il était fort ! Ce poisson paresseux à l'air endormi devenait un vrai bronco furieux ! Spader s'est accroché des deux mains à sa bosse et a enveloppé ses jambes autour de son corps8 alors que le poisson se cabrait et se débattait.

– Yahouuuuuu ! a hurlé Spader.

On aurait dit qu'il connaissait par cœur les westerns et les rodéos, mais j'imagine que dans une telle situation, quand l'adrénaline afflue et qu'on s'accroche à une bête furieuse, ça vient tout naturellement. Spader a voulu frimer un peu et a lâché le poisson d'une main. Le tournis a fait de son mieux pour le déloger, mais il n'a pas lâché prise. Finalement, le gros poisson a bondi en avant. Spader ne devait pas avoir anticipé sa réaction, car il a fait un saut de carpe. Le principal intérêt du tournicotis, c'est que si on se fait éjecter, on ne risque pas de se casser tous les os du corps en tombant, puisqu'on est sous l'eau !

– Le prochain est pour toi, mon vieux ! s'est écrié Spader, rouge d'excitation.

Je n'étais pas sûr de vouloir essayer, mais ça avait l'air marrant. Deux tournis broutaient le varech et Spader m'a fait signe de tenter le coup. À vrai dire, j'avais la frousse. Mais je n'allais pas me dégonfler : j'ai donc fait de mon mieux.

Ce qui n'a pas été glorieux. J'ai réussi à m'accrocher à la protubérance sur son dos et à serrer mes jambes autour de son corps. Mais je ne m'attendais pas à ce qu'il soit si fort. Ce machin s'est gonflé jusqu'à exploser, a bondi et s'en est allé. Je suis resté là, entre deux eaux, les mains tendues, sans comprendre ce qui s'était passé. Spader est venu me tapoter le dos :

– Il faut être plus rapide, mon pote, m'a-t-il dit en riant. Ici, ces bestioles sont dans leur élément.

– Excellent conseil. La prochaine fois, je m'en souviendrai.

Pendant que Spader et moi caracolions sous l'eau, l'oncle Press passait son temps libre à en apprendre davantage sur Cloral et Grallion. Après tout, nous étions en mission, et plus nous en saurions sur ce territoire, plus nous serions à même de réagir lorsque Saint Dane passerait à l'action. Je me sentais vaguement coupable de prendre du bon temps tandis que l'oncle Press jouait les Sherlock. Mais il m'a assuré qu'il était tout aussi important que je connaisse mieux Spader. À un moment ou à un autre, nous devrions agir ensemble, donc c'était bien que nous soyons proches.

Ça me convenait. Spader et moi nous éclations comme des fous. La plupart du temps, je ne pensais plus du tout à Saint Dane. Ainsi, au bout de quelques semaines, j'ai conclu que ma première impression de Spader était la bonne. C'était un type à la personnalité rayonnante et à l'humour ravageur, qui savait écouter autant que parler. Et il avait bon cœur. Il ne regardait pas à deux fois avant d'aider un ami, ou même un étranger. En plus, ce n'était pas un fainéant, loin de là. Il aimait prendre du bon temps, mais travaillait dur et adorait son boulot. J'étais content de le connaître. Aussi longtemps que je vivrai, je n'oublierai pas ces premières semaines sur Grallion. C'était le bon temps.

Malheureusement, ça n'allait pas durer.

Un soir, Spader m'a invité à dîner chez lui. L'oncle Press, lui, a préféré traîner chez Grolo. Spader avait harponné deux poissons kooloo particulièrement appétissants et les avait fait griller sur le barbecue de son jardin – pratiquement comme chez nous. Les poissons dorés étaient un régal. Après le dîner, j'ai fait la vaisselle pendant que Spader s'occupait du ménage. Il y avait des vêtements et des pièces de machines éparpillées partout dans l'appartement. À vrai dire, celui-ci évoquait plutôt un garage. Spader n'était pas vraiment un maniaque de l'ordre, mais ce soir, tout était différent. Il a arpenté les pièces, ramassant ceci, rangeant cela, bref, donnant l'impression que quelqu'un habitait bel et bien ici.

– Tu te prépares pour une grande occasion ? Un rendez-vous, peut-être ?

J'ai alors remarqué que Spader était encore plus énergique qu'à l'habitude. Et croyez-moi, pour un type comme lui, ce n'est pas une mince affaire. Il rebondissait presque sur les murs, comme si quelqu'un avait remonté son ressort à fond.

– Demain est un grand jour, mon vieux, a-t-il dit avec enthousiasme. Mon père vint me voir. Je ne vais pas lui donner l'impression que je vis dans un taudis !

C'était la première fois que Spader me parlait d'une quelconque famille.

– Où habite-t-il ?

– Il est aquanier sur Magorran, a-t-il répondu tout en continuant son manège. C'est un habitat manuel. D'après son emploi du temps, il doit venir ici demain pour se réapprovisionner.

– Un habitat manuel ?

– Ils fabriquent des trucs. Des pièces de machines ou de skimmers, toutes sortes de choses.

83

– C'est ton habitat d'origine ?

– Oh, non ! Chez moi, c'est la ville de Panger. J'y ai vécu toute ma vie jusqu'à ce que j'entre à l'Académie des aquaniers. Ma mère y habite toujours. Je n'ai pas vu mes parents depuis... Hobie, ça fait un bail !

Je commençais à avoir une idée de ce qu'était exactement la vie sur Cloral. Ces habitats étaient comme des villes et leurs natifs pouvaient les quitter pour aller chercher du travail ailleurs, comme sur la Seconde Terre.

– Papa est un vrai boucanier, a continué Spader. C'est lui qui m'a transmis le virus des aquaniers. J'ai passé toute ma vie autour des skimmers. Ils voulaient me nommer officier, mais j'ai refusé ; je préférais rester sur les quais. Hobie, comme j'ai hâte de le revoir ! Tu veux bien me donner un coup de main ?

Je l'ai aidé à soulever deux gros glisseurs en cours de réparation pour les fourrer dans un placard.

– Tu ne m'as jamais parlé de tes parents, m'a dit Spader.

Bon. Jusqu'alors, j'avais réussi à éviter les questions concernant mon monde d'origine. Je suis un piètre menteur. L'oncle Press et moi avions concocté une histoire comme quoi nous venions d'un habitat lointain qui était une immense université bourrée de professeurs et d'intellectuels, ce qui expliquait pourquoi j'avais besoin de me confronter à la réalité et d'apprendre le travail sous-marin. Quand Spader s'étonnait que je puisse en savoir si peu sur Cloral, je répondais : « Je ne sors pas beaucoup. »

J'avais horreur de devoir mentir à Spader, mais je savais que la vérité finirait bientôt par éclater, et j'espérais qu'à ce moment-là il comprendrait pourquoi j'avais agi ainsi. Mais à présent, il me mettait dos au mur en m'interrogeant sur mes parents. Il me faudrait bien élaborer une version contenant une part de vérité, parce que je ne pouvais certainement pas lui dire *toute* la vérité.

– Mon père est journaliste, et ma mère travaille dans une bibliothèque.

Le pire, c'est que c'était la vérité vraie. C'est bien ce qui me brisait le cœur. Il y avait longtemps que je n'avais pas parlé de mes parents. Et là, je devais faire comme si tout était normal. Je ne pouvais pas dire à Spader qu'ils avaient disparu avec mon chien et ma sœur. Mais je crois que Spader a senti mon trouble, parce qu'il ne m'a pas posé d'autres questions. Ce qui était préférable pour toute sorte de raisons.

— C'est dur d'être loin de ceux qu'on aime, a-t-il dit doucement.

— J'en sais quelque chose.

— Hé, et si tu venais voir mon père demain ? Tu vas l'adorer, j'en suis sûr !

— Ça me va, ai-je répondu non sans une pointe de tristesse, car ma famille me manquait.

L'oncle Press avait dit que Spader était le Voyageur de Cloral. Je me suis demandé si ses parents l'avaient élevé pour cette fonction, comme l'avaient fait les miens, du moins d'après l'oncle Press. En ce cas, disparaîtraient-ils du jour au lendemain comme ma famille à moi ? De toute évidence, Spader aimait ses parents. Tout en rendant son appartement présentable, j'ai espéré que le lendemain, quand l'habitat de Magorran arriverait, son père serait sur le quai.

Le lendemain, l'oncle Press et moi avons entamé la longue marche vers les quais de transport afin d'être présents à l'arrivée du père de Spader. J'ai tout de suite vu que quelque chose travaillait l'oncle Press. Lorsque je lui ai raconté mes dernières aventures sous-marines autour de Grallion, il s'est contenté de regarder ses pieds sans rien dire. De toute évidence, il avait l'esprit ailleurs.

— Qu'y a-t-il ? ai-je fini par demander.

— Je ne sais pas, a-t-il répondu d'un ton pensif. Je me sens… mal à l'aise, mais je ne saurais pas dire pourquoi.

— Quoi, tu es devenu médium ?

— Ce n'est qu'une impression. Tu ne sens rien ?

J'y ai réfléchi. J'ai analysé mes sensations. J'ai regardé autour de moi. Rien.

— Heu… non. Pourquoi, je devrais ?

— Peut-être. C'est un truc de Voyageur.

— Tu veux dire qu'on peut aussi prédire l'avenir ?

— Non, mais tu as des sortes d'intuitions. C'est comme d'entrer dans une pièce et de sentir tout de suite qu'il y a de la tension dans l'air. Il s'agit de recevoir les signaux qu'émet ton entourage. Ce n'est pas sorcier.

— Et à ce moment précis, tu captes des signaux négatifs ? ai-je demandé, bien que je craigne la réponse.

— Je ne sais pas. J'ai juste l'impression… qu'il va se produire une catastrophe.

— Je n'aime pas ça, ai-je rétorqué. Il pourrait y avoir un rapport quelconque avec les parents de Spader ?

— Nous ne tarderons pas à le savoir, a-t-il répondu en tendant le doigt.

J'ai suivi la direction qu'il indiquait et je l'ai vu.

Magorran.

L'habitat manuel venait d'apparaître à l'horizon et se dirigeait vers Grallion. Bien qu'il soit encore loin, j'ai tout de suite vu qu'il était différent. Il était plus petit que Grallion : il devait faire le tiers de sa taille. Mais les superstructures bâties sur le pont étaient bien plus grandes – probablement ces manufactures dont Spader m'avait parlé. Plus l'habitat se rapprochait, plus ces bâtiments semblaient haut. Impressionnant. L'oncle Press et moi avons accéléré le pas et nous sommes dépêchés de gagner les quais à l'avant pour être les premiers à voir arriver les bateaux.

Une fois sur place, nous avons vu que plusieurs aquaniers étaient déjà juchés sur leurs skimmers, prêts à partir à la rencontre des navires d'approche. L'oncle Press m'a montré quelque chose sur le quai. Je n'ai pas pu m'empêcher de sourire.

C'était Spader. Finalement, sa présence n'avait rien d'étonnant. Non, c'était sa tenue qui m'a surpris. Il portait rarement son uniforme d'aquanier, cette combinaison à manches longues avec des bandes jaunes sur les poignets. En général, il lui préférait sa chemise aux manches coupées à ras les épaules. Mais pas aujourd'hui. Pour aller à la rencontre de son père, il avait mis son plus bel uniforme. Et celui-ci était tout propre. Je crois qu'il avait même pris le temps de se peigner. Pour employer une de ses expressions, il avait l'air « propre-brille ».

Alors que nous étions là, sur les quais, à attendre l'arrivée du premier bateau de Magorran, j'ai commencé à ressentir le même funeste pressentiment que l'oncle Press. Enfin, il n'y avait rien d'extrasensoriel là-dedans : j'ai juste perçu quelque chose de bizarre au milieu des aquaniers rassemblés en bas. Jusque-là, ils discutaient tranquillement en riant. Mais tout d'un coup, ils ont semblé crispés. Tous se sont tournés vers Magorran.

J'ai fait de même. L'habitat se rapprochait toujours. Il était déjà plus près que ceux qui venaient régulièrement se ravitailler sur Grallion. Celle-ci restait amarré sur place et les autres, pour raisons de sécurité, s'immobilisaient à un peu moins d'un kilomètre. En effet, ces navires étaient si gigantesques qu'ils étaient difficiles à manœuvrer, et on ne sait jamais quand les courants peuvent changer. Donc, il était plus logique que les habitats restent éloignés l'un de l'autre et que des bateaux plus petits se chargent de faire la navette.

Mais cette fois-ci, il y avait quelque chose d'anormal. On aurait dit que les aquaniers ne savaient pas quoi faire. Je n'avais pas la moindre idée de ce qui se passait, mais ce n'était rien de bon. Nous avons vite eu la réponse à nos questions. Wu Yenza, l'aquanière en chef, est apparue au pas de course sur le quai. Ses yeux brillaient d'excitation – et de peur.

– Ils sont entrés dans le périmètre de sécurité ! a-t-elle aboyé. Prévenez-les !

Les aquaniers se sont dispersés. Un peu plus tard, une sirène s'est mise à résonner.

– Que se passe-t-il ? ai-je demandé à l'oncle Press.

Il ne m'a pas regardé. Ses yeux restaient braqués sur Magorran. Quand il m'a parlé, ça a été d'une voix calme et posée. De celle qui se contente de décrire l'inévitable.

– Il ne s'arrêtera pas.

J'ai regardé en direction de l'Océan et j'ai aussitôt compris ce qu'il voulait dire. Magorran se dirigeait droit sur nous. L'habitat avait déjà largement dépassé le périmètre de sécurité et ne faisait pas mine de ralentir. Même s'il faisait machine arrière, il était déjà trop tard. Il ne pouvait pas éviter la collision.

Une seconde sirène s'est enclenchée, encore plus puissante et plus aiguë que la première. La première ressemblait à un avertissement pour Magorran, mais celle-là visait à prévenir Grallion. L'impact était inévitable. Il n'y avait plus qu'à s'y préparer.

Magorran se rapprochait fatalement. J'ai pu voir le pont et, à ma grande surprise, j'ai constaté qu'il était désert. Où qu'aient été ses habitants, j'espérais qu'ils faisaient l'impossible pour ralentir..

En dessous de nous, les aquaniers ont descendu les escaliers pour se répandre sur le quai. Mais pas Spader. Il est resté figé sur place, à regarder l'habitat, comme hypnotisé par ce géant qui allait éperonner Grallion.

– Levez les ancres ! a crié Yenza. Tout le monde sur le pont ! Allez !

Spader n'a toujours pas bougé. Il fallait que quelqu'un le secoue. Je suis parti vers un escalier, mais l'oncle Press m'a arrêté en posant une main sur mon épaule. J'ai levé les yeux et j'ai vu qu'il gardait son calme. Il a secoué la tête pour me dire de ne pas y aller. Et pourtant, il fallait bien faire quelque chose.

– Spader ! lui a crié l'oncle Press.

Heureusement, il l'a entendu. Il s'est tourné et nous a regardés. Son visage reflétait sa confusion. Pas de la frayeur, mais du souci.

– C'est le moment d'y aller, fiston, lui a crié l'oncle Press.

Sa voix était ferme, sans une trace de panique. Au milieu de toute cette frénésie, elle a fait plus d'effet que les sirènes. Spader a jeté un dernier coup d'œil rapide à Magorran pour voir que l'habitat était presque sur nous, puis a dévalé les marches. Il a été le dernier sur le quai.

– Partons d'ici, a dit l'oncle Press. Nous serons plus en sécurité sur le pont.

Spader a rejoint les autres aquaniers pendant que l'oncle Press et moi tentions de sauver nos vies. Nous avons escaladé les marches le plus vite possible. Je n'ai pas osé regarder en arrière. Je ne voulais pas voir ce qui allait se passer. Diverses sirènes se sont mises à beugler. Il y avait des aquaniers partout, occupés à détacher les amarres qui retenaient Grallion. Ceux qui n'avaient pas de tâche spécifique à remplir en cas d'urgence faisaient comme nous : ils fuyaient la zone d'impact.

Ça n'allait pas être beau à voir. Un instant, je me suis demandé si ces deux habitats pourraient supporter une telle collision sans couler à pic. L'idée de voir ces deux navires monumentaux terminer au fond de l'Océan était trop horrible pour que j'ose l'imaginer, surtout que je me trouvais sur l'un d'entre eux. J'ai chassé cette idée de mon esprit. Chaque chose en son temps. Et pour l'instant, le mieux que je pouvais faire était de m'éloigner de la zone d'impact.

Devant nous, sur le quai, j'ai vu quelque chose de terrifiant. Les ombres que jetaient les bâtiments de Magorran nous poursuivaient. L'habitat se trouvait juste derrière nous. L'impact était imminent. Je n'y tenais plus : il fallait que je jette un coup d'œil en arrière. J'ai eu un hoquet de stupéfaction. L'habitat était d'une taille ahurissante. Les immeubles sur sa proue devaient bien faire sept ou huit étages, et ils se dirigeaient droit sur nous. Cette vision m'a coupé le souffle. Sachant qu'il allait nous rentrer dedans, je me suis demandé si je pourrais un jour inspirer à nouveau.

— Ne t'arrête pas ! a ordonné l'oncle Press.

Je me suis retourné pour continuer ma course folle. Et c'est alors que la catastrophe s'est produite.

Magorran est entré en collision avec Grallion. Sa masse énorme a foncé tout droit dans un monde qui ne serait plus jamais le même.

Fin du journal n° 5

SECONDE TERRE

– Comment ose-t-il terminer son journal comme ça ? s'exclama Courtney, incrédule. Ce n'est pas juste. Il ne peut nous abandonner au meilleur moment !

Courtney regarda Mark en s'attendant à le voir aussi outragé qu'elle. Mais il avait autre chose en tête. Il avait fini sa lecture quelques minutes avant Courtney et, à présent, feuilletait le journal n° 5 de Bobby. Puis il farfouilla dans son sac à dos en fronçant les sourcils. De toute évidence, quelque chose le dérangeait.

– Il se moque de nous, reprit Courtney. Il sait que nous dévorons ses récits et veut faire durer le suspense. C'est… pas sympa. Ce n'est pas un jeu. Pourquoi a-t-il… Qu'est-ce que tu fais ?

Mark s'était remis à parcourir les pages précédentes. Soudain, son attitude intrigua Courtney. Que cherchait-il donc ?

– Tu as remarqué quelque chose, non ? demanda-t-elle. Tu as compris ce qui a provoqué la collision ? C'était Saint Dane ?

Mark ne répondit pas. Son visage était crispé.

– Mark ! cria Courtney, exaspérée.

Ce qui le fit revenir à la réalité. Soudain, il prit l'air d'un gamin surpris à faire quelque chose de mal.

– Je s-s-suis un crétin. C'est t-t-tout.

Au bord des larmes, il leva la liasse de feuilles du dernier journal.

– Il manque une page. La première.

Courtney bondit et lui arracha les pages vertes. Elle les parcourut à son tour.

– C'est impossible. On a lu le journal ensemble dans les toilettes de l'école. Où veux-tu qu'elle soit passée ?

Elle feuilleta la liasse une seconde fois, puis une troisième, puis leva les yeux sur Mark et cria :

– Elle n'y est plus !

– Je sais ! répondit-il sur le même ton.

– Pas de panique. Quand sommes-nous sûrs de l'avoir vue pour la dernière fois ?

– Dans les toilettes, gémit Mark. On était en train de lire quand M. Dorrico est entré en trombe, alors j'ai fourré les feuilles dans mon sac à dos à toute vitesse et...

Courtney plongea sur le sac et le vida de son contenu.

– Tu crois que je n'ai pas déjà regardé ? fit Mark exaspéré. Au moins cinq fois.

Courtney rejeta le sac et lutta pour reprendre son calme. Piquer une crise et se rejeter la faute ne les mènerait nulle part. S'ils voulaient retrouver cette feuille, ils devaient agir posément.

– Donc, reprit-elle en réfléchissant à voix haute, on était dans les toilettes. Pas de doute là-dessus. Puis on est venus tout droit ici. Ce qui veut dire qu'on l'a perdue en cours de route. Elle doit être dans cette pièce !

Courtney se mit à soulever les coussins du canapé en une tentative désespérée pour retrouver la feuille disparue. Mark ne fit pas un geste pour l'aider. Son esprit était déjà passé au stade suivant.

– Il y a une autre p-p-possibilité, dit-il. Qu'elle soit restée dans les toilettes.

– Quoi ?

– Je veux d-d-dire, lorsque M. Dorrico a fait irruption, tout s'est passé très vite. Je l'ai peut-être laissée tomber.

Courtney regarda fixement Mark. Un instant, il eut peur qu'elle ne lui saute à la gorge. Mais non : elle se contenta de consulter sa montre.

– À cette heure, l'école est fermée, dit-elle posément. Si M. Dorrico a trouvé la feuille, il a dû la jeter à la poubelle. Ce qui veut dire qu'elle est encore dedans, ou dans celle de l'extérieur.

Tous deux se regardèrent pendant trente bonnes secondes. Ils savaient ce qu'il leur restait à faire, mais n'osaient pas l'admettre. Mark fut le premier à rompre le silence.

– Nous allons fouiller la grande poubelle ce soir, hein ? fit-il, bien que cette idée ne l'enchantât guère.

– Tu préfères que quelqu'un retrouve cette fichue feuille et se pose des questions ? La police, par exemple ?

Il préférait ne pas y penser. Si le capitaine Hirsch de la police de Stony Brooks tombait dessus, ils seraient mal barrés. Ils ne lui avaient pas dit tout ce qu'ils savaient à propos de la disparition de Bobby. Si quelqu'un d'autre retrouvait cette page, ils étaient dans de sales draps.

– Retrouvons-nous après le dîner, proposa Mark. Et amène des gants en caoutchouc. D'après moi, ce sera salissant.

Ce n'était rien de le dire.

Mark et Courtney se retrouvèrent après le dîner, comme prévu. Tous deux prétendirent se rendre à la bibliothèque municipale. À la place, ils passèrent deux bonnes heures à farfouiller dans les grandes poubelles métalliques à roulettes de Stony Brook Junior High. Ils n'auraient jamais cru qu'une simple école puisse produire autant d'ordures aussi infectes en une seule journée. Inspecter des monceaux de paperasses inutiles n'avait rien de bien méchant : au moins, le papier était sec. C'est lorsqu'ils passèrent à ce qui ne l'était pas que les ennuis commencèrent. Ils n'auraient pas pu trouver un jour moins favorable pour leur odyssée au pays des éboueurs. En effet, la cafétéria avait proposé des spaghettis créole en plat du jour, on avait ramoné la chaudière et la classe de biologie de Mlle Britton avait eu le plaisir de disséquer des grenouilles. Ce qui veut dire que les poubelles débordaient de sauce tomate gluante, de chiffons suiffeux et de cadavres de grenouilles répugnants.

Ce furent les deux heures les plus longues de leur vie. Finalement, après avoir essuyé pour la millionième fois une feuille de papier, Courtney déclara forfait.

– Elle n'est pas là, annonça-t-elle.

– Il le faut, répondit Mark en essuyant une goutte de graisse maculant son menton. Continue.

Courtney se hissa hors de l'énorme poubelle. Elle avait sa dose.

– Écoute, dit-elle, si cette fichue feuille est bien là-dedans et que nous ne pouvons pas la trouver, personne d'autre ne le fera. Elle finira à la décharge, et on n'en entendra plus jamais parler.

– C'est bien ça le problème ! s'écria Mark. Bobby m'a fait confiance. Il m'a demandé de garder ses carnets. Si j'en perds ne serait-ce qu'une page, je ne pourrai jamais plus le regarder en face !

Il se remit à fouiller les ordures avec une énergie renouvelée. Une larme coula sur sa joue. Non pas à cause de l'odeur fétide qui émanait de la poubelle, mais parce qu'il avait l'impression de trahir son meilleur ami. Courtney posa une main sur son épaule. Mark s'interrompit et la regarda.

– Ce n'est pas là que nous allons la retrouver, dit-elle d'une voix apaisante. Plus j'y réfléchis, plus je me dis qu'elle doit encore être dans la corbeille des toilettes.

Mark eut une bouffée d'espoir.

– Tu crois ?

– Nous étions là à l'heure des derniers cours, non ? Et j'ai toujours vu les gardiens vider les poubelles plus tôt dans la journée. Il y a de fortes chances que M. Dorrico ait ramassé la page et l'aie mise à la poubelle. Et elle est encore là, en attendant qu'on la vide demain matin avec le reste.

– Tu as raison ! s'exclama-t-il, reprenant courage. Il suffit de la récupérer avant qu'on ne la vide !

Mark se sentait mieux. Il y avait encore de l'espoir. Tous deux avaient de bonnes chances de récupérer la feuille le lendemain. Pour l'instant, ils n'avaient qu'un seul souci : rentrer chez eux et se débarrasser de leurs vêtements avant que leurs parents ne sentent leur odeur. Ils avaient vraiment besoin d'une bonne douche. Ils auraient bien du mal à expliquer pourquoi ils puaient la tomate pourrie, la graisse et le formol.

Le lendemain matin, Mark attendit l'arrivée des gardiens devant la porte du collège. En général, il y arrivait tôt parce qu'il aimait bien traîner à la bibliothèque et prendre de l'avance sur son travail avant d'attaquer les cours : donc, les gardiens ne s'étonnèrent pas de le trouver là. Mark repéra M. Dorrico au milieu du petit groupe. Après ce qui s'était passé dans les toilettes le jour d'avant, il n'avait aucune envie de l'aborder. Et pourtant, il n'avait pas le choix.

– Pardon, Monsieur Dorrico ?

Celui-ci le regarda d'un air suspicieux. Les écoliers ne s'adressaient presque jamais aux gardiens. Ce n'était pas inscrit dans le règlement, bien sûr, mais les deux groupes n'avaient pas grand-chose en commun. Du moins jusqu'à ce jour. M. Dorrico regarda Mark avec l'air de se demander où il l'avait vu dernièrement. Malheureusement, Mark allait devoir lui rafraîchir la mémoire.

– Je m'appelle Mark Dimond, fit-il d'une voix mal assurée. V-v-vous souvenez de ce qui s'est passé hier ? J'étais dans les toilettes du troisième étage avec Courtney, en train de lire, et…

– Voilà ! s'exclama Dorrico. Voilà où je t'ai vu !

D'abord, il parut content d'avoir résolu ce mystère, mais il s'assombrit en se souvenant mieux de ce qui s'était passé.

– Vous autres vous croyez malins, hein ?

Mark n'avait aucune envie de se faire passer un savon, mais il valait mieux laisser M. Dorrico se défouler un brin. Ainsi, il aurait plus de chance de lui soutirer l'information dont il avait besoin. Donc, Mark n'interrompit pas sa tirade. Il resta là et attendit qu'il ait fini de hurler.

– Ça fait près de vingt ans que j'bosse dans cette école, continua Dorrico. J'ai vu tout ce qu'il y avait à voir et nettoyé tout ce qu'il y avait à nettoyer !

Mark trouva cette remarque assez dégoûtante, mais le laissa pérorer.

– Donc, si vous croyez être intelligents ou originaux en cherchant à me ridiculiser, ben vous vous trompez.

– Vous avez tout à fait raison, monsieur, dit Mark d'un ton empreint de respect. Nous regrettons tous les deux ce qui

94

s'est passé. Une fille ne doit jamais entrer chez les garçons. Transgresser cette règle est une insulte envers cette école et tout ce qu'elle représente. Nous avons décidé conjointement que nous vous devions des excuses.

Il conclut ce discours sur un grand sourire plein de sincérité. Il en rajoutait peut-être un peu, mais s'était laissé entraîner par son élan. M. Dorrico ne s'attendait pas à ce qu'il s'excuse. Il avait l'air stupéfait.

– Hem, bon, marmonna-t-il. Et où est la fille ? Elle devrait s'excuser aussi, non ?

– Elle en a bien l'intention, s'empressa de répondre Mark. Dès qu'elle arrivera à l'école.

– Alors ça va, répliqua M. Dorrico. Je vois que nous sommes d'accord.

Il se détourna, satisfait d'avoir été traité avec tout le respect qui lui était dû. Mais Mark ne pouvait pas le laisser partir comme ça. Il courut devant lui.

– Heu, fit-il, il reste encore un détail. Quand on était là-bas, on faisait nos devoirs. Je sais, c'est un drôle d'endroit pour ça. Mais j'ai oublié une de mes feuilles. Vous ne l'auriez pas vue, par hasard ?

M. Dorrico continua de marcher.

– J'ai bien vu quelque chose, dit-il d'un air pensif. Un bout de papier vert avec des trucs écrits dessus. Mais ça n'avait pas l'air d'une feuille de papier normale. On aurait plutôt dit une plante.

– C'est ça ! exulta Mark. Vous l'avez jetée à la poubelle ?

– J'ai mes principes. Tout le monde peut perdre quelque chose. Si je trouve un cahier ou n'importe quoi qui ressemble à un devoir, j'le laisse sur place pendant vingt-quatre heures au cas où l'élève retourne le chercher. S'il est toujours là après vingt-quatre heures…

M. Dorrico continua de radoter, bien qu'il n'y ait plus personne pour l'écouter. Désormais certain que la feuille se trouvait toujours dans les toilettes, Mark se précipita vers le troisième étage.

Il grimpa les escaliers quatre à quatre, fila le long du vestibule, tourna à l'angle sur les chapeaux de roues et franchit en coup de vent la porte menant aux toilettes. Il parcourut rapidement l'endroit des yeux, mais ne put repérer la feuille. Il se mit à genoux pour scruter le sol, vérifia chaque WC l'un après l'autre, puis les fenêtres et sous les éviers. Il alla jusqu'à retourner la corbeille à papiers. Vide. Mark sentit le désespoir s'emparer de lui. Un autre gardien aurait-il pu vider la corbeille hier soir ? Ce ne serait pas juste. Courtney avait dit qu'il ne le faisaient qu'au matin. Mais alors, où était cette fichue feuille ?

Désemparé, Mark s'assit par terre. Ses derniers espoirs venaient de partir en fumée. Il posa sa tête sur ses genoux et ferma les yeux. Il devait s'éclaircir l'esprit et réfléchir. Que dirait-il à Bobby ? Il l'avait laissée tomber. Bobby était capable d'emprunter des flumes qui le menaient à l'autre bout de Halla pour empêcher des guerres, et lui n'était même pas fichu de conserver un bout de papier.

Salut, les gars. Je dois m'excuser d'être resté si longtemps sans donner de nouvelles. Il s'est passé tant de choses depuis que je vous ai quittés que je sais plus trop par où commencer.

Il pouvait presque entendre ces mots, comme si quelqu'un les avait prononcés à voix haute. Le début du journal n° 5 de Bobby – la page qu'il avait égaré.

Mark leva les yeux et, soudain, sentit son moral baisser d'un cran supplémentaire. Là, dressé dans l'embrasure de la porte des toilettes, se tenait Andy Mitchell. Mais il y avait pire encore ; ce qu'il tenait dans la main. Mitchell brandissait la page perdue ! Mark regarda cet ado aux cheveux blonds graisseux et au visage rongé d'acné. Cette vision lui donna la nausée.

S'il était possible d'avoir un ennemi mortel au collège, Andy Mitchell était celui de Mark. Mitchell était le genre de brute épaisse qui adore se défouler sur plus faible que soi, et Mark était sa cible préférée. Certes, ils étaient un peu vieux pour ce genre de comportement, mais personne ne l'avait expliqué à Andy. En cours, celui-ci ne se gênait pas pour copier sur Mark – du moins lorsqu'il daignait faire acte de présence. Il ne cessait de se moquer du bégaiement de Mark au grand bonheur de son groupe d'amis tout aussi mongoloïdes que lui et ne le croisait jamais dans les couloirs sans le bousculer au passage. Mark avait renoncé à regarder constamment par dessus son épaule, puisqu'il ne savait jamais quand la prochaine attaque surviendrait.

Les rares fois où Mark se sentait en sécurité, c'était en compagnie de Bobby et de Courtney. Mitchell ne se mêlait jamais de leurs affaires. Comme toutes les brutes épaisses, Andy était un lâche. Mais voilà, depuis le départ de Bobby, Mark se retrouvait souvent seul, à la merci d'un Mitchell omniprésent.

Et maintenant, il était planté dans l'entrée, une cigarette dans une main, la feuille manquante du journal de Bobby dans l'autre.

– Deux possibilités, Dimond, fit-il avec un reniflement (il semblait éternellement enrhumé, cela devait faire partie de son image de marque). Soit tu écris une espèce de roman à la noix, soit tu sais très bien ce qui est arrivé à Pendragon et tu n'en parles à personne.

Mark se leva lentement. Son esprit battait la campagne. Que pouvait-il dire pour que Mitchell lui donne la page et le laisse tranquille ? Il n'avait pas beaucoup d'options.

– D-d-d'accord, dit-il. Tu m'as démasqué. C'est une rédaction pour mon cours d'anglais. Où tu l'as trouvée ?

– Ici même, après les cours, répondit Mitchell. Alors quoi ? Ton pote Pendragon te manque tellement que tu te sens obligé d'écrire des histoires sur lui ?

– Je sais. C'est b-b-bête.

Cela se passait plutôt bien. Mitchell faisait les questions et les réponses. Mark n'avait rien à dire, plus qu'à convaincre ce balourd de lui rendre la page.

– Merci de l'avoir retrouvée.

Il tendit la main. C'était le moment de vérité. Mitchell allait-il la lui rendre sans histoires ?

– Contre quoi tu l'échanges ?

– Qu'est-ce que tu veux ?

Mitchell y réfléchit un instant. Ce qui était inhabituel. Il n'avait pas l'habitude de devoir penser.

– Oh, laisse tomber, finit-il par répondre. Prends-la. C'est de moins en moins marrant de te chahuter. C'est trop facile.

Mark dut réprimer un soupir de soulagement. Incroyable. Il allait récupérer son bien, comme ça, sans douleur, sans problèmes. Mais il ne voulait pas montrer sa joie à Mitchell. Il se contenta de hausser les épaules et de tendre la main. Mais…

C'est alors que l'anneau se mit à vibrer. Mark sentit ce mouvement révélateur, mais sa surprise fut telle qu'il en resta figé sur place. Puis la pierre grise émit sa lumière habituelle. Le nouveau carnet de Bobby allait arriver, et le moins qu'on puisse dire, c'était qu'il tombait au mauvais moment.

Mark posa son autre main sur l'anneau afin de le dissimuler. Ses yeux croisèrent ceux de Mitchell dans le vain espoir qu'il n'ait rien remarqué. Mais il n'eut pas cette chance. Mitchell l'avait bien vu. Ils restèrent là une fraction de seconde, à se regarder en chiens de faïence. Jusqu'à ce que…

– Faut que j'y aille !

Mark baissa la tête et fonça vers la porte. Mais Mitchell bloquait le passage et n'allait pas le laisser filer comme ça. Il chopa Mark et le plaqua sans douceur contre le mur.

– Qu'est-ce qui se passe ? fit-il d'une voix où pointait un soupçon de frayeur.

– Rien. J-j-je suis malade, je…

Mark tenta de se dégager, mais Mitchell le tenait fermement.

– Montre-moi cet anneau ! ordonna-t-il.

À ce stade, l'anneau en question commençait à croître sur le doigt de Mark. Il n'avait pas le choix : il ne pouvait plus le garder. À contrecœur, il le retira et le posa sur le sol. À peine le bijou eut-il touché le carrelage qu'il émit des lumières éblouissantes qui illuminèrent les toilettes.

Mitchell regarda l'objet d'un air stupéfait. Il se pencha pour le toucher.

– Ne fais pas ça ! ordonna Mark.

Sa voix était si forte que Mitchell se recula. C'était bien la première fois qu'il obéissait à un ordre de Mark. Mais celui-ci n'eut pas l'impression d'avoir remporté une victoire : sa suprématie ne serait que passagère.

Maintenant, l'anneau avait atteint sa taille maximale, et Mark vit le trou noir familier en son centre. Il entendit alors de drôles de notes musicales venant des profondeurs du flume.

– Dimond ? piailla nerveusement Mitchell. C'est quoi, ça ?

Mark ne répondit pas. Il savait que tout serait bientôt terminé. Peut-être que Mitchell s'enfuirait, terrorisé.

Mais il n'aurait pas cette chance.

Mitchell resta figé sur place. La pierre dégageait une telle lumière qu'ils durent se protéger les yeux. La musique augmenta, puis se tut brutalement. La lumière cessa de briller. L'anneau avait repris sa taille normale. À côté, sur le carrelage, il y avait une autre liasse de papiers : le nouveau journal de Bobby. Il était arrivé de la même façon que les autres, sauf qu'il tombait vraiment au mauvais moment.

Mark ramassa l'anneau et la liasse. Il remit le premier à son doigt et tendit la main, dans l'espoir de garder son avantage.

– Donne-moi cette feuille, dit-il du ton le plus autoritaire possible.

Mitchell était comme paralysé. Il était tellement choqué qu'il commença machinalement à obéir. Mais au moment où Mark allait s'emparer de la feuille, il retira sa main. Il reprenait peu à peu ses esprits.

– Qu'est-ce qui s'est passé exactement ? demanda-t-il d'une voix mal assurée.

– Tu ne comprendrais pas, répondit-il, comptant toujours sur cet éphémère pouvoir. D-D-Donne moi la feuille.

Il sentit que cela ne marcherait pas.

– Pas question !

Mitchell était à nouveau le dominant.

– Je commence à croire que ce n'est pas toi qui as écrit tout ça. Je commence à croire que Pendragon t'envoie des lettres depuis sa cachette et te les envoie par courrier spécial.

Mark ne savait que dire : ce crétin avait tout deviné. Comment allait-il s'expliquer ? Mitchell regarda à nouveau la feuille et eut un sourire rusé qui sapa le moral de Mark.

— J'imagine que bien des gens aimeraient savoir ce qu'est devenu Bobby, dit Mitchell.

— Andy, tu ne peux pas faire ça ! plaida Mark. Ce ne sont pas des gamineries d'écoliers ! Il se passe des choses que tu ne peux même pas concevoir. Si tu en parles à qui que ce soit, tu vas provoquer une réaction en chaîne et, crois-moi, tu finiras par le regretter.

Mitchell parut ébranlé. Mark comprit qu'il avait peut-être encore une chance de lui faire entendre raison.

— Il n'y a que trois personnes au monde qui sont au courant de l'existence de ce journal, reprit-il. Moi, Courtney Chetwynde... et toi, maintenant.

— Chetwynde est au courant ? s'écria Mitchell, déçu.

Un bon point pour Mark. Mitchell avait aussi peur de Courtney que Mark avait peur de lui. Il commençait à croire qu'il avait plus d'atouts dans son jeu qu'il ne le croyait. Il suffisait de les placer au bon moment.

— Oui, continua-t-il, Courtney sait tout. Cette histoire est très sérieuse. Si tu en parles à tort et à travers, tu pourrais t'attirer autant d'ennuis que nous. Les enjeux sont énormes. Tu veux tout dévoiler ? Vas-y. Mais ta vie ne sera plus jamais la même.

Mark se dit qu'il y allait peut-être un peu fort. Il ne savait pas ce qui attendait Mitchell s'il révélait l'existence des carnets, mais il comptait sur le fait que son ennemi soit assez bête pour croire qu'en agissant ainsi, il s'attirerait des ennuis. Face à des brutes épaisses comme Mitchell, son intelligence était sa seule arme, et il n'hésitait pas à s'en servir.

— Ne fait pas l'idiot, reprit Mark. Donne-moi cette feuille, oublie ce que tu as vu et je te promets de ne jamais révéler à qui que ce soit que tu es au courant.

Mitchell fixa le sol pendant qu'il réfléchissait à son offre. Mark savait qu'il ramait complètement. Il n'avait pas assez de cervelle pour traiter toutes ces informations.

— Je te propose un marché, Dimond, tenta-t-il. Je te donne la feuille et je ferme mon clapet. Mais en échange, tu vas faire quelque chose pour moi.

– Je te l'ai déjà demandé : quoi ?

– La situation n'est plus la même. C'était avant que j'aie vu ce tour de magie. Ce que je te propose, c'est de ne rien dire à personne à condition que tu me laisses lire les carnets que Pendragon t'envoie.

– Hein ?

C'était la catastrophe absolue. Mark ne voulait partager les récits de Bobby avec personne, et surtout pas un pithécanthrope comme Andy Mitchell. Qu'allait-il dire à Courtney ? Il ne savait plus que faire.

– C'est à prendre ou à laisser, reprit Mitchell, soudain plus confiant. À partir de maintenant, soit tu me montres ces lettres, soit je raconte tout au premier venu. Ça me retombera peut-être dessus, mais ce n'est rien à côté de ce qui vous attend, Courtney et toi.

Mince ! Mitchell était peut-être moins bête qu'il en avait l'air.

– D'accord, répondit Mark, même s'il s'en mordait déjà les doigts. Mais je ne peux pas te les faire lire en premier. C'est à nous qu'il envoie ses carnets, pas à toi. Quand Courtney et moi aurons fini, je te laisserai y jeter un œil. Mais c'est moi qui garde le tout, et si tu parles de tout ça à qui que ce soit, je dis bien qui que ce soit, je ferai tout pour que tu le paies aussi cher que nous.

Mitchell y réfléchit un instant avant de tendre la page perdue à Mark. Il s'en empara comme si c'était ce qu'il avait de plus précieux au monde. Et à cet instant précis, c'était le cas.

– Adjugé, fit Mitchell. Quand est-ce que je pourrais lire le reste ?

Mark se dirigea vers la porte. Il se sentait à la fois téméraire et complètement perdu. Peu lui importaient les railleries de cette brute épaisse. Leur relation venait de prendre une dimension autrement plus importante et bien plus dangereuse que ces gamineries de cour d'école.

– Je te le ferai savoir, dit Mark en ouvrant la porte.

– Tu as intérêt, Dimond, reprit-il d'un ton menaçant. Maintenant, on est associés.

Mark s'arrêta pour regarder Andy Mitchell. Il avait raison. D'une certaine façon, ils étaient associés. Et cette simple idée lui donnait la nausée.

Un peu plus tard, Mark retrouva Courtney non loin de la salle de gym, comme ils en avaient convenu le soir d'avant. Elle était impatiente de savoir si Mark avait récupéré la feuille manquante.

– Alors ? demanda-t-elle.

Son esprit se mit en avance rapide. Qu'allait-il lui dire ? La vérité, bien sûr, tôt ou tard. Mais il avait l'impression de ne pas avoir été à la hauteur. Il leur avait failli, à elle et à Bobby. Il avait oublié cette feuille dans les toilettes, puis n'avait pas eu le courage de tenir tête à Andy Mitchell. Il se sentait nul. En effet, il devrait dire la vérité à Courtney, mais il n'arrivait pas à s'y résoudre, du moins pas maintenant.

– J'ai récupéré la feuille, dit-il. Et reçu du courrier.

Il tira de son sac le nouveau carnet de Bobby. Les yeux de Courtney s'illuminèrent.

– Un beau doublé ! Excellent ! s'écria-t-elle. Tu vois, je t'avais bien dit que ça marcherait !

– Tu avais raison, répondit Mark sans le moindre enthousiasme.

Courtney ne remarqua pas sa mine sombre. Elle avait assez d'énergie pour deux.

– C'est bizarre, remarqua-t-elle.

– Quoi ? répondit Mark, espérant qu'elle n'ait pas compris qu'il y avait un os.

Courtney prit le nouveau carnet et le regarda de près.

– Il ne ressemble pas aux autres. Les précédents étaient rédigés sur ce papier vert imperméable qui ressemblait à une feuille. Celui-ci est… différent.

C'était vrai. Mark était si inquiet qu'il ne l'avait même pas remarqué. Ce nouveau carnet ressemblait plutôt aux anciens journaux que Bobby leur envoyait de Denduron, avec des feuilles brunes comme du parchemin.

– Tu as raison.

– Bon, reprit-elle en lui tendant les pages, retrouvons-nous après les cours pour lire tout ça. Nous irons tout droit à mon sous-sol. Ça te va ?

– Ouais, bien sûr. Cool.

– Bon sang, je ne sais si je pourrai tenir jusque-là. Je meurs d'impatience ! Ne triche pas, hein ? Défense de regarder.

– Ne t'en fais pas, répondit Mark en se demandant comment il pourrait tenir Andy Mitchell à l'écart durant toute une journée.

Tous deux se séparèrent pour reprendre leur journée normale. Mark se plongea dans le travail pour ne plus penser au dilemme qui le tourmentait. Parfois, entre deux cours, il entrevoyait Andy Mitchell. Celui-ci ne lui disait rien, mais lui décochait un clin d'œil exagéré comme pour dire : « On partage un secret, pas vrai, mon pote ? » Mark se détournait et faisait la grimace.

Après l'école, Mark et Courtney se retrouvèrent comme prévu. Sur le chemin qui les menait chez Courtney, ils se dirent à peine deux mots. Plusieurs fois, Mark faillit tout lui raconter, mais ne put s'y résoudre. Courtney était tout excitée à l'idée de lire le nouveau carnet de Bobby, et il ne voulait pas lui saper le moral.

Une fois arrivé à sa maison, Mark décida de ne pas lui parler d'Andy Mitchell avant qu'elle n'ait lu le journal. Malgré ses inquiétudes, Mark avait hâte de savoir ce qui était arrivé à leur ami. Ainsi, Courtney ne réalisa pas qu'il avait pris une grave décision. Tous deux s'assirent une fois de plus sur le canapé poussiéreux pour se plonger dans ce monde qui était désormais celui de Bobby.

– J'en ai la tremblote, dit Courtney en tenant les feuilles.

– Ouais, ne m'en parle pas, répondit Mark, bien qu'il ait bien plus de raisons de trembler qu'elle.

Heureusement, il n'était plus temps de se parler, mais de lire.

Journal n° 6

CLORAL

Je vous dois des excuses, les amis. Je ne voulais pas vous laisser en plan comme ça. Mais les événements se précipitent, ce qui ne me laisse pas beaucoup de temps pour me poser. Ce dernier journal était plutôt long et je voulais vous l'envoyer avant qu'il ne lui arrive quelque chose. Ou à moi. Je n'ai pas vraiment réfléchi. Désolé.

Je vous écris depuis un endroit où, enfin, je me sens en sécurité. Je ne vais pas vous dire où je suis, du moins pas tout de suite, parce que les événements qui m'y ont amené sont assez incroyables. Je préfère m'en rappeler au fur et à mesure plutôt que de prendre de l'avance. C'est plus facile comme ça. Mais histoire de faire monter le suspense, je vous assure que quand vous saurez où je me trouve, vous allez en rester baba. Bon, maintenant, revenons à l'endroit où je vous ai laissés en plan.

J'ai senti plus que je n'ai vu la collision entre Magorran et Grallion. L'onde de choc a secoué l'habitat de fond en comble. L'impact a été si violent que tout le monde s'est retrouvé par terre, y compris l'oncle Press et moi. La structure de Grallion s'est mise à vibrer comme un animal qui se débat tandis qu'un horrible grincement s'est élevé des profondeurs de l'habitat blessé. Même si je ne pouvais le voir, je m'imaginais très bien le carnage de métal torturé au point d'impact. Je ne pouvais que prier pour que les dégâts soient limités et ne nous fassent pas couler.

Juste avant la collision, les aquaniers avaient détaché la plupart des câbles qui ancraient Grallion pour qu'au moment du choc l'habitat parte en arrière au lieu de rester arrimé sur place. Sans cela, les dégâts auraient été beaucoup plus importants. En plus, le pilote de Grallion avait fait moteurs arrière, ce qui a contribué à amortir le choc. Mais Magorran ne s'est pas immobilisé tout de suite après l'impact. L'immense habitat était puissant et rapide. Il a poussé Grallion sur la surface de l'Océan comme un jouet – un très gros jouet. Une seule façon de l'arrêter : stopper Magorran.

Après avoir constaté que nous n'allions pas couler à pic, l'oncle Press m'a aidé à me relever. Grallion ne cessait de vibrer sous l'effet de la poussée de l'autre habitat, et il était bien difficile de se tenir debout. Jusque-là, je n'avais pas l'impression d'être sur un truc flottant. Maintenant, on se serait cru à bord du *Titanic*, et ce maudit iceberg ne cessait de labourer sa coque.

Mais il y avait autre chose qui me mettait les nerfs en pelote. Pour qu'il se produise une telle catastrophe, il ne pouvait y avoir qu'une solution : Saint Dane était dans les parages. À voir l'expression de l'oncle Press, il devait penser la même chose. Cet accident était du Saint Dane tout craché. Je pouvais presque entendre tourner les rouages dans la tête de l'oncle Press : il calculait déjà les conséquences qu'aurait cet accident pour Grallion, pour Cloral, pour Halla et pour nous. Finalement, il a annoncé :

– Nous ne sommes pas sur le bon habitat.

– Tu veux rire ?

Oh, que non. L'oncle Press s'est mit à courir vers l'endroit d'où nous venions. C'était de la folie. Mieux valait rester le plus loin possible du crash. Mais en général, sa propre sécurité n'est pas la principale préoccupation de l'oncle Press. Malgré le danger, je l'ai suivi. Nous sommes passés devant plusieurs vateurs fuyant la proue pour gagner une zone plus sûre. Au moins, ces gars-là avaient un minimum de bon sens. Pas nous ; on courait à la catastrophe !

Plus nous nous sommes rapprochés de la proue, plus nous avons pu constater l'étendue des dégâts. Le pont était fendu et gondolé. En regardant par les nombreuses crevasses, j'ai distingué les tuyaux et les poutrelles qui maintenaient Grallion en un seul morceau. Nous avons dû sauter par dessus ces fissures béantes, ce qui n'a pas été une partie de plaisir. Un pas de travers, et nous finissions plusieurs niveaux plus bas, dans les entrailles du vaisseau. C'était comme de cavaler sur une passerelle branlante qui pouvait s'effondrer à tout moment. Et pourtant, l'oncle Press a continué obstinément son chemin.

Quand nous sommes arrivés à hauteur de la proue, nous avons pu évaluer pour de bon l'étendue de la catastrophe. Magorran avait enfoncé la coque de Grallion, et le point d'impact n'était plus qu'un amas de poutres, de fragments de pont et de tubes métalliques fracassés. Ce n'était plus un habitat, mais une immense épave.

– Et maintenant, qu'est-ce qu'on fait ? ai-je demandé.

L'oncle Press a désigné du doigt plusieurs aquaniers qui montaient à bord de Magorran. Wu Yenza, l'aquanière en chef, était à leur tête. C'était une entreprise assez risquée que de sauter ainsi d'un habitat à l'autre. Il y avait moins d'un mètre d'intervalle entre les deux ponts, mais ils n'arrêtaient pas de bouger dans des grincements d'outre-tombe.

– Suivons-les.

Croyez-moi, je m'en serais bien passé. Il ne m'a pas laissé le temps de réfléchir. Il a couru jusqu'à l'extrémité du quai, a hésité une fraction de seconde tout au plus, puis a sauté à bord de Magorran.

– Viens, Bobby !

Imaginez vous parachuté sur un radeau de glace dévalant une rivière et qu'il vous faille sauter sur un autre iceberg fonçant tout aussi vite. Eh bien, c'était à peu près ça. L'espace entre les deux ponts n'était pas gigantesque, mais il semblait faire un kilomètre. J'ai baissé les yeux. Grave erreur. J'ai pu voir à travers quatre étages de métal tordu et, loin au fond, le bouillonnement des flots. Si je ratais mon coup, je risquais de le sentir passer.

– Ce n'est rien, Bobby ! Viens !

Rien. C'est ça, oui. Je me suis penché sur le rebord le plus loin possible pour éviter de choper le vertige. Le pont a vibré sous mes pieds. Non, ce n'était pas rien ! J'ai attendu que Grallion retrouve sa stabilité et j'ai inspiré profondément.

Et me suis retrouvé sur l'autre pont, à deux mètres du vide. Bon, d'accord. Ce n'était pas rien, mais ce n'était peut-être pas grand-chose.

– Et maintenant ? ai-je demandé en essayant de sembler plus calme que je ne l'étais en réalité.

– Allons inspecter le poste de commande. On va voir qui tient la barre de ce vaisseau fantôme.

Le poste en question n'était pas très loin de l'endroit où nous nous tenions. Comme celui de Grallion, c'était une structure close d'où le capitaine, le quartier-maître et quelques aquaniers contrôlaient l'habitat en envoyant leurs ordres aux machines. Quel que soit le problème qui a envoyé Magorran percuter un autre habitat, c'est l'endroit le plus logique pour commencer nos recherches.

Nous nous sommes mis à courir, ce qui ne s'avéra guère plus facile que sur Grallion. Ici aussi, le pont avait souffert de l'impact. Le vaisseau tout entier vibrait et grinçait tout en rebondissant contre l'autre habitat. Autant courir au beau milieu d'un champ de mines pendant un tremblement de terre.

Je redoutais qu'une fois au poste de contrôle, nous tombions sur Saint Dane en personne, vêtu d'un uniforme d'aquanier et arborant un sourire empreint d'une joie malsaine. Pourtant ce serait trop facile. Il était peut-être responsable de cette catastrophe, mais il n'aurait jamais piloté lui-même l'habitat. C'aurait été trop évident pour lui. Non, Saint Dane opérait de façon plus retorse, en manipulant les autres. Ce désastre de proportion épique était bien dans ses manières, mais son origine serait certainement plus diabolique. Ce n'était qu'un début. Deux habitats entrant en collision ne lui suffiraient pas : l'enjeu était certainement beaucoup plus important. J'avais peur de trouver Saint Dane à la barre, mais redoutais bien davantage son plan d'ensemble.

Soudain, avant que nous ayons pu atteindre le poste de pilotage, l'habitat s'est immobilisé. Les aquaniers qui étaient montés à bord avant nous devaient avoir atteint les commandes et coupé les moteurs. Un silence étrange est retombé sur l'habitat. L'horrible grincement des deux habitats frottant l'un contre l'autre s'est tu, tout comme le bourdonnement des moteurs. Le grondement de l'eau clapotant entre les deux navires s'est interrompu. Les aquaniers devaient avoir trouvé un moyen de ralentir

Magorran, parce qu'après un dernier craquement sonore, j'ai vu que Grallion s'éloignait. Les deux habitats étaient à nouveau indépendants.

J'ai pu constater une nouvelle fois l'étendue des ravages. Ce n'était pas beau à voir. La proue de la barge fermière ressemblait à l'avant d'une voiture après un choc frontal. Le pont et les infrastructures étaient craquelés. Des geysers de vapeur jaillissaient des tuyaux brisés. Des morceaux de poutres flottaient en contrebas. Le secteur des quais était détruit, tout comme la plupart des petits bateaux qui y étaient amarrés. Bref, tout était anéanti. Magorran ne devait pas être plus fringuant, bien que de mon poste d'observation, je ne puisse examiner les dégâts. Maintenant, une question se posait encore : pourquoi les aquaniers de Magorran avaient-ils perdu le contrôle du navire ? Si ceux de Grallion avaient pu arrêter l'habitat sans rencontrer la moindre difficulté, qu'est-ce qui avait empêché leurs équivalents de faire de même ?

L'oncle Press et moi avons atteint la salle des commandes, qui se trouvait à une centaine de mètres de la proue endommagée. À mon grand soulagement, celle-ci était intacte. C'était un bâtiment à l'air solide, sans doute conçu pour résister à une catastrophe comme celle-ci. De là, on pouvait toujours diriger Magorran. Mais pourquoi alors l'habitat avait-il dévié de sa course ? À peine avons-nous ouvert la porte que nous avons eu la réponse à notre question. Deux aquaniers de Grallion étaient aux commandes. Yenza s'était emparée de la barre tandis que les autres manipulaient les manettes dirigeant les nombreux moteurs à eau propulsant la ville flottante.

Les aquaniers de Magorran étaient là, eux aussi. Le capitaine, le quartier-maître et trois autres marins. J'ai reconnu leur rang, parce qu'ils portaient les mêmes uniformes que ceux de Grallion. Mais il y avait une grande différence entre cet équipage et le nôtre.

Eux étaient tous morts.

Drôle de spectacle. Parce que ces braves gens avaient l'air si… naturels. Il n'y avait pas la moindre trace de lutte. Au contraire : le pilote était assis à sa place et regardait droit devant lui de ses yeux inertes. Le quartier-maître était penché sur une carte, stylo en main, comme s'il calculait la trajectoire qui leur ferait rencontrer celle de Grallion. Les autres aquaniers étaient assis à leur poste, comme endormis. Mais ils ne dormaient pas. Ils avaient les yeux grand ouverts. Il y avait autre chose. L'oncle Press l'a remarqué le premier et me l'a montré du doigt. Parmi tous ces malheureux, chacun arborait une trace indéfinissable à la commissure des lèvres. Elle était sèche maintenant, mais on aurait dit un liquide vert qui se serait écoulé de leurs bouches avant de coaguler.

Une chose était sûre : ils étaient bien morts. Le mystère de la collision était résolu. Mais il était difficile de concevoir que cinq hommes aient pu décéder simultanément, d'un coup. C'est alors que j'ai eu une idée encore plus horrible que ce que je voyais. C'était comme si une sirène d'alarme s'était déclenchée dans ma tête. J'ai tiré sur la manche de l'oncle Press pour l'entraîner hors de la cabine de pilotage.

– Cet accident n'a rien à voir avec une fausse manœuvre, ai-je dit, la bouche sèche. Enfin, nous l'avons vu venir de loin, non ?

– Oui, et alors ?

– Alors ceux de Magorran devaient le voir aussi. Pourquoi est-ce que personne n'a rien fait pour empêcher la collision ?

Avant que j'aie pu compléter ma pensée, j'ai senti que l'oncle Press voyait très bien où je voulais en venir. La catastrophe s'était produite parce que le capitaine et son équipage étaient morts. Mais il devait bien y avoir quelqu'un d'autre qui aurait pu voir venir l'accident et essayé de l'empêcher. L'oncle Press et moi avons compris au même instant. Si personne n'avait tenté d'empêcher la collision, était-ce parce qu'il n'y avait plus personne de vivant à bord ? Nous avons examiné les alentours pour en arriver à la même conclusion : rien. Pas un mouvement, pas une trace de vie. Nous avons commencé à entrevoir la vérité, aussi dérangeante soit-elle. Il y avait de fortes chances que les habitants de Magorran aient connu le même sort que son équipage.

Nous étions bien sur un vaisseau fantôme.

L'image de tous ces gens morts m'est apparue à l'esprit et je me suis détourné pour vomir tripes et boyaux.

Journal n° 6
(suite)

CLORAL

— Spader ! s'est écrié l'oncle Press.

J'étais toujours à quatre pattes, en train de vider mon estomac. J'ai levé les yeux pour voir Spader traverser le quai à plusieurs mètres de là pour s'enfoncer dans la ville de Magorran. Je savais pourquoi. Il cherchait son père.

Derrière nous, Yenza a surgi de la cabine et l'a vu, elle aussi.

— Reviens tout de suite ! s'est-elle écriée. N'entre pas là-dedans !

Spader ne s'est même pas retourné. Rien ne pouvait plus l'arrêter.

— Nous allons rester avec lui, a dit l'oncle Press à Yenza.

— Vous n'avez pas le doit d'être ici, a-t-elle répondu avec fermeté.

— Nous sommes des civils, a rétorqué l'oncle Press. Vous ne pouvez pas nous en empêcher.

— Mais nous ne pouvons pas assurer votre protection.

Voilà qui ne me disait rien qui vaille. Quoi qui ait pu provoquer ce désastre, c'était peut-être encore dans le coin. Cela dit, il s'agissait probablement de Saint Dane, et nous étions là pour le neutralité.

— Compris, a répondu l'oncle Press. Nous allons vous le ramener.

Yenza était prête à discuter, mais l'oncle Press ne l'a pas attendue : il s'est mis à courir après Spader. J'ai regardé la chef des aquaniers et j'ai haussé les épaules. Elle m'a jeté un regard noir. J'ai tourné les talons pour suivre l'oncle Press.

Spader avait une bonne longueur d'avance sur nous, et nous avions du mal à suivre le rythme. Or s'il savait très bien où il se rendait, nous l'ignorions. Si nous le perdions de vue, nous ne pourrions jamais le retrouver. Tout en gardant un œil sur lui, j'ai regardé ce qui nous entourait. C'était peut-être un habitat manuel, mais les manufactures devaient être concentrées sur la poupe, car le quartier que nous traversions semblait plutôt résidentiel. Plusieurs grandes structures ressemblant à des immeubles d'habitation dominaient un vaste parc. Ç'aurait pu être une zone urbaine tout à fait normale sur notre bonne vieille terre, et j'avais du mal à croire que nous étions sur l'eau. Plus étrange encore, l'endroit était désert. Il n'y avait pas un chat – vivant ou mort. Pourvu que les habitants aient pu évacuer Magorran avant de connaître le même sort que l'équipage…

Loin devant nous, Spader est entré en coup de vent dans un des appartements. Quand nous avons pris le même chemin, mes espoirs ont vite été douchés. Trois autres cadavres gisaient dans le hall. Comme dans le poste de pilotage, on aurait dit que la mort les avait pris par surprise et avait été foudroyante. Ce devait être des ouvriers, parce qu'ils portaient tous des combinaisons bleu vif. Ils se tenaient assis autour d'une table jonchée de plaques multicolores. D'après moi, ils devaient faire une partie d'un jeu quelconque à l'instant de leur mort. L'un d'entre eux tenait encore une plaque qu'il s'apprêtait à abattre pour marquer un point. Sauf qu'il n'en aurait plus l'occasion. Ce spectacle était assez angoissant, et je n'avais aucune envie d'y voir de plus près, mais j'ai remarqué que les trois hommes avaient des traces de liquide vert desséché sur le menton. Il y avait certainement un rapport avec leur mort.

Je n'avais plus envie de rester là. Cette exploration devenait carrément écœurante. J'étais prêt à partir pour regagner Grallion quand nous avons entendu un bruit évoquant un bris de verre. Il venait des profondeurs du bâtiment. Soit c'était Spader, soit il y avait encore quelqu'un de vivant à bord. L'oncle Press s'est dirigé vers l'origine de ce bruit. Je l'ai suivi, oubliant mon envie de filer dans la direction opposée.

Alors que nous cavalions dans le couloir, j'ai fait de mon mieux pour ne pas penser aux horreurs qui nous attendaient derrière chaque ouverture. J'avais l'impression de traverser un tombeau. Finalement, nous sommes arrivés devant une porte entrouverte.

— Tu es prêt ? a demandé l'oncle Press.

— Non, mais est-ce que j'ai le choix ?

Il a donc poussé la porte, et nous sommes entrés tous les deux.

Nous avons tout de suite vu qu'il s'agissait d'un appartement ressemblant fortement à celui de Spader : petit et simple, avec des meubles en moulé et des fenêtres donnant sur l'Océan. Comme il n'y avait personne, nous sommes passés à la chambre à coucher.

C'est là que nous l'avons trouvé. Spader se tenait au centre de la pièce. À ses pieds, les morceaux d'un vase. C'était donc ça que nous avions entendu. Spader devait l'avoir brisé lui-même en un geste de colère. Quand nous sommes entrés, il ne s'est même pas retourné. Il ne pensait qu'à son père. Ce dernier se tenait assis à son bureau, la tête posée sur le bois. Oui, il était mort. Lui aussi semblait avoir connu une fin paisible. Il portait son uniforme d'aquanier. D'après moi, il voulait se présenter à son fils sous son meilleur jour, comme Spader. Celui-ci était mon ami, et je partageais sa douleur. Je m'attendais à ce qu'il découvre que son père avait disparu, tout comme le mien. Mais là, c'était bien pire.

Spader devait être en état de choc. Il fixait son père comme s'il pouvait le ressusciter par la simple force de sa volonté.

Je ne savais pas quoi dire, ni quoi faire. L'oncle Press s'est dirigé vers l'aquanier défunt et, d'un geste plein de douceur, lui a fermé les yeux. Puis il a regardé Spader et a dit d'une voix empreinte de compassion :

— Ne sois pas triste. C'était écrit.

Spader a regardé l'oncle Press dans les yeux, et j'ai pu prendre toute la mesure de sa souffrance.

— C'était écrit ? a-t-il dit d'une voix tremblante. Je ne comprends pas.

— Ça viendra. Nous allons t'aider.

Je savais ce que l'oncle Press voulait dire par là. Nous devrions bientôt révéler à Spader qu'il était un Voyageur. Mais je ne pensais pas que ça l'aiderait à comprendre quoi que ce soit : moi-même, je le sais depuis un certain temps, pourtant je reste dans le brouillard.

L'oncle Press a regardé l'homme mort et remarqué quelque chose. Dans la main du cadavre, il y avait un petit morceau de papier. L'oncle Press l'a doucement arraché à ses doigts crispés et l'a lu. Puis il a regardé Spader et lui a tendu le mot. Lorsque Spader l'a pris, j'ai redouté qu'il ne se mette à pleurer. Parce que le message était pour lui.

Sur la feuille, on avait griffonné un seul mot : « Spader ». Durant ses derniers instants, son père lui avait écrit une lettre. C'était étrange de voir le nom de Spader rédigé en caractères normaux. Comme les Voyageurs comprenaient toutes les langues, j'imagine que nous pouvions les lire aussi.

J'ai aussi remarqué que l'oncle Press glissait quelque chose dans sa poche. Spader ne l'a pas vu, car il regardait le mot de son père. Mais j'en ai conclu que l'oncle Press avait trouvé quelque chose d'autre dans la main du mort, quelque chose qu'il voulait cacher à Spader. Il m'a jeté un regard sévère qui signifiait : « Ne dis rien ».

– Qu'est-ce qu'il y a dessus ? a demandé l'oncle Press.

Spader lui a tendu le papier. J'ai regardé par-dessus son épaule. Ce n'était pas une lettre au sens littéral du terme, mais un dessin. Un symbole circulaire de la taille d'un gâteau sec genre Pépito. On aurait dit deux idéogrammes asiatiques enchevêtrés. Par contre, je n'avais pas la moindre idée de ce que ça signifiait ou représentait.

– Tu sais ce que ça veut dire ? ai-je demandé à Spader.

Il a secoué la tête. L'oncle Press lui a répondu :

– Si ton père voulait te le remettre, c'est certainement plus important que nous le croyons.

Spader a acquiescé en reprenant le papier. Il l'a mis dans sa poche. Lorsqu'il s'est tourné vers l'oncle Press, j'ai remarqué une lueur nouvelle dans les yeux de l'aquanier. Il n'était plus en état de choc. Il avait retrouvé son sang-froid.

– Je vais découvrir ce qui s'est passé ici, a-t-il affirmé.

– Parfait. Nous sommes prêts à t'aider.

Soudain, nous avons entendu un bruit de pas précipités. Tout un groupe de personnes se dirigeait vers nous. Quelques secondes plus tard, ils entraient dans la chambre. Cinq aquaniers avec Wu Yenza à leur tête. Ces types étaient armés jusqu'aux dents et n'avaient pas l'air de plaisanter. À l'exception des harpons pour la pêche, c'était la première fois que je voyais des armes sur Cloral. C'étaient des fusils argentés et élégants aux canons énormes. Je les aurais trouvés plutôt cools si je ne craignais pas qu'ils s'en servent – contre nous. Yenza aussi était armée, mais uniquement d'un revolver glissé dans un étui accroché à sa cheville.

Elle s'est avancée dans la chambre d'un pas conquérant. Quand ses yeux se sont posés sur le cadavre, elle a fait une grimace de surprise et de tristesse.

– Je suis désolée, Spader, a-t-elle dit gentiment. Vraiment.

Spader l'a remerciée d'un hochement de tête.

– Magorran est en cours d'évacuation, a-t-elle dit, reprenant un ton professionnel. Tous les employés non indispensables doivent retourner sur Grallion.

– Pour quoi faire ? a demandé l'oncle Press.

– Nous envoyons une équipe médicale, a-t-elle répondu. Tant que nous n'aurons pas découvert la cause de toutes ces morts, l'habitat sera mis sous quarantaine.

Bien vu. Si un virus était responsable de ce massacre, il pouvait toujours traîner dans le coin. Il valait mieux s'en remettre aux experts.

– Quand vous retournerez sur Grallion, a-t-elle repris, vous passerez à la désinfection. Surtout, n'emmenez rien qui vienne d'ici. Compris ?

Je suis sûr que nous avons tous eu la même idée au même moment. Et ce bout de papier avec le symbole circulaire ? Spader allait-il le laisser sur place ? La réponse était non. Il est sorti de la pièce, passant devant Yenza sans lui donner le mot. L'oncle Press et moi nous sommes regardés, puis l'avons suivi.

Deux aquaniers en armes nous ont escortés jusqu'à la proue de Magorran. Nous n'étions pas aux arrêts : ils voulaient juste s'assurer que nous regagnions l'autre habitat le plus vite possible.

Spader n'a pas desserré les dents. Il marchait d'un pas raide en regardant droit devant lui.

Quand nous sommes arrivés à la proue fracassée, j'ai vu que l'endroit bourdonnait d'activité. D'autres aquaniers étaient arrivés et endossaient d'épaisses combinaisons, comme s'ils s'apprêtaient à manipuler du plutonium. Je présume qu'ils voulaient se protéger contre les microbes qui pourraient traîner sur Magorran. J'espérais sincèrement que ces précautions s'avèreraient inutiles, car, sinon, cela voulait dire que l'oncle Press, Spader et moi étions déjà contaminés. Soudain, cette idée de désinfection semblait particulièrement attirante. Il fallait que nous regagnions Grallion, et vite.

L'un des aquaniers nous a arrêtés pour nous dire :

– Nous allons vous mettre sur un bateau pour Grallion. Attendez ici.

Et il s'en est allé, laissant les autres aquaniers vérifier que nous ne filions pas à l'anglaise.

Quand j'ai jeté un coup d'œil vers la cabine de pilotage, j'ai remarqué quelque chose d'étrange. Deux ingénieurs agronomes se tenaient juste devant la cabine, loin des autres, et discutaient entre eux. J'ai reconnu un des hommes et une des femmes que j'avais vus chez Grolo. L'homme avait l'air de la supplier. Il était en colère et agitait les bras, mais malgré ses efforts, la femme ne semblait pas vouloir l'écouter et lui tournait le dos. Ils étaient trop loin pour que j'aie la moindre idée de ce qu'ils se disaient, mais j'ai gravé la scène dans ma mémoire.

Une navette nous a ramenés sur Grallion, tous les trois. Mais on ne nous a pas laissés rentrer tout de suite dans nos demeures respectives. D'abord, ils nous ont emmenés à une sorte de dispensaire médical et nous ont demandé nos vêtements. Je présume qu'ils les ont brûlés, car nous ne les avons jamais revus. Ils nous ont quand même fourni de quoi nous changer. Nous avons aussi dû vider nos poches. Ça, par contre, c'était plus compliqué. Cela voulait dire que je devais abandonner mon anneau de Voyageur, en plus de celui de l'oncle Press, et ce que Spader avait pu arracher à son père. Je me suis aussi demandé ce qu'il allait faire de ce message. Peut-être était-ce un indice qui nous permettrait de comprendre ce qui s'était passé sur Magorran. Je redoutais qu'il ne soit détruit avec le reste.

Pour les anneaux, ça a été relativement simple. On les a fait passer par un appareil de stérilisation avant de nous les rendre. Pour le reste, je ne sais pas trop. Avant de nous rhabiller, nous avons dû nous laver avec un savon odorant qui m'a irrité la peau. Et en plus, des apprentis médecins nous surveillaient sans arrêt pour savoir si nous nous lavions bien derrière les oreilles. Sympa, non ? Bon, à vrai dire, ça ne me dérangeait pas plus que ça. Je me serais douché avec de l'acide au beau milieu du Yankee Stadium plutôt que de courir le risque d'être porteur d'un microbe capable de provoquer les ravages que nous avions vus sur Magorran.

Une fois relâchés, frictionnés et propres comme des sous neufs, nous sommes retournés chez Spader. Celui-ci n'a pas dit grand-chose. Il devait penser à son père. Mais comme j'ai fini par le découvrir au moment où nous sommes sortis du centre médical, ce n'était pas la raison de son silence. Il a ouvert la bouche… et en a tiré le mot de son père. À l'insu de tous, il l'avait plié et posé sur sa langue ! Plutôt malin. Nous lui avons proposé de dîner avec nous, mais il n'était pas d'humeur. Il préférait rester seul. Et je ne pouvais pas vraiment l'en blâmer. L'oncle Press et moi sommes retournés à notre appartement, ce qui m'a enfin donné l'occasion de lui parler seul à seul.

— Qu'est-ce qui s'est passé là-bas ? ai-je demandé de but en blanc. C'était un coup de Saint Dane ?

— Possible. Ou peut-être un horrible accident et rien de plus.

— Un accident ? me suis-je écrié. Combien de gens sont morts sur Magorran ? Deux cents, trois cents ? Ce n'était pas un accident.

— Tu as peut-être raison, mais nous devons voir au-delà de cette tragédie. Saint Dane ne provoque pas de catastrophes pour le plaisir. Il a toujours un plan. S'il a provoqué la mort de tous ces gens, c'est parce que cela servait ses desseins, quels qu'ils soient. Je te rappelle qu'il cherche à pousser ce territoire vers le chaos. Si nous voulons savoir s'il est dans le coup, nous devons deviner son véritable but.

— Et Spader ? ai-je demandé. Il est dans un sale état. Ce sera difficile de lui expliquer qu'il est un Voyageur.

— Mais il l'apprendra bientôt. Désormais, c'est le dernier Voyageur de Cloral.

— Comment, il ne l'était pas avant ?

— Jusqu'à sa mort, c'était son père qui occupait cette fonction. Maintenant, c'est au tour de Spader.

— Oh, bon sang ! ai-je bafouillé. Le père de Spader était aussi un Voyageur ?

— Oui. Et c'était un ami à moi.

Il a plongé la main dans sa poche.

— Je l'ai pris à son père, mais maintenant, cela appartient à Spader.

Il m'a montré l'objet qu'il avait subtilisé sur le cadavre. Je l'ai reconnu aussitôt : c'était un anneau de Voyageur, comme le mien. Il était fait d'argent massif, et la pierre en son centre était gris ardoise. Il y avait de drôles de caractères gravés tout autour.

— Je veux que ce soit toi qui lui donne. Quand le moment sera venu, tu le sauras.

Sur ce, il l'a laissé tomber dans ma paume. J'ai acquiescé et je l'ai mis dans ma poche. Je n'étais pas sûr de vouloir porter cette responsabilité, mais Spader était mon ami. Comment pouvais-je refuser ?

— Le père de Spader devait savoir qu'il allait se produire quelque chose, a remarqué l'oncle Press.

— Qu'est-ce qui te fait dire ça ?

— Ce papier qu'il a laissé pour Spader. Son dernier geste a été de laisser ce message pour son fils, le nouveau Voyageur. C'est ce qui me donne à penser que l'hécatombe de Magorran n'était pas un accident. Ce qui se passe est beaucoup plus important.

— D'après toi, que signifie ce symbole ?

— Je ne sais pas, mais je suis prêt à parier qu'en le découvrant nous trouverons Saint Dane.

C'était donc officiel. La partie était commencée. Apparemment, Saint Dane avait été le premier à avancer un pion. Mais cette fois-ci, la situation était différente de celle de Denduron. Ici, on ne distinguait pas les bons des méchants au premier coup d'œil. Du moins pas encore. Nous ne pouvions rien faire, sinon ouvrir grand les yeux et les oreilles – et attendre.

Les jours suivants se sont écoulés dans une sorte de brouillard assez étrange. L'oncle Press et moi nous sommes remis au travail, mais nous n'avions pas le cœur à cela. Et d'ailleurs, personne d'autre ne semblait bien motivé. Tout le monde attendait avec impatience de savoir ce que l'équipe médicale allait découvrir sur Magorran. Parfois, je me surprenais à regarder l'habitat ancré à un kilomètre de là. On aurait dit un nuage noir annonciateur de tempête posé sur l'horizon. Seuls signes de vie, plusieurs bateaux faisaient des allées et venues vers Grallion pour transporter du personnel médical et des équipes de mécaniciens.

Sur Grallion aussi, les réparations allaient bon train. Le pilote nous a ramené à notre position d'origine et a jeté l'ancre. J'ai entendu dire que la collision nous avait entraînés à quinze kilomètres de notre point d'ancrage. Il était important que l'habitat retrouve sa place initiale, car c'était aussi là que se trouvait la ferme sous-marine.

J'ai tenté plusieurs fois de parler à Spader, mais il se passait très bien de compagnie ou de conversation. Je le comprenais, mais en même temps, je savais qu'il ne devait pas rester seul tout le temps. C'était triste. Depuis la mort de son père, il n'était plus le même. Lui qui était totalement extraverti était devenu un solitaire. Un beau soir, n'y tenant plus, je suis allé chercher deux bouteilles de snigger chez Grolo et je suis allé lui rendre visite.

Quand j'ai toqué à sa porte, Spader n'a pas répondu, mais je savais qu'il était là. Je me suis donc permis d'entrer. Je l'ai trouvé allongé sur le sol, à fixer le plafond. Vu l'odeur rance qui planait dans l'appartement, j'en ai conclu qu'il ne s'était pas lavé depuis plusieurs jours. Je n'ai rien dit ; je me suis contenté de lui fourrer la bouteille dans les mains.

– Hobie-ho, ai-je dit.

Spader a levé les yeux vers moi. Un instant, j'ai cru qu'il ne m'avait pas reconnu. Son esprit battait la campagne. Mais il s'est concentré et m'a souri. Et il a aussi accepté le snigger.

– C'est une drôle de période, Pendragon, mon ami, a-t-il déclaré en se levant.

– Drôle de période en effet.

Et nous avons tous deux bu une rasade de snigger. C'était bon. Je ne pense pas que ce breuvage soit alcoolisé, contrairement à la bière. Mais il pétille, et c'est vraiment agréable.

– À quoi pensais-tu ? ai-je demandé.

Bien sûr, je savais que son père l'obsédait, mais c'était un moyen comme un autre d'entamer la conversation. Spader a levé son autre main. J'ai vu qu'il tenait la feuille de papier vert avec ce symbole circulaire. Il l'a agité comme pour me dire : « C'est à ça que je pense. »

– Tu as une idée de ce que ça signifie ?

– Pas la moindre. Mais je sais qui pourra éclairer notre lanterne.

– Qui ça ?

– Ma mère. Elle est prof. C'est la femme la plus gentille du monde, et elle est très intelligente. Il faut que j'aille là-bas… pour lui dire ce qui est arrivé à papa.

Spader a fermé les yeux. Je ne savais pas s'il allait se mettre à pleurer, mais j'ai détourné les yeux, au cas où. Pour lui, les choses ne pouvaient qu'aller de mal en pis. C'était à lui que revenait l'horrible tâche de révéler à sa mère que son mari était mort. Mais ce n'était pas tout. Il y avait aussi cette histoire de Voyageur. Lorsque Spader retournerait sur la cité de Panger pour retrouver sa mère, serait-elle là pour l'y attendre ? Maintenant qu'il était devenu le Voyageur de Cloral, allait-elle disparaître comme l'avait fait ma propre famille ? Allait-il perdre ses deux parents ? J'ai senti que je devais lui dire quelque chose qui l'aiderait à comprendre la notion de Voyageur.

– Spader, ai-je dit soigneusement, j'ai une révélation à te faire.

Il m'a regardé de ses yeux rougis. Il attendait sans doute des mots de réconfort, mais je n'en avais pas. Alors que je restais là, à le regarder, j'ai réalisé que je n'avais rien à lui dire. J'étais censé lui expliquer quelque chose que je ne comprenais pas moi-même. Soit un aveugle guidant un autre aveugle…

J'ai ouvert la bouche pour dire… je ne sais quoi, mais à ce moment, l'oncle Press est entré dans l'appartement. Ouf ! Sauvé par le gong. Il venait de me tirer d'un mauvais pas.

– J'ai des nouvelles de Magorran, déclara-t-il.

Spader et moi nous sommes relevés. Cela faisait des jours que nous attendions d'avoir des informations. Mais en voyant la mine sombre de l'oncle Press, j'ai tout de suite compris qu'il était porteur de mauvaises nouvelles. Il avait l'air nerveux et même un peu en colère.

– Alors raconte, a dit Spader.

L'oncle Press a tiré une chaise et s'est assis en face de nous. Il a parlé d'une voix lente et claire pour que nous comprenions bien chaque mot.

– L'équipe médicale a envoyé son rapport. Ils ont examiné chacune des victimes et les ont soumises à des expériences.

– Combien de morts ? ai-je demandé.

– Deux cent vingt.

Je savais que les pertes seraient élevées, mais ça a tout de même été un choc. L'oncle Press nous a laissé le temps de digérer l'information avant de reprendre :

– Les tests ont tous donné le même résultat. (Il a inspiré avant de conclure :) Ils ont été empoisonnés.

La nouvelle m'a frappé comme un coup de poing.

– C-c-comment ? ai-je bafouillé. Comment peut-on empoisonner tout ce monde ?

– Nous ne sommes sûrs de rien, mais c'est peut-être dû à un chargement de riz. Il était avarié, et tout le monde en a mangé.

– Comment ça, avarié ? a demandé Spader.

– Ils n'en savent rien, a répondu l'oncle Press en luttant pour garder son calme. D'après eux, ils n'avaient encore jamais rien vu de tel.

Spader a sauté sur ses pieds et s'est mis à marcher en rond comme un lion en cage.

– Comment du riz avarié peut-il provoquer la mort de toute une ville ?

– Ce n'est pas tout, a ajouté l'oncle Press. Les ingénieurs agronomes craignent que ce ne soit pas un cas isolé. S'il y a quelque chose de pourri dans le système de ravitaillement, ce qui s'est passé sur Magorran n'est que la pointe de l'iceberg.

J'ai tout de suite repensé à la dispute entre deux ingénieurs agronomes à laquelle j'avais assisté sur Grallion. Ils savaient qu'il y avait un problème. Je commençais à entrevoir l'horrible réalité. Cloral était un territoire entièrement aquatique. Les gens comptaient sur les fermiers pour leur alimentation. Ils cultivaient la terre et le fond des océans. Si un poison quelconque contaminait les réserves de nourriture, ce serait un désastre. À côté, une épidémie de peste bubonique équivaudrait à une simple grippe...

Et il ne pouvait y avoir qu'une seule origine à tout ça...

Saint Dane. Le crime était signé. Si le ravitaillement n'était plus assuré, le territoire serait plongé dans le chaos, c'était certain.

– Nous ne pouvons pas encore évaluer l'étendue du problème, a remarqué calmement l'oncle Press. C'est peut-être un cas isolé qu'ils pourront contenir.

– Mais pas à temps pour sauver mon père, a rétorqué Spader.

Ses yeux brûlaient de colère. Il voulait rejeter la responsabilité sur quelqu'un. L'oncle Press et moi aurions pu donner une cible à sa fureur, mais ce n'était pas le moment de lui faire des révélations.

Comme il était tard, nous avons laissé Spader tranquille. L'oncle Press et moi sommes rentrés élaborer un plan d'action. Le lendemain se tiendrait le service funéraire à la mémoire des victimes de Magorran. Nous avons décidé qu'après la cérémonie, nous rejoindrions Spader, prendrions un bateau et nous rendrions à Panger pour retrouver la mère de Spader. Nous devions nous lancer en quête de Saint Dane, et cet étrange symbole sur la feuille était notre seul indice. Panger était un bon début. Une fois d'accord, nous avons essayé de dormir un peu.

Mais j'ai à peine fermé l'œil. L'idée qu'une famine allait peut être s'abattre sur tout le territoire me maintenait éveillé. Trop d'idées se télescopaient dans ma tête, si bien que j'ai préféré finir ce carnet. En général, écrire me fait dormir, et ça a marché une fois de plus. J'ai pu aller jusqu'à la collision entre Magorran et Grallion avant de piquer du nez. J'ai donc roulé les feuilles et vous les ai envoyées. Ce n'est que le lendemain que j'ai compris que je vous avais laissés en plein suspense. À nouveau, excusez-moi.

Je me suis recouché et j'ai enfin pu m'endormir. Mais le soleil s'est bientôt levé sur un nouveau jour, celui où nous quitterons Grallion.

Le service funèbre était prévu un peu après l'aube. Je ne savais pas à quoi m'attendre, mais en fait, ça a été une cérémonie assez émouvante. Elle a eu lieu à la poupe du bateau, loin de la proue ravagée. Tout Grallion était présent. Nous sommes restés dans le coin des vateurs, les ouvriers agricoles, qui formaient un grand groupe. Les aquaniers se dressaient tout près du bord, épaule contre épaule, en uniforme complet. Spader se trouvait au milieu d'eux. Ce devait être pénible pour lui, mais il était là. Il ne manquait pas de courage.

Le pilote de Grallion, un type aux cheveux gris et à la peau tannée du nom de Quinnick, dirigeait la cérémonie. Je ne vais pas vous rapporter tout ce qui s'est dit, mais comme vous vous en doutez, ça a été assez intense. Il a parlé du dévouement de ceux qui servent autrui et de cette dure réalité qui veut que chaque vie finisse par s'interrompre. Il a parlé avec chaleur des gens de Magorran, ajoutant que personne ne les oublierait jamais.

Puis un aquanier s'est avancé et s'est mis à jouer d'un instrument à vent qui semblait fait d'un gros morceau de corail. Bien qu'il soit assez grossier, il produisait des sons agréables, comme un hautbois. Il a joué un air triste, lancinant. Un adieu approprié au peuple de Magorran.

Mais ce moment de recueillement a été de courte durée, car soudain… *Boum !*

À quelques mètres à peine de l'endroit où nous nous tenions, une explosion a secoué Grallion. La foule n'a pas réagi sur-le-champ. Tout le monde est resté planté là, choqué.

Boum ! Boum !

Deux autres explosions ont fait trembler l'habitat, soulevant des morceaux de pont et des nuages de poussière. La foule s'est éparpillée, cherchant à se mettre à l'abri. Nous étions attaqués, mais par qui ?

Wu Yenza s'est dressée sur la proue et a crié :

– Les pillards !

Des pillards ? Où ça ? J'ai regardé vers le large et j'ai vu un bateau qui se dirigeait vers nous. Ce n'était pas un habitat, mais un navire de guerre, et ses énormes canons étaient braqués sur nous.

Décidément, sur Cloral, la situation se dégradait à vitesse grand V.

Journal n° 6
(suite)

CLORAL

C'était un bombardement en règle.

La plupart de ceux qui se trouvaient sur le pont se sont baissés pour se protéger, moi y compris. L'oncle Press et moi sommes restés tout près d'un groupe de vateurs qui ont préféré s'enfuir vers le bâtiment contenant les ustensiles agricoles. Il ne nous offrirait guère de protection, mais c'était toujours mieux que de rester à découvert pendant que les obus pleuvaient.

Alors que nous fuyions, d'autres missiles ont frappé le pont, faisant jaillir de la poussière et de l'eau. Oui, de l'eau. Il ne s'agissait pas de boulets ordinaires. Après tout, nous étions sur Cloral. Ici, tout avait un rapport avec l'élément aquatique. J'ai découvert que les énormes canons du navire de guerre tiraient de gros boulets d'eau particulièrement denses. Mais quand ils frappaient, ils étaient tout aussi dévastateurs que des obus conventionnels. Et ils pouvaient tirer coup sur coup sans craindre de tomber à court de munitions. Après tout, dans un tel environnement, ils ne risquaient pas de manquer d'eau ! Le plus effrayant, c'est que ces canons étaient silencieux. Comme ils n'émettaient pas la moindre détonation, il était impossible de se préparer à l'impact. Le seul indice dénotant l'arrivée d'un missile aquatique était un faible sifflement juste avant qu'il ne s'abatte.

Une douzaine d'entre nous se sont massés dans la cabane à outils et se sont précipités vers les fenêtres pour voir ce qui se passait.

J'ai regardé l'oncle Press :

— Des pillards, hein ? C'est quoi, cette histoire ?

L'oncle Press n'en avait pas la moindre idée. Il ne s'attendait pas à un tel développement.

— Je ne les ai jamais vus s'en prendre à un habitat aussi grand, a dit un vateur d'une voix empreinte de frayeur. En général, ils attaquent des vaisseaux plus petits.

— Que veulent-ils ? ai-je demandé.

— Tout ce que nous avons, m'a-t-on répondu avec simplicité. Et ils n'ont pas peur de tuer pour s'en emparer.

Gloups. J'ai regardé par le hublot pour voir les aquaniers s'organiser afin de défendre l'habitat. Ils n'étaient pas de simples marins : ils savaient aussi manier les armes à feu. Ils ont pris leur poste rapidement et efficacement pour attendre les agresseurs. Mais ils n'avaient pour toute arme que les fusils argentés que nous avions vu sur Magorran. Pas de canons, de missiles ou de puissance de feu susceptible de riposter au barrage des obus. Face à cet arsenal, leurs armes ressemblaient à... eh bien, des pistolets à eau.

— Pourquoi Grallion n'a-t-elle pas d'armement lourd ? ai-je demandé.

— Je te l'ai déjà dit. Les pillards ne se sont jamais montrés aussi intrépides. Les gens d'ici n'avaient pas de raisons de s'armer jusqu'aux dents. Du moins jusqu'à présent.

Toutes mes notions romantiques concernant la piraterie venaient de voler en éclats, si j'ose dire. Pour moi, les pirates étaient des brutes au grand cœur qui buvaient du rhum, chassaient les demoiselles et naviguaient les sept mers entre deux « Yo-ho-ho et une bouteille de rhum » ; bref, plutôt des personnages comiques toujours en quête d'un trésor. Mais ceux-ci n'étaient pas les pirates des Caraïbes revus par Disney. C'était des tueurs enhardis. Ils attaquaient un habitat fermier désarmé avec plus de deux cents personnes à bord. Mais dans quel but ? Il n'y avait rien à voler sur Grallion. Que voulaient-ils donc ?

C'est alors que les obus ont cessé de pleuvoir. Nous avons tous jeté un coup d'œil au vaisseau de guerre pour constater qu'il n'était plus qu'à quelques centaines de mètres de Grallion. Ses canons étaient toujours braqués sur nous, mais pour l'instant ils avaient cessé le feu.

Leur engin ressemblait beaucoup aux cuirassés de chez nous, sauf que, bien sûr, il n'y avait pas d'insignes militaires. La coque vert clair se confondait avec la couleur de l'Océan. En tout, j'ai compté huit canons, quatre devant et quatre derrière. Je me suis demandé ce qu'ils comptaient faire. Partir à l'abordage ? Ce n'était pas très logique, car une fois qu'ils auraient posé le pied sur Grallion, ils perdraient l'avantage que leur donnaient leurs canons. Et de plus, de nombreux aquaniers en armes les attendaient de pied ferme. Non, s'ils tenaient à garder l'avantage, ils devaient rester à distance.

C'est alors qu'une voix amplifiée s'est élevée du croiseur.

– Bonjour, Grallion ! J'imagine que nous avons attiré votre attention.

C'était la voix d'un homme, et elle était étrangement joyeuse. Ç'aurait pu être un voisin qui vous appelle par-dessus la clôture pour discuter du résultat d'un match.

– Je suis Zy Roder, pilote et capitaine de notre navire, *le Poursuite*. Peut-être avez-vous entendu parler de moi ?

Plus je l'écoutais, plus mon estomac se serrait. J'ai regardé l'oncle Press : à voir sa mine sinistre, il pensait comme moi. Près de nous, un vateur examinait l'ennemi avec son télescope. Dès que la voix nous est parvenue, l'oncle Press lui a demandé s'il pouvait le lui emprunter. L'ouvrier a accepté, et l'oncle Press a pu voir de plus près notre nouvel ennemi.

– Si vous avez entendu parler de moi, a continué la voix, vous savez que je ne suis pas un meurtrier. Je ne veux de mal à personne.

L'oncle Press a vu ce qu'il voulait voir, puis m'a tendu le télescope. J'ai pu à mon tour jeter un œil au croiseur. L'équipage du *Poursuite* était massé sur le pont. On y voyait autant de femmes que d'hommes, ce qui signifiait qu'au moins, ces pillards n'étaient pas sexistes. Ils n'étaient pas non plus crasseux et rapiécés de partout comme des pirates de cinéma. Au contraire : ils avaient plutôt l'air d'un équipage efficace et bien organisé, jusque dans leur apparence. Mais les regards qu'ils posaient sur Grallion m'ont fait penser à une meute de loups affamés attendant patiemment le bon moment pour frapper. Leurs yeux étaient vides et dépourvus d'émotion, si ce n'est peut-être l'avidité.

J'ai examiné le navire jusqu'à ce que je tombe sur ce Zy Roder. Il se tenait sur le pont supérieur et brandissait un objet sombre qui devait être un micro. Comme tous les pillards, il portait le même genre de vêtements légers que les gens de Grallion. Il était grand avec des cheveux blonds qui tombaient sur ses épaules lorsque le vent marin ne les soulevait pas. On aurait même pu le trouver bel homme. Il se tenait là, les jambes écartées, une main sur la hanche, dans une position de défi. C'était plutôt gonflé de sa part. On sentait qu'il avait l'habitude d'obtenir ce qu'il désirait. Je me suis demandé ce qu'il attendait de nous.

Mais ce qui m'a le plus frappé, ce sont ses yeux. Même à travers ce télescope, j'ai pu voir qu'ils étaient de ce bleu glacier que j'avais appris à craindre. Pas d'erreur possible.

C'était Saint Dane.

Il était arrivé sur Cloral et s'était acoquiné avec une bande de maraudeurs. Désormais, la question était de savoir ce qu'il comptait faire. J'ai rendu le télescope au vateur. Je ne voulais pas en voir davantage.

– Vous devez être au courant de l'horrible maladie qui se répand sur Cloral, a-t-il continué. Quelqu'un cherche à nous empoisonner. Qui ? Je n'en sais rien. Mais il est sûr que bientôt, la nourriture saine va se faire rare.

C'était bien Saint Dane. Il s'adonnait à son jeu préféré : semer la crainte et le doute.

– Notre requête est simple. Les réserves en nourriture de Grallion sont saines… Vous avez des provisions et pas nous. Voilà mes conditions. Chargez dix de vos plus grosses barges de graines, de fruits et de légumes. Envoyez-les avec un seul aquanier par barge. Nous nous servirons, puis nous vous laisserons en paix.

Tout autour de nous, les fermiers se sont mis à protester avec véhémence. Avec dix barges de nourriture en moins, Grallion serait privée de nourriture pour des semaines. Pire, s'ils donnaient toutes leurs réserves de provisions non infectées, que leur resterait-il ? Déjà, l'idée qu'il faille se méfier de toute nourriture provenant de l'extérieur de crainte qu'elle ne soit empoisonnée était suspecte. Après ce qui s'était passé sur Magorran, qui les en blâmerait ?

— Si vous refusez d'accéder à nos demandes, a continué Zy Roder, le bombardement reprendra.

La voix avait perdu son côté plaisant. Saint Dane, ou Zy Roder, quel que soit le nom qu'il se donne sur ce territoire, voulait faire comprendre aux habitants de Grallion ce dont il était capable.

— Nous ne pouvons pas vous envoyer par le fond, mais de toute façon ce n'est pas notre but. Nous allons commencer par votre cabine de pilotage. Quand nous l'aurons réduite en pièces, vous ne pourrez plus contrôler votre habitat. Ensuite, nous détruirons les quais afin que vous soyez incapables de fuir. Enfin vos salles des machines, et vous n'aurez plus aucun moyen de propulsion. Vous serez prisonniers de votre propre habitat sans moyen d'y échapper. Croyez-moi, mes amis, nous connaissons tous vos points faibles et nous ne nous en irons pas tant que vous n'aurez pas obtempéré.

C'était du Saint Dane tout craché. J'imagine qu'il se fichait pas mal des provisions qu'il nous demandait. Ce qu'il voulait vraiment, c'est semer la panique. La rumeur ne tarderait pas à se répandre d'un habitat à l'autre, disant qu'il fallait se méfier des provisions, et des gens tout à fait normaux finiraient par se disputer les réserves de nourriture non contaminée. C'était ainsi que Saint Dane sèmerait le chaos. Pour moi, il devait avoir empoisonné lui-même les réserves, directement ou indirectement. Maintenant, je commençais à entrevoir son plan visant à détruire Cloral.

— Je vous donne un peck pour commencer le transfert, a dit sa voix amplifiée. Si je vois le moindre signe de désobéissance, j'ouvre le feu. En attendant ce moment, je vous souhaite une bonne journée !

Un peck ? Combien de temps ça faisait ? Une heure ? Une minute ? Une seconde ? L'oncle Press a dû lire mes pensées, car il a dit :

— Au cas où tu te poses la question, ça fait vingt minutes.

— Oh, une dernière chose, a repris la voix de Saint Dane. Bienvenue sur Cloral… Pendragon.

Argh ! Mes jambes ont failli me lâcher, ce qui, j'en suis sûr, devait être la réaction qu'espérait Saint Dane. Il savait que nous étions là. Heureusement, les autres vateurs étaient trop préoccupés pour se demander pourquoi ce pirate m'avait envoyé un message personnel. Ç'aurait été assez difficile à expliquer. Donc, au lieu de m'interroger, ils se sont mis à discuter entre eux. Une moitié était d'avis de leur donner ce qu'ils demandaient, l'autre préférait combattre. Aucune des deux alternatives n'était la bonne.

— Au moins, maintenant, nous savons ce qu'il mijote, a dit l'oncle Press d'un ton qui se voulait positif.

— Ouais, c'est ça, ai-je rétorqué. Et qu'allons-nous faire pour l'empêcher de réaliser ses projets ?

C'est alors que Spader a fait irruption dans la cabane. Il a scruté les lieux jusqu'à ce qu'il nous voie :

— Press, Pendragon, venez ! a-t-il crié.

Comme nous ne savions que faire, nous l'avons suivi. Une fois dehors, nous avons constaté que Spader s'était mis à courir. Il nous a fait traverser ces mêmes quais flottants où nous avions abordé Grallion pour la première fois. La zone était déserte. Les aquaniers devaient tous se trouver sur le pont, prêts à défendre leur habitat.

Il a couru jusqu'au bout d'un des quais et a bondi sur un skimmer. Quand nous l'avons enfin rattrapé, je lui ai crié :

— Qu'est-ce que tu fais ?

Spader a répondu tout en préparant le skimmer :

— Mon père m'a appris tout ce qu'il y a à savoir sur n'importe quel bateau sillonnant ces mers, a-t-il répondu à toute allure. Je sais tout sur ce croiseur, le *Poursuite*. On n'a pas construit beaucoup de navires de ce modèle. À l'époque, les aquaniers redoutaient encore une guerre entre habitats. Ils ont même conçu des navires capables de naviguer sous l'eau. Mais la guerre n'a pas eu lieu et les croiseurs et les sous-marins n'ont jamais servi – à part ceux que les pillards ont réussi à voler.

— Où veux-tu en venir ? a demandé l'oncle Press.

Spader s'est interrompu pour nous regarder.

— Je connais leurs points faibles. Je peux rendre leurs canons inutilisables.

— Comment ? ai-je demandé, incrédule.

– C'est facile. Il y a deux conduits sous la ligne de flottaison. C'est par là qu'ils font entrer l'eau nécessaire à la propulsion et aux canons. Si j'envoie un skimmer dans une de ces entrées, je bousillerai tout le mécanisme. Plus d'eau, plus de canons. Le bateau sera immobilisé, et nous pourrons l'arraisonner.

– Tu en as parlé à Yenza ? a demandé l'oncle Press.

– Elle n'a pas voulu m'écouter. Elle croit que j'ai pété un plomb.

– Et c'est la vérité ?

Spader a sauté de son skimmer sur le pont. Il s'est dressé face à nous et nous a parlé avec sincérité :

– Depuis que vous êtes arrivés ici, j'ai eu un pressentiment. D'abord sur toi, Press, puis de nouveau quand tu nous as ramené Pendragon. J'ai l'impression que vous êtes là pour autre chose que cueillir des fruits ; je me trompe ? Nous sommes prêts pour un tourne-boule, tous les trois, où est-ce que je fais des bulles ?

Il faut croire que Spader avait senti qu'il avait un avenir en tant que Voyageur. Il ne savait rien, ce n'était qu'une intuition, mais c'était du pareil au même. Son père devait lui avoir appris pas mal de choses afin de le préparer à ce moment, tout comme l'oncle Press l'avait fait pour moi. Je ne savais pas ce qui faisait un Voyageur, mais cela semblait commencer à se mettre en place chez Spader.

– Vous êtes avec moi ? a-t-il demandé.

– Plus que tu ne le crois, a répondu l'oncle Press. Comment comptes-tu t'y prendre ?

Spader a bondi sur son skimmer.

– Press, tu restes là. Va prévenir Yenza de ce que nous comptons faire. Quand les entrées d'eau seront coupées, j'enverrai une fusée avec ça. (Il montra un pistolet comme en ont les naufragés.) Mais uniquement lorsque le *Poursuite* sera immobilisé. Alors Yenza pourra prendre une équipe et l'aborder avant que les pillards n'aient compris ce qui se passait.

– Et moi ? ai-je demandé.

– Tu te débrouilles pas mal sous l'eau.

– Hein ! Tu veux que je vienne avec toi ? Sous ce croiseur ?

– Je te l'ai dit, il y a deux entrées d'eau. Je ne peux les atteindre toutes les deux en même temps.

J'ai regardé l'oncle Press dans l'espoir qu'il m'empêcherait de partir pour cette mission-suicide. Mais en vain.

— Tu t'en sens capable, Bobby ? a-t-il demandé.

— Ça ne sera pas sorcier, a ajouté Spader. Si nous restons sous la surface, ils ne pourront pas nous voir. Nous n'avons qu'à nous faufiler discrètement sous leur bateau, arracher les grilles des entrées d'eau et leur balancer deux skimmers. Fastoche !

En effet, à l'entendre, ça semblait facile. J'avais pas mal travaillé sous l'eau en compagnie de Spader, et j'y évoluais sans problème. En fin de compte, j'y arriverai peut-être.

— J'imagine qu'il n'y a pas de plan B ? ai-je demandé à l'oncle Press.

— Pas cette fois, à moins que tu en aies un à me proposer.

Non. Nous n'avions plus qu'à plonger.

— Attends mon signal ! a crié Spader à l'oncle Press.

— Sois prudent ! a-t-il répondu en courant vers les escaliers menant au pont.

Ouais, prudent. La bonne blague.

Spader a ouvert le coffre de son skimmer et en a tiré deux glisseurs aquatiques et deux globes respiratoires. Il m'a jeté un globe et a rangé les deux glisseurs à ses pieds, dans le poste de pilotage. Puis il a décroché la remorque afin de ne pas devoir traîner ce poids mort.

— Ces glisseurs sont assez grands pour bloquer les entrées ?

— Non, ils nous serviront à repartir ensuite.

— Alors, avec quoi allons-nous saboter ce fichu croiseur ?

Spader a sauté de son skimmer pour atterrir sur celui garé juste à côté. Il a manipulé quelques manettes et fait démarrer le moteur.

— Prends le mien, a-t-il dit.

Ce n'était pas très logique. Si nous voulions nous approcher en douce du croiseur des pillards, pourquoi prendre des skimmers ? Ils étaient rapides, mais Saint Dane ne manquerait pas de nous repérer.

Spader a enfilé son globe respiratoire, qui s'est collé à son visage. J'ai fait de même avant de sauter sur mon skimmer pour allumer le moteur. N'y tenant plus, j'ai fini par demander :

— Ils ne vont pas nous voir venir ?

Spader a désigné du doigt une manette noire sous la colonne de direction.

– Ils le pourraient… si nous étions sur l'eau.

Il a actionné la manette. Aussitôt, le skimmer a largué un déluge de bulles qui ont bouillonné à la surface. Puis l'engin s'est mis à sombrer. Spader m'a regardé en souriant. J'ai trouvé la même manette sur mon skimmer et j'ai suivi son exemple. Le résultat a été le même : l'engin s'est enfoncé dans l'eau. Apparemment, ils pouvaient aussi servir de sous-marins !

Avant que sa tête ne disparaisse sous la surface, Spader m'a demandé :

– D'où connais-tu Zy Roder ?

– C'est une longue histoire, ai-je répondu. Je te la raconterai plus tard.

– J'espère bien. Hobie-ho !

Sur ce cri de guerre, nous sommes passés sous la surface, et nous voilà partis. Spader m'avait déjà appris à manier un skimmer, et je m'y étais habitué, mais là, la situation était différente. Au lieu de me tenir debout, j'ai dû me cramponner au guidon tandis que mon corps s'élevait à la verticale, parallèlement au quai.

– Ça va ? a demandé Spader.

– Je crois.

– Alors on y va ! À fond !

Il a essoré sa poignée, a pointé le nez du skimmer vers le bas et est parti comme un boulet de canon vers le fonds. J'ai fait de même. C'était comme avec les glisseurs, sauf que ces engins étaient beaucoup plus puissants. Tout d'abord, j'y suis allé un peu fort sur la poignée et j'ai bien failli laisser échapper le skimmer. J'ai suivi Spader à allure plus modérée, mais en gardant mes distances : quand je m'approchais de trop près, son sillage secouait mon propre engin comme un avion pris dans des turbulences. Au bout de quelques minutes, j'ai fini par acquérir une bonne maîtrise de l'engin en restant loin de Spader. Maintenant, je pouvais me concentrer sur notre objectif.

Spader restait le plus près possible du fond sablonneux. C'était bien vu : plus nous étions en profondeur, moins nous avions de chances d'être repérés. Comme je vous l'ai dit, sur Cloral, l'eau est très claire. Le fond est visible jusqu'à plus de cent mètres de hauteur. J'espérai que, du haut du pont du *Poursuite*, nous passerions pour deux gros poissons.

En levant les yeux, j'ai vite distingué la silhouette du croiseur au-dessus de nous. Tout semble toujours plus grand sous l'eau, mais malgré tout, il était immense. On aurait dit un gros nuage noir cachant le soleil. Spader a immobilisé son skimmer sur le sable dans l'ombre même du monumental navire. Il a tiré de sa poche un outil ressemblant à un pied-de-biche.

– Je passe en premier, a-t-il dit. Je vais retirer les grilles qui recouvrent les entrées d'eau, puis je reviens vers toi. Prépare les glisseurs, qu'ils soient prêts à partir à mon retour.

J'ai acquiescé et levé le pouce. Je n'arrivais toujours pas à parler sous l'eau. Spader est parti à la nage vers le *Poursuite* et moi vers son skimmer pour sortir les glisseurs du coffre. Jusque-là, tout allait bien. Je n'avais pas ma montre (comme elle venait de la Seconde Terre, je n'avais pas le droit de la porter sur les autres territoires), mais le délai des vingt minutes était presque écoulé.

J'ai posé les deux glisseurs sur le sable entre nos skimmers. Spader n'a pas tardé à me rejoindre.

– C'était fastoche, a-t-il dit. Les grilles ont cédé d'un coup. Nous n'avons plus qu'à larguer nos petits cadeaux.

– Explique-moi précisément comment nous allons nous y prendre.

Spader a désigné la coque.

– Tout près de la proue, tu vas voir une grande ouverture béante. J'ai laissé le grillage accroché pour que tu ne la rates pas. Il y en a deux. Je prends celle qui est à l'autre bout de la quille. Tu n'as qu'à approcher le skimmer le plus près possible, le pointer vers l'embouchure, mettre pleins gaz et le laisser filer. Ensuite, tu me retrouves ici. Je ferai partir la fusée et nous n'aurons plus qu'à rentrer tout tranquillement sur Grallion pendant que Press et Yenza s'occupent du reste.

– Compris.

Ça n'avait pas l'air bien sorcier.

– Alors allons nous couvrir de gloire ! a ajouté Spader avant d'accélérer.

Il n'a pas filé vers la surface : il valait mieux ne pas commettre une erreur par excès de confiance. Je l'ai suivi avec le même luxe de précautions. Tout en m'approchant de la coque sombre, je n'arrêtais pas de la fixer, attendant que résonne un signal d'alarme et que les pillards braquent leurs canons à eau sur nous. Mais tant que nous restions bien cachés sous la coque, nous avions nos chances de réussir.

En quelques secondes, nous avons atteint le bateau. Les moteurs émettaient un bourdonnement régulier. J'ai jeté un coup d'œil à Spader, qui a désigné la coque. Je n'ai eu qu'à lever les yeux pour voir une ouverture ronde de deux mètres de diamètre environ à laquelle une grille restait accrochée par un de ses rivets. L'entrée d'eau n'était pas creusée dans la coque, mais perpendiculaire. La grille était assez fine pour laisser passer l'eau tout en retenant les débris. Or, maintenant qu'elle était arrachée, n'importe quoi pouvait être aspiré vers les machines. Deux skimmers, par exemple. Je commençais vraiment à croire que nous allions réussir.

À présent, Spader et moi devions partir chacun de notre côté. Il m'a tendu son pouce levé – un geste importé de la Seconde Terre qu'il m'avait piqué – et a fait glisser son appareil le long de la proue jusqu'à l'autre entrée.

C'était la partie la plus importante de l'opération. J'ai soigneusement manœuvré mon skimmer pour le braquer vers l'ouverture. Comme il y avait juste assez de place pour le faire passer, je devais faire mouche du premier coup. En plus, il ne fallait pas qu'il racle la paroi, au risque d'alerter quelqu'un. J'ai joué de l'accélérateur pour amener mon engin droit sous la coque, puis parallèlement à celle-ci jusqu'à l'entrée d'eau. Ça n'a pas été de la tarte, mais j'ai fini par introduire le skimmer tout entier dans l'ouverture. Le plus dur était fait. J'y étais presque. Je n'avais plus qu'à mettre les gaz.

Mais je n'en ai jamais eu l'occasion.

Parce que soudain, le navire s'est ébranlé. Les moteurs qui tournaient au ralenti se sont mis à rugir. J'imagine que les vingt minutes étaient écoulées. Les pillards se préparaient à tirer sur Grallion. Le bruit est devenu assourdissant, mais ce n'était pas ça le pire. J'ai senti un grand courant d'eau et j'ai réalisé avec horreur que j'étais aspiré par l'entrée d'eau ! Le *Poursuite* avait besoin de puissance et de munitions – et j'étais à sa portée ! Je ne pouvais résister à la force du courant, et je n'avais rien à quoi me raccrocher. J'étais fichu. Dans quelques secondes, je serais réduit en purée.

C'est alors qu'il s'est passé quelque chose que je ne peux toujours pas expliquer. Même maintenant, lorsque j'y repense, je n'y comprends rien. J'ai eu l'impression qu'on me prenait par la main pour m'entraîner loin en arrière, assez pour que je puisse m'accrocher au rebord du conduit. Je me suis cramponné de toutes mes forces et j'ai lutté pour ramener mon autre main jusqu'au rebord. J'ai levé les yeux en m'attendant à voir Spader, mais il n'était pas là. Celui qui m'avait sauvé, qui soit-il, était parti.

Sauvé, disais-je ? J'en étais encore loin. Je me suis cramponné du bout des doigts. Mon corps était toujours engagé dans le tube menant dans les entrailles du vaisseau. Le courant s'est fait encore plus puissant. Je n'avais pas la force de m'extirper du conduit. J'ai battu des pieds dans l'espoir de trouver un appui quelconque, mais les parois du tube étaient lisses. Je savais que je ne tiendrais plus longtemps.

C'est alors qu'une idée m'est venue. Les machines m'attiraient moi, mais aussi mon skimmer ! Il y avait encore de l'espoir ! Si je pouvais tenir encore un peu, le skimmer finirait par heurter le moteur et le mettrait en pièces, conformément au plan. Ce n'était qu'une question de temps. Oui, mais combien ? Quelle torture ! Seuls mes doigts m'empêchaient de finir en hamburger. J'ai vu le skimmer passer devant moi pour s'enfoncer lentement dans les profondeurs du vaisseau. Trop lentement. Je ne tiendrais plus longtemps. Le courant est devenu encore plus fort, aspirant le skimmer. Mais du coup, j'avais encore plus de mal à m'accrocher. J'ai poussé un grand cri. Pourquoi pas ? Personne ne pouvait m'entendre par-dessus le rugissement des moteurs.

Mes doigts étaient tout engourdis. Mon compte était bon. Comme une bête affamée, la pompe a fini par remporter la bataille. J'ai lâché prise. J'ai foncé vers les entrailles du vaisseau en sachant qu'il ne me restait plus que quelques secondes à vivre. Tout ce que je pouvais espérer, c'était que ma mort fût rapide.

C'est alors que j'ai entendu un horrible grincement de métal tordu, et le courant s'est brutalement interrompu. Le skimmer avait démantibulé les machines ! Le plan de Spader avait fonctionné. Aussitôt, j'ai battu des palmes pour sortir le plus vite possible de ce trou. J'ai jailli dans l'océan et foncé vers le fond de toutes les forces de mes jambes.

Spader était déjà là, à m'attendre. J'étais hors d'haleine et je devais avoir l'air aussi terrifié que je l'étais réellement.

– Qu'est-ce qui t'a retardé ? a-t-il demandé, très calme.

J'ai eu envie de crier que j'avais bien failli être aspiré dans le moteur, mais je me suis dit que j'aurais tout le temps de lui expliquer plus tard.

– Tu as réussi ?

– Bien sûr, a-t-il répondu avec confiance.

– Alors envoie ta fusée !

Il a braqué son pistolet vers le haut et a actionné la détente. Un point de lumière éblouissante a filé vers la surface, suivi par une traîne lumineuse. J'ai levé les yeux : la fusée venait de jaillir de l'eau pour s'élever dans le ciel. Nous avions réussi. Nous avions porté un coup fatal à Saint Dane et au *Poursuite*, et permis à Yenza et aux aquaniers de défendre Grallion.

Mais ce n'était pas fini pour autant.

Quelques secondes plus tard, quatre plongeurs sont apparus. Ils se sont aussitôt dirigés vers nous. Inutile de s'appeler Einstein pour en conclure que les pillards avaient vu la fusée, eux aussi.

– Oh, misère, a dit Spader. Je n'avais pas prévu ça.

– Nous ne pouvons pas retourner sur Grallion, ai-je dit. Sinon, ils nous retrouveront.

– Dans ce cas, ils peuvent toujours essayer de nous rattraper, a répondu Spader tout en s'emparant de son glisseur.

Nous avons activé nos véhicules et sommes partis le long des fonds marins, vers… où ? Je n'en avais pas la moindre idée. Nous sommes passés à quelques centimètres des formations de corail. Heureusement que Spader et moi avions pas mal traîné sous l'eau, me donnant l'expérience nécessaire pour manier mon glisseur. Sans ralentir, j'ai regardé derrière moi pour constater que les quatre pillards s'étaient lancés à nos trousses. Eux aussi étaient équipés de glisseurs. Je me suis demandé si Saint Dane était parmi eux.

Alors qu'on fonçait au fond de l'Océan, quelque chose a attiré mon attention. Sur notre droite, une forme nous suivait en silence. Je n'en ai pas vu davantage, car quoi que ça ait pu être, ça a plongé sous le corail. Mais le peu que j'ai distingué m'a laissé perplexe. C'était beaucoup trop rapide pour être un humain. Ce pouvait être un grand poisson, ou un quig, mais ceux-ci étaient noirs et gris tandis que cette chose était du même vert que l'eau. Étrange.

– Le varech ! a crié Spader.

J'ai oublié ma vision pour regarder devant moi, jusqu'à la masse de plantes rouges croissant sur le récif de corail pour monter jusqu'à la surface. Si nous pouvions atteindre cette jungle marine, nous aurions une chance de semer les pillards.

– Reste près de moi, a ordonné Spader. Une fois là-dedans, il ne faut pas qu'on se perde.

Nous sommes entrés dans la jungle de varech sans même ralentir. Les feuilles gluantes nous ont frappé tout le corps. Imaginez que vous couriez à toute allure dans un champ de maïs et vous aurez une idée de la sensation. Un instant, j'ai cru que nous étions tirés d'affaire, mais ça n'a pas duré bien longtemps. Une seconde plus tard, nous ressortions de l'autre côté. Pas de bol : la forêt n'était pas assez vaste pour que nous puissions nous y cacher. Nous devions continuer notre course folle.

C'est alors que c'est arrivé. Ce n'était qu'un vague mouvement. Tout d'abord, je n'ai même pas pu l'identifier, puis la réalité m'a frappé. C'était mon anneau. Il se réchauffait et la pierre grise s'était mise à luire – ce qui voulait dire que nous nous rapprochions de la porte. J'ai regardé droit devant moi pour voir la formation rocheuse et reconnaître l'endroit où le quig avait bien failli nous dévorer tout crus. J'ai immédiatement compris que c'était notre seule chance. Un jour où l'autre, il faudrait bien révéler à Spader qu'il était un Voyageur, et c'était le moment où jamais – surtout si nous pouvions en profiter pour sauver notre peau.

– Suis-moi ! ai-je crié à Spader avant de changer de direction et de me diriger vers la formation rocheuse.

Spader m'a suivi sans poser de questions. L'idée de croiser un quig m'est bien passée par la tête, mais à ce moment précis, c'était le dernier de mes soucis. Nous allions nous glisser sous l'avancée rocheuse lorsque Spader m'a crié :

– Stop !

J'ai obéi. Il a glissé jusqu'à moi.

– Ce n'est pas une bonne idée. Une fois là-dessous, nous serons pris au piège.

J'ai regardé la forêt. Nos quatre poursuivants en ont jailli comme un seul homme pour se diriger vers nous.

– Est-ce que tu me fais confiance ?

– Bien sûr, vieux frère, mais…

– Alors suis-moi !

J'ai mis les gaz à fond et foncé sous l'avancée. Un bref coup d'œil en arrière m'a confirmé que Spader avait fait de même. Pour une fois, je prenais la direction des opérations, et il avait assez confiance en moi pour suivre le mouvement. Maintenant, c'était à moi d'assurer.

Le plafond de pierre m'avait l'air différent, mais c'était parce que la dernière fois j'allais dans la direction opposée. Ce n'était pas non plus une raison pour se perdre. Il fallait que je trouve cette porte. Les pillards étaient déjà passés sous l'avancée et nous talonnaient. Ils n'avaient qu'à suivre les bulles que nous laissions derrière nous pour nous filer. Il fallait absolument que je trouve la porte avant de tomber dans un cul-de-sac.

J'ai commencé à paniquer. J'étais perdu. Je ne savais plus où était la porte. Cette caverne était énorme. Nous pouvions la parcourir pendant des heures sans retrouver notre chemin. Je nous avais attirés dans un piège. Qu'est-ce qui m'avait pris ? Bon, il fallait que je me calme et que je réfléchisse. Où était-elle ?

J'ai aussitôt eu la réponse à ma question. J'étais si fébrile que je n'arrivais pas à penser clairement. Il y avait une façon très simple de retrouver la porte. Je n'avais qu'à suivre les indications de mon anneau. J'ai tendu la main droit devant moi pour constater que, selon la direction où je la braquais, la pierre brillait

137

plus ou moins. J'ai soigneusement évalué la direction qu'elle m'indiquait. C'était comme de regarder un compas. Je suis parti par là et, quelques secondes plus tard, je l'ai vu. Le trou circulaire dans le plafond n'était qu'à quelques mètres de nous. J'ai braqué mon glisseur dans cette direction et j'ai foncé.

Une pensée fugitive m'a traversé l'esprit. Ce n'était peut-être pas une bonne idée de mener les pillards à la porte du flume. Puis je me suis dit que ça n'avait aucune importance. Si c'était bien Saint Dane qui nous poursuivait, il connaissait déjà l'emplacement de cette porte. Et si ce n'était pas lui, comme elle ne fonctionnait que pour les Voyageurs, les pillards ne sauraient que faire. Non, c'était bien la bonne solution.

Une fois à l'intérieur de la caverne, j'ai crevé la surface et j'ai regardé autour de moi. Elle était telle que nous l'avions laissée. Spader a émergé à son tour et parcouru ce décor avec des yeux émerveillés.

— Hobie, vieux frère ! Comment savais-tu ce qu'il y avait sous ce caillou ?

J'ai retiré mon globe respiratoire et l'ai jeté sur la corniche, suivi de mon glisseur. Je n'avais pas le temps de tout expliquer à Spader. Les pillards pouvaient débarquer d'un instant à l'autre. Je lui ai donc arraché son globe et son glisseur qui sont restés là, à flotter au milieu du bassin.

— J'espère qu'il y a une autre sortie, a-t-il dit.

En fait, j'ai carrément éclaté de rire.

— Spader, tu n'as pas idée… Mais bientôt, tu sauras tout.

J'ai regardé l'ouverture du flume. Je tablais sur le fait que nous n'aurions pas à escalader le mur de pierre. Et de toute façon, nous n'en avions pas le temps.

— Encore une fois : as-tu confiance en moi ?

— Bien sûr, vieux frère, mais j'espère que tu as une idée derrière la tête, ou nous sommes mal barrés…

— Zadaa ! ai-je crié.

Et le flume s'est animé. J'ai vu briller la lumière familière et entendu déferler des notes de musique qui ne l'étaient pas moins. Spader a levé les yeux.

— Hobie, Pendragon ! a-t-il dit d'une voix basse. Rappelle-moi, d'où tu viens exactement ?

Tout autour de nous, l'eau s'est mise à tourbillonner. La lumière venant du flume est devenue de plus en plus brillante et nous a extirpés des eaux de Cloral.

Une seconde plus tard, nous étions en chemin pour rendre une petite visite à Loor.

Fin du journal n° 6

SECONDE TERRE

– Pourquoi est-il parti pour Zadaa ? s'indigna Courtney. Pourquoi n'a-t-il pas emmené Spader sur la Seconde Terre ? C'est chez lui, après tout.

Mark connaissait la réponse : Loor était une Voyageuse. Lorsque viendrait le moment des explications, elle pourrait aider Bobby. Sur Cloral, la situation commençait à tourner au vinaigre et, dans un cas pareil, Loor était exactement le genre de personne qu'on voulait avoir à ses côtés. Courtney devait le comprendre, mais la jalousie qu'elle ressentait envers Loor l'empêchait de raisonner sainement. Et ce n'était pas Mark qui prendrait le risque de lui dire le fond de sa pensée – pas de danger.

Courtney se leva et jeta les pages à Mark d'un geste colérique.

– Eh bien, si Bobby Pendragon pense que sa nouvelle amie peut lui être plus utile que nous, grand bien lui fasse ! Je lui souhaite bonne chance.

– Arrête, Courtney, répondit Mark d'une voix douce. Il a bien agi, et tu le sais.

Courtney le regarda comme si elle voulait le contredire, puis y renonça. Mark avait raison, elle ne pouvait le nier. Elle fit la moue :

– Oui, ben, si tu le dis.

Mark se retrouvait face à un véritable dilemme. Il devait parler d'Andy Mitchell à Courtney. Il avait fait une bêtise en oubliant la feuille dans les toilettes, et maintenant Andy était au courant de tout.

– Je suis désolée, Mark, fit-elle d'un ton radouci. Tu as raison. Depuis le début, tu as tout le temps raison. Au moins, il y en a un de nous deux qui garde la tête froide. Remarque, on sait désormais pourquoi ces feuilles sont différentes des autres. Parce qu'il a écrit son récit sur Zadaa et pas sur Cloral, hein ?

Mark avait envie de hurler. Courtney Chetwynde voyait en lui la tête pensante de leur duo, mais à cet instant il n'avait pas l'impression de mériter sa confiance. Car c'était ça : elle comptait sur lui et écoutait ses conseils. C'était la seule personne qui le fasse, à part peut-être Bobby. Et maintenant, il devait lui avouer qu'il avait fait une ânerie monumentale.

Courtney dut sentir que quelque chose n'allait pas :

– Ça va ? demanda-t-elle.

– Oui, tout b-b-baigne. Je m'inquiète pour Bobby, c'est tout.

– Tu ferais bien de ramener ce carnet chez toi avant qu'il ne lui arrive encore quelque chose.

Mark regarda Courtney, lut dans ses yeux gris la confiance qu'elle lui portait, et prit alors une décision. Il ne pouvait pas lui parler d'Andy Mitchell. Du moins pas encore. Il préférait tenter de résoudre la question tout seul plutôt que de perdre cette précieuse confiance. C'était son problème et il n'avait qu'à se débrouiller.

Ainsi, il rassembla les feuilles du journal n° 6, les remit dans son sac et rentra chez lui. Normalement, lorsqu'il avait fini de lire un carnet, Mark le mettait dans l'endroit le plus sûr qu'il connaisse – un ancien bureau rangé dans son grenier. Cela faisait trois ans que ses parents n'étaient pas montés là-haut, et il était le seul à avoir la clé. Par précaution, il la portait à son cou, accrochée à une chaîne. Et à peine avaient-ils terminé leur lecture qu'il mettait les feuilles dans le bureau. On n'est jamais trop prudent.

Mais ce soir, tout était différent. Mark monta au grenier et déverrouilla le tiroir du bureau. Il y posa le journal n° 6 à côté des rouleaux de parchemin que Bobby lui avait envoyés de Denduron. Mais au lieu de refermer le tiroir, il prit le journal n° 5 – celui dont Andy Mitchell avait lu la première page et dont il réclamait la suite. Pourvu que Mitchell s'en contente. Il finirait peut-être par conclure que ce n'était qu'un conte débile et par s'en désintéresser. Ce serait la meilleure solution.

Il passa une nuit blanche, se torturant la cervelle pour chercher comment se tirer de ce mauvais pas. Il ne voyait pas d'inconvénient à partager ces journaux avec Courtney : c'était aussi une amie de Bobby. Il pouvait lui faire confiance. Mais Andy Mitchell était un idiot fini. Pire, un idiot doublé d'une brute épaisse. Dieu sait ce qu'il pourrait faire de ce qu'il allait apprendre dans ces carnets. Et pourtant, malgré tous ses efforts, Mark n'arrivait pas à trouver une porte de sortie. Il n'avait pas le choix : demain, il lui faudrait montrer ces carnets à Mitchell.

Le lendemain, à l'école, Mark fit de son mieux pour éviter Mitchell. Il se cramponnait à l'espoir que ce balourd ait tout oublié de cette histoire de carnets. Il réussit à passer toute la journée sans le croiser. Il commençait à reprendre espoir. Peut-être que Mitchell se désintéressait déjà de lui et ne s'était même pas donné la peine de venir à l'école. Tout était peut-être déjà terminé.

Il se trompait. À peine était-il sorti de son dernier cours de la journée qu'une main se posa rudement sur son épaule.

– C'est l'heure de faire tes devoirs, hein, Dimond ? gloussa Mitchell.

Mark sentit son moral tomber dans ses chaussettes. Mitchell n'avait rien oublié du tout. Il était temps de pactiser avec le diable. Mark se dégagea et dit :

– Allons-y.

Mitchell se rengorgea. Mark en avait la chair de poule, mais il ne pouvait pas se défiler. Il l'emmena donc dans les toilettes du troisième étage, là où personne ne les dérangerait – et surtout pas Courtney. Après sa rencontre avec M. Dorrico, ils avaient décidé de choisir un autre endroit pour lire les journaux. Mark et Mitchell seraient donc tranquilles. Il était rongé de culpabilité, mais n'avait pas le choix.

Une fois arrivé, Mitchell tendit la main. Mark le dévisagea. Mitchell se racla la gorge et cracha un énorme mollard dans un des urinoirs. Mark avait envie de vomir. L'idée d'éviter Mitchell et de courir loin d'ici lui traversa l'esprit, mais cela n'aurait servi à rien. Non, il n'avait pas le choix. À contrecœur, il tira de son sac le rouleau de feuilles vertes qui contenait le journal n° 5.

Mitchell tendit la main pour s'en emparer, mais Mark le mit hors de portée.

– Tu le lis ici même et tu me le rends dès que tu as terminé.

Mitchell n'avait pas l'habitude de se voir donner des ordres, surtout par un minable comme Mark Dimond. Mais à l'intensité de son regard, il comprit que Mark ne plaisantait pas. Mitchell renifla et renâcla.

– Si ça t'amuse, fit-il en s'emparant des feuilles. J'vais le lire là-dedans, ajouta-t-il en se dirigeant vers l'un des W.C.

– Tu restes dans cette pièce, là où je peux te voir, commanda Mark.

Si Mitchell n'était pas encore persuadé de l'importance de ces documents, il l'était désormais. Mark ne lui permettrait pas de prendre le contrôle de la situation. Et s'il ne faisait pas exactement ce que Mark lui disait, ce dernier était prêt à s'emparer des feuilles et à s'enfuir, quitte à devoir s'expliquer avec la police.

Mitchell préféra obéir et eut un de ses reniflements vulgaire qui faisaient son charme particulier.

– C'est bon, te prends pas la tête, fit-il en haussant les épaules. J'les lirai où tu veux.

Sur ce, Mitchell marcha vers le mur, s'y adossa et se laissa lourdement tomber en position assise. Il eut un dernier reniflement avant d'entamer sa lecture.

Mark ne bougea pas. Il resta là, à hauteur des lavabos, à fixer Mitchell. Il ne s'était jamais senti aussi déprimé. Il avait de plus en plus l'impression de trahir Bobby. Son malaise s'accentuait à chaque seconde.

Mitchell mit une éternité à lire le journal. Comme ce n'était pas vraiment une lumière, il ne cessait de s'interrompre pour demander à Mark la signification de certains mots. Mark levait les yeux en l'air avant de lui expliquer ce que signifiait « submerger » ou « érosion ». Pire encore, lorsqu'il en vint à des termes typiques de Cloral, comme « vateur » ou « peck », son ignorance crasse lui donna envie de hurler. Mark commençait à prendre en pitié les professeurs qui avaient la malchance de se coltiner des boulets tels qu'Andy Mitchell. Il se demanda qui avait eu la patience de lui apprendre à lacer ses chaussures.

Enfin, Mitchell termina le journal et leva les yeux vers Mark. C'était le moment de vérité. Sa première réaction serait cruciale.

Mitchell dévisagea Mark un long moment comme s'il rassemblait ses esprits. Vu la haute portée de son cerveau, une telle tâche aurait dû prendre moins d'une nanoseconde, mais non. Mitchell renifla et se mit à rire.

– Tu penses vraiment que je vais te croire ? fit-il avec un rictus moqueur. Tu as inventé toute cette histoire !

Mark ne réagit pas. Il se contenta de fixer Mitchell. En fait, peu lui importait que ce crétin croie ou non en l'authenticité des récits. Mais en croisant le regard de Mitchell, il comprit aussitôt qu'il avait eu tort de rester impassible. S'il s'était défendu en disant : « Je n'ai rien inventé ! » ou « C'est la vérité, je te le jure ! », Mitchell en aurait conclu qu'il n'était qu'un minable un peu trop imaginatif, et tout aurait été terminé. Mais en ne réagissant pas du tout, il lui avait donné l'impression inverse. Son silence avait convaincu Mitchell que ce journal racontait bien la vérité. Mark aurait bien aimé avoir une seconde chance. Hélas, il était trop tard.

Mitchell se leva lentement. Avant qu'il ait pu reprendre son équilibre, Mark lui arracha les feuilles du journal.

– Hé là ! râla Mitchell.

– Alors, tu as fini ? répondit Mark en roulant les feuilles.

– Fini ? répéta Mitchell en riant. Ce n'est qu'un début ! Je veux lire celui qui est arrivé ici même hier. Je ne suis pas si bête, Dimond. Je l'ai vu. Les feuilles étaient brunes et pas vertes comme celles-ci. Tu as reçu un autre courrier de Pendragon, et je le veux aussi.

– P-p-pas question ! J'ai accepté de te laisser lire le reste de...

Mitchell se jeta sur Mark, empoigna le devant de sa chemise, le fit pivoter et l'envoya cogner le mur des toilettes, si fort que le choc lui coupa le souffle. Mark faillit bien tomber dans les pommes. Mais Mitchell n'abandonna pas la partie. Il approcha son visage de celui de Mark et éructa :

– Arrête de me dire ce que je dois faire, espèce de taré. Tu veux te battre ? Je vais t'aplatir comme un paillasson !

Mark doutait que ce soit possible, mais il préféra garder ses réflexions pour lui.

– Maintenant, écoute-moi. Ne va pas dire à Courtney que je suis au courant. Sinon, j'irai tout droit à la police, et ils vous mettront sur le gril tous les deux. Compris ?

– Mais...

Mitchell projeta à nouveau Mark contre le mur. Cette fois, son crâne heurta la brique.

– Compris ?

– Oui, c'est compris.

– On a mis la main sur quelque chose d'énorme ! Ce petit malin de Pendragon va nous rendre célèbres !

Mark était horrifié. Cet idiot du village tirait déjà des plans sur la comète. Il voulait rendre publics ces carnets ! C'était pire que tout ce qu'il aurait pu imaginer.

– Et je veux voir la suite, ordonna-t-il.

Sur ce, il repoussa Mark et se dirigea vers la porte des toilettes. Il eut un dernier reniflement, l'ouvrit d'un coup de pied et s'en alla.

Mark se laissa tomber contre le sol, blessé moralement et physiquement. Il avait tout fait foirer de la plus lamentable des façons. Désormais, il était à la botte de Mitchell. Pire encore, s'il en parlait à Courtney, Mitchell ferait en sorte que la police apprenne toute l'histoire. Il n'avait personne pour l'aider. Il avait voulu prendre les choses en main, et voilà le résultat ! Il avait failli à Bobby, à Courtney et à lui-même.

C'est alors que, comme pour l'achever, son anneau frémit. Dans le temps, cette sensation engendrait toujours une pointe d'excitation, car cela signifiait qu'il allait recevoir des nouvelles de son meilleur ami. Mais aujourd'hui, cela voulait dire qu'il aurait un nouveau journal à montrer à Andy Mitchell. D'autres termes à expliquer à cet imbécile. Une autre preuve de son échec.

Mark retira l'anneau et le posa sur le sol. Puis il roula sur lui-même et lui tourna le dos. Il savait ce qui allait se passer. Il n'avait pas besoin de le voir. Il ferma les yeux et murmura doucement :

– Je suis désolé, Bobby. Mais je vais tout arranger, je te le jure.

Lorsqu'il se retourna, l'anneau gisait à l'endroit où il l'avait abandonné. À côté d'un nouveau journal.

Journal n° 7

ZADAA

J'ai vu des choses que je n'aurais jamais crues possibles, et la plupart d'entre elles n'avaient rien d'agréable.

Depuis la dernière fois où je vous ai écrit, les choses ont été de mal en pis, et c'est à moi de rattraper tout ça. Et le pire, c'est que je ne sais même pas pourquoi. Je n'en ai pas la moindre idée et surtout... je crève de trouille. Pas seulement vu ce qui pourrait m'arriver, mais pour le territoire de Cloral dans son ensemble. Je ne sais pas qui a eu l'idée géniale de faire de moi un Voyageur, mais il doit regretter de ne pas pouvoir revenir sur sa décision. Au cas où je ne l'aurais pas précisé, je crève de trouille !

J'écris ce journal dans un endroit à la fois extraordinaire et effrayant. Quand je revois les événements qui m'y ont amené, je ne peux pas m'empêcher de me demander comment tout ça va finir. À chaque fois que je crois prendre les choses en main, la donne change du tout au tout. Je croyais que plus rien ne pouvait me surprendre, et pourtant c'est le cas.

Une fois de plus, nous sommes sur le point de livrer bataille. Je ne veux pas faire du mélo, mais si les choses tournent mal, ce sera peut-être mon dernier journal. Je ne veux pas vous faire peur, enfin, bon, peut-être un petit peu. Et pourquoi pas ? Le but de ces carnets est bien de vous tenir au courant de ce qui se passe, non ?

Mais je m'égare. J'ai beaucoup à raconter et j'ai tout mon temps. Mon dernier journal se terminait au moment où Spader et moi prenions le flume qui nous mènerait sur Zadaa. Le voyage en lui-même s'est déroulé comme d'habitude, sauf que, cette fois-ci, je n'étais pas seul. Spader et moi avons cheminé côte à côte.

C'était son premier passage dans un flume, et je ne savais pas trop comment il allait réagir. Tout d'abord, il a été assez crispé, comme on s'en doute, mais quand je lui ai assuré que tout allait bien et qu'il n'avait qu'à profiter du voyage, il s'est contenté de croiser les bras et de regarder droit devant lui. Nous avons volé ainsi pendant quelques minutes, et j'ai constaté qu'il commençait à se détendre. Quand il sillonnait l'Océan, il était passé par des situations autrement plus périlleuses que celle-là. Peut-être pas aussi bizarres, mais certainement plus dangereuses.

— Qu'est-ce que c'est, Pendragon ? a-t-il fini par me demander.

Visiblement, il luttait de toutes ses forces pour garder son calme.

— Ça s'appelle un flume, ai-je répondu. On va voir une amie à moi.

— Où ça ? Sur ton habitat d'origine ?

— Non, dans un endroit du nom de Zadaa. Elle m'aidera à t'expliquer ce qui se passe.

Il a acquiescé comme pour dire : « D'accord. J'attendrai que nous soyons arrivés pour te poser les huit cents millions de questions qui me trottent dans la tête. » Mais il m'en a tout de même posé une dernière :

— Pendragon, on est en sécurité ?

Comment répondre à une question pareille ? Cela faisait bien longtemps que je me considérais en danger à chaque heure du jour ou de la nuit. Mais je ne pouvais pas le lui dire. J'ai décidé d'ignorer les implications cosmiques de tout ça et de me contenter de l'instant présent.

— Oui, ai-je répondu. Ce flume est sans danger, je te l'assure.

Un peu plus tard, nous sommes arrivés à destination. Le flume nous a déposés dans une grande caverne. Étonnant, non ? Spader a regardé l'embouchure du flume, désormais inerte, en ouvrant de grands yeux.

— Ne t'en fais pas, il fonctionne dans les deux sens. Il nous ramènera sur Cloral.

— Tu veux dire que nous ne sommes plus sur Cloral ? a-t-il demandé, choqué.

Oh, là là, j'avais tant de choses à lui apprendre, et je ne savais même pas par où commencer !

– Allons trouver mon amie, ai-je dit. Ensuite, nous tenterons de répondre à tes questions.

Tenter était bien le mot. J'étais loin de pouvoir tout lui expliquer. Quand il finirait par me demander ce que tout ça signifiait, je serais bien en peine de lui répondre. Il fallait retrouver Loor le plus vite possible.

J'ai regardé autour de moi. Un amas de vêtements était posé sur le sol de la caverne. Un examen succinct m'a appris qu'il s'agissait de robes blanches en tissu léger comme ces toges que portent les habitants de la Rome antique dans les films.

– Nous devons les mettre, ai-je dit à Spader. Ce sont les vêtements des gens du coin.

Spader n'a pas posé de questions. Nous avons retiré nos habits de Cloral, mais gardé nos caleçons. Techniquement parlant, c'était contraire au règlement, mais je n'allais pas jouer les grands chefs. Il y avait aussi des sandales de cuir, une paire par personne. Pendant que nous nous habillions, j'ai espéré que Spader ne me demanderait pas comment ces vêtements étaient arrivés là, parce que je n'aurais pas de réponse valable à lui fournir. J'imagine que ces mystérieux acolytes dont l'oncle Press m'avait parlé les avaient laissés là, mais je n'en savais pas plus. Heureusement, il n'a rien demandé.

Alors que nous posions nos vêtements de Cloral sur le sol, j'ai remarqué quelque chose qui m'a arraché un sourire. Il y avait une autre pile de vêtements. Une salopette en jean, un chemisier rose et des bottes Doc Martens – ce que portait Loor lorsqu'elle était venue sur la Seconde Terre. Cette vision m'a redonné confiance : pas de doute, Loor était bien là. Encore fallait-il la trouver. Jusqu'alors, c'était l'oncle Press qui me servait de guide. À présent, je devais me débrouiller seul. J'ai eu beau parcourir la caverne des yeux, même en faisant un tour sur moi-même, je n'ai pas vu la moindre ouverture. Nous étions cernés de murs de pierre brune sablonneuse. Mais c'était impossible ! Il y avait forcément une sortie. Puis, alors que je commençais à paniquer, j'ai vu des prises pour les pieds et les mains gravées à même la roche et montant vers le plafond. J'ai levé les yeux. Ces prises menaient vers une fissure sombre. La sortie.

J'ai eu envie de pousser des cris de Siou, mais il valait mieux se la jouer cool. Que je le veuille ou non, c'était à moi de prendre la situation en main, et je voulais montrer à Spader que je pouvais assurer, même si c'était loin d'être le cas. Donc, sans un mot de plus, je me suis mis à escalader la paroi. Un brin de varappe plus tard et je suis entré dans la crevasse. Je me suis retrouvé dans un étroit espace au milieu de la roche. Je savais que c'était le chemin de la sortie, ce qui m'a empêché de paniquer. Après quelques secondes, je me suis cassé le nez sur un cul-de-sac. Le nez, ou plutôt le crâne. Aïe. D'abord, je me suis dit que nous étions pris au piège, puis j'ai constaté que ma tête n'était pas aussi douloureuse que si j'avais bel et bien heurté un mur de pierre. J'ai tendu la main pour constater que je ne me trompais pas. Le plafond n'était pas composé de roche, mais de bois. En poussant un peu, j'ai compris qu'il s'agissait d'une trappe. C'était notre porte de sortie !

Je me suis hissé par la trappe, suivi par Spader, puis j'ai refermé la trappe. Sur le bois, j'ai remarqué le symbole familier en forme d'étoile qui signalait la présence d'une porte.

Jusque-là, rien d'inhabituel.

Nous nous sommes retrouvés dans ce qui semblait être un petit entrepôt. Les parois étaient faites de la même pierre sablonneuse que la caverne et il y avait de grandes caisses remplies de ce qui ressemblait à des pièces métalliques destinées à Dieu sait quelles machineries. Le plancher était couvert de sable : en temps normal, la trappe devait être dissimulée dessous. Je me suis donc empressé de la recouvrir.

Spader m'a regardé faire sans rien dire. J'imagine qu'il tentait d'assimiler toutes ces informations nouvelles. Plus tard viendraient les questions.

– Bien, ai-je dit, allons chercher Loor.

À l'autre bout de l'entrepôt, il y avait une porte de bois. J'allais l'ouvrir quand j'ai réalisé que je n'avais pas la moindre idée de ce qui nous attendait sur Zadaa. Tout ce que je savais, c'est que Loor était une guerrière. De toute évidence, ça signifiait que Zadaa n'était pas vraiment une société futuriste. Pourvu que ce ne soit pas une sorte de Far West où il fallait constamment défendre sa peau. Ce serait bien ma veine.

À peine avons-nous ouvert la porte que nous avons entendu un bruit sourd et régulier, comme un rugissement ininterrompu.

– C'est de l'eau, a dit Spader.

C'était exactement ça. Ce bruit évoquait un torrent furieux. Mais vu sa force, ce devait plutôt être les chutes du Niagara. Nous avons quitté l'entrepôt pour parcourir un véritable labyrinthe de tunnels creusés à même la roche. Ça m'a rappelé les mines de Denduron, mais ces passages étaient plutôt d'étroits couloirs que de vastes puits de mine. Les parois étaient percées de nombreuses autres portes de bois, mais nous n'avons pas pris la peine de regarder à l'intérieur. Nous n'étions pas en mission d'exploration : nous voulions sortir d'ici et partir à la recherche de Loor.

Plus nous avancions dans le couloir, plus le rugissement se faisait sonore. Nous avons enfin gagné l'entrée du tunnel pour découvrir un spectacle prodigieux. Nous étions sur la rive d'une rivière souterraine. Celle-ci faisait bien vingt mètres de large et le courant était très rapide. La caverne dans laquelle nous venions de déboucher était immense, avec un plafond très haut. Sur notre gauche, à cinquante mètres en aval, la rivière se séparait en trois affluents plus petits qui, chacun, disparaissait dans un autre tunnel.

En amont, il y avait une cascade jaillissant d'un trou creusé dans la roche pour s'abattre dans la rivière, huit bons mètres plus bas. Post-It mental : ne pas tomber là-dedans. Le courant était si rapide qu'il était impossible de nager. Et Dieu sait où pouvaient déboucher les trois affluents.

– Que faites-vous là ? a fait une voix sévère.

Nous nous sommes retournés d'un bond pour voir un homme vêtu d'une de ces robes blanches que nous portions aussi. Il était petit et coiffé d'un chapeau gris circulaire ressemblant à une casquette sans visière, mais rigide comme un casque de chantier. Il tenait dans ses bras une liasse de papiers roulés qui ressemblaient à des plans. Il était sorti du même couloir que nous, ce qui veut dire qu'il avait franchi une des portes que nous avions négligé. Il avait la peau claire, ce qui m'a étonné, car Loor et Osa, sa mère, étaient carrément noires.

— Je ne vous ai jamais vus par ici, a-t-il continué d'un air soup-çonneux. Que voulez-vous ?

Il semblait pressé et agité, comme si notre apparition inat-tendue perturbait son emploi du temps. Je ne savais pas comment expliquer notre présence, sinon en lui disant la vérité, du moins en partie.

— Heu, nous cherchons une amie à moi, ai-je dit. Elle s'appelle Loor.

Il a écarquillé les yeux. Ce n'était apparemment pas la bonne réponse.

— Loor ? a-t-il répété, surpris. C'est un nom batu. Et pourquoi viendriez-vous chercher une femme batue ici ?

Bonne question. Manque de bol, je n'avais pas de réponse valable à lui fournir. Tant pis pour la vérité. Il était temps de mentir.

— Elle, heu m'a dit qu'elle pourrait descendre par ici.

— Ridicule ! a rétorqué l'inconnu. Pas un Batu ne voudrait rater cette espèce de tournoi barbare. Si elle vous a dit qu'elle allait descendre en bas, elle vous a raconté des histoires. Mais ces gens-là sont tous des menteurs, non ?

Et sur ce, il s'en est allé d'un pas pressé, enserrant ses rouleaux de papier. Spader m'a touché l'épaule. À voir son expression, il ne savait plus où il en était. Bienvenue au club.

— Qu'est-ce qu'il a dit ?

— Tu l'as entendu comme moi, ai-je répondu. Loor n'est pas ici.

— Mais comment as-tu pu le comprendre ? Il parlait en charabia.

D'abord, je n'ai pas compris ce que Spader voulait dire, puis la réalité m'est apparue. Il était nouveau dans le métier de Voya-geur. Il n'était pas encore arrivé au stade où on peut comprendre toutes les langues.

— C'est une longue histoire, ai-je répondu avant de me lancer à la poursuite de l'homme aux rouleaux.

Spader m'a suivi consciencieusement. J'ai rattrapé l'inconnu et ai marché à ses côtés.

— J'ai honte de l'avouer, mais mon ami et moi sommes perdus. Vous savez, ces couloirs se ressemblent tous. Pourriez-vous nous indiquer le chemin de la surface ?

L'homme m'a jeté un regard lourd de suspicion. C'était un instant crucial. S'il commençait à se demander qui étaient ces drôles de touristes, ce serait la fin des haricots.

– Vous travaillez dans le secteur des manufactures, non ?

– Heuuu, oui ! Les manufactures. C'est là qu'on nous emploie.

– Je vais vous donner un conseil. Ne vous liez pas d'amitié avec un Batu. On ne peut pas se fier à ces gens-là.

– Oui, c'est un bon conseil. Je m'en rappellerai.

Il valait mieux dire amen à tout ce que dirait ce type. Ainsi, il nous aiderait peut-être.

– Quand je verrai Loor, ai-je continué, je lui dirai que tout est fini entre nous. Plus de mensonges ! Mais d'abord, il faut que je la retrouve. Comment pouvons-nous sortir d'ici ?

– Suivez-moi, a-t-il fait avant de se remettre à cavaler.

Gagné ! Nous étions sur la bonne voie. Il nous a guidé le long de la rive jusqu'à la chute. En fait, la cascade formait un rideau et il y avait un chemin derrière. Nous avons escaladé quelques marches de pierre et sommes passés sous le flot. Cool. Puis nous sommes tombés sur un autre tunnel. L'homme nous a fait entrer et, après encore quelques marches, nous avons débouché dans une salle où se trouvait l'engin le plus beau et le plus étrange que j'aie jamais vu.

La meilleure comparaison que je puisse faire serait avec un de ces immenses orgues que l'on voit dans les églises. Sauf que celui-ci était dix fois plus grand. Un mur entier était recouvert de tuyaux de tailles différentes, allant d'un centimètre jusqu'à une bonne douzaine de centimètres de diamètre. Ils commençaient au niveau du sol pour finir à hauteur du plafond.

Notre guide a posé ses rouleaux de papiers et a pris pied sur une plate-forme de pierre. Devant lui s'étendait tout un embrouillamini de leviers, de manettes, de valves et de boutons. Il devait bien y avoir une centaine d'instruments tous semblables. Je ne savais pas comment on pouvait les distinguer, car ils ne portaient pas le moindre signe distinctif. L'homme s'est mis à arpenter la plate-forme et à abaisser des manettes, à resserrer des valves et à en desserrer d'autres d'une main experte. À un moment donné, il a pris un de ses papiers roulés, l'a déplié pour vérifier quelque chose, puis l'a reposé pour aller ouvrir quelques autres valves. J'ignore ce qu'il fabriquait, mais ça semblait important, du moins à ses yeux.

Spader m'a jeté un regard interrogateur. Je me suis contenté de hausser les épaules. Je n'avais pas la moindre idée de ce qu'il pouvait faire. Et d'ailleurs, je ne voulais pas lui poser la question, parce que ça lui aurait indiqué que nous n'avions rien à faire ici.

– Hem, ai-je interrompu, excusez-moi, mais… vous n'étiez pas sur le point de nous montrer la sortie ?

Sans cesser de manipuler ses instruments, le type nous a regardés par-dessus son épaule. Visiblement, nous le dérangions.

– C'est par là, a-t-il dit en désignant une ouverture taillée dans la roche de l'autre côté de la salle. Prenez toujours à droite, et n'oubliez pas ce que je vous ai dit. Ne vous fiez pas aux Batus. Restez avec les Rokadors.

D'accord. Quand j'y comprendrai quelque chose. Mais je ne lui ai pas demandé d'éclaircissements.

– Merci ! ai-je dit.

J'ai fait signe à Spader de me suivre. L'homme s'est remis au travail, et nous avons filé d'ici.

Nous avons passé la porte d'un pas vif et, suivant ses instructions, avons continué sur la droite jusqu'à ce que nous trouvions une rampe en spirale qui menait vers le haut. Nous l'avons donc escaladée. De temps en temps, nous sommes tombés sur un autre niveau ou sur des couloirs qui menaient Dieu sait où. Mais nous ne voulions pas explorer ce monde souterrain, juste sortir d'ici !

Au bout de quelques minutes, le sol est revenu à la verticale et nous nous sommes retrouvés dans une salle pleine de lumières. Les murs étaient toujours faits de pierre brune, mais contrairement aux cavernes d'en bas, ils étaient lisses. De toute évidence, nous étions à la surface, et si cet endroit était artificiel, il ne ressemblait pas à un puits de mine. Un bref coup d'œil nous a permis d'apercevoir une porte menant vers la lumière. Il était temps de découvrir à quoi ressemblait Zadaa. Je ne savais pas à quoi m'attendre, mais j'avais hâte de voir le territoire d'où était originaire Loor. J'ai laissé Spader, je suis entré sous les feux du soleil et je me suis arrêté net, car le spectacle qui s'est dévoilé à mes yeux était à couper le souffle.

C'était une gigantesque cité entièrement construite à l'aide de ces pierres couleur de sable. Imaginez l'Égypte ancienne avant qu'elle ne soit ravagée par le vent et les siècles, et vous aurez une idée de Zadaa. Nous nous tenions sur une corniche d'où nous avions une vue imprenable. Il y avait des temples aux immenses sculptures dominant les rues ; et aussi des pyramides et des bâtiments crénelés aux terrasses recouvertes de plantes luxuriantes. Dans le lointain, bien au-delà des limites de la ville, s'étendait le désert. Mais la cité elle-même débordait de végétation. C'était comme une vaste oasis dans un océan de sable. Parallèlement aux rues, des aqueducs faisaient circuler l'eau fraîche dans toute la ville. Il y avait aussi des fontaines ornementées un peu partout. Après avoir vu la rivière en contrebas, je me suis douté de l'origine de ce précieux liquide. Je me suis demandé si ce système de valves et de manettes que manipulait l'inconnu avec quelque chose à voir avec le contrôle du débit d'eau.

C'était une ville de toute beauté, et je m'imaginais très bien Loor parcourant ses rues. Oui, c'était chez elle. Ça me semblait évident.

– Où est l'Océan ? m'a demandé Spader.

Sa voix tremblait. Après toutes les expériences bizarres que je lui avais infligées, cette vision paradisiaque était la seule qui l'ait vraiment ébranlé.

– Où est l'Océan ? a-t-il redemandé, de plus en plus nerveux.

Soudain, j'ai compris pourquoi il semblait si désemparé. Cloral était recouvert d'eau à cent pour cent. Il n'y avait pas de terre ferme. Pour lui, découvrir un endroit qui était à l'opposé devait être incroyable.

– Tout va bien, ai-je dit pour le calmer. Il n'y a pas d'Océan par ici. Du moins pas à portée de vue. Ces gens vivent sur la terre ferme.

– C'est impossible ! Comment peut-on survivre ainsi ? Il n'y a pas assez d'eau pour fournir de l'énergie ou de la nourriture !

Était-ce tellement inconcevable ? Mais j'imagine que lorsqu'on habite une planète où tout provient de l'Océan, l'idée d'un monde sans eau doit être assez effrayante.

— Tout va bien, je t'assure, ai-je insisté. C'est un autre mode de vie, rien de plus. Tu vas voir.

Spader n'avait pas l'air convaincu, mais ce n'était pas lui qui m'inquiétait. Il finirait par reprendre le dessus. C'est alors que j'ai réalisé quelque chose de bizarre. En contemplant la ville, me suis aperçu qu'il manquait un élément essentiel. Il n'y avait personne dans les rues ! C'était une ville énorme, et pourtant, elle semblait déserte.

— Allons jeter un coup d'œil, ai-je dit, et je suis parti en avant.

Mais cette fois-ci, Spader ne m'a pas suivi. Il était comme paralysé. J'ai dû retourner le tirer par le bras et lui dire :

— Hé, secoue-toi ! Il faut qu'on retrouve Loor.

Il m'a suivi à contrecœur. Nous avons parcouru une rue dallée de pierre. Des statues démesurées nous dominaient de toute leur taille alors que nous avancions dans cette cité étrange et merveilleuse.

— J'ai du mal à marcher, a dit Spader.

Je n'ai compris ce qu'il voulait dire qu'en constatant que ses pas semblaient mal assurés. Il était comme étourdi et avait du mal à conserver son équilibre. J'ai alors réalisé qu'il effectuait le processus inverse de ceux qui s'habituent à être sur un bateau. Spader avait passé toute sa vie sur l'océan, au gré du roulis. C'était la première fois qu'il se déplaçait sur la terre ferme, sans ce mouvement constant, et ce devait être une sensation étrange. Il lui faudrait un temps d'adaptation.

Je me suis retenu de me moquer de lui.

— Tu t'y feras vite. Mais si tu as envie de vomir, dis-le moi.

Je ne savais pas s'il était possible d'avoir le mal de terre, mais dans le doute…

Nous avons continué un peu moins vite et commencé à croiser des passants, mais pas autant qu'on l'aurait cru. Là, à la surface, les gens avaient une peau beaucoup plus sombre que le type que nous avions vu en bas. Ils ressemblaient davantage à Loor et à Osa. Leur peau était noire et ils portaient des robes multicolores assez spectaculaires.

— Je me demande où est passé tout le monde ? ai-je demandé. C'est peut-être un jour férié et…

Je n'ai pas terminé ma phrase. Que nous avait dit ce gars dans la caverne ? Que les Batus seraient tous au tournoi ! C'était peut-être pour ça que les rues étaient désertes : parce qu'ils étaient tous là-bas.

Je me suis arrêté face au premier passant et je lui ai demandé :

– Excusez-moi, où a lieu le tournoi ?

C'était une femme, grande et à l'air sévère. Elle m'a dévisagé comme si elle se demandait pourquoi je posais une question aussi simple.

– Rares sont les Rokadors qui s'intéressent au tournoi, a-t-elle répondu d'un ton glacial. Ils n'ont pas le cœur assez bien accroché.

Rokador. C'est le nom qu'avait employé le type d'en bas. Peut-être que ceux qui vivaient sous terre étaient les Rokadors et ceux de la surface les Batus. Nous devions ressembler à des Rokadors. Je n'aurais su dire si c'était à cause de nos robes blanches ou parce que nous étions plutôt pâles comparés à ceux de la surface.

– Nous tiendrons le choc, ai-je affirmé.

La femme a gloussé de rire, mais pas moyen de savoir si elle riait avec nous ou de nous. Elle nous a conseillé de continuer tout droit, et nous tomberions sur le lieu du tournoi. Excellent. Nous étions dans la bonne direction. Spader et moi avons pressé le pas. J'étais persuadé d'y trouver Loor.

Alors que nous marchions, Spader a repris contenance. Il s'adaptait plutôt vite. J'en ai conclu que c'était le bon moment pour commencer les explications. J'ai commencé par lui parler des territoires et de la façon dont ils étaient reliés entre eux par les flumes. Je lui ai aussi révélé que l'oncle Press et moi venions d'un monde appelé la Seconde Terre et que nous passions d'un territoire à l'autre pour les assister lors des périodes troublées. Puis que Loor était elle aussi une Voyageuse, et que c'était pour ça que je cherchais son aide. Je ne suis pas trop entré dans les détails : il valait mieux qu'il assimile les informations peu à peu. Pour la première fois, j'ai compris ce qu'avait dû ressentir l'oncle Press lorsqu'il lui avait fallu répondre à toutes mes questions. Il était beaucoup plus facile d'apprendre en cours de route.

Devant nous, j'ai entendu des applaudissements : nous devions approcher du tournoi. Spader et moi sommes arrivés face à un bâtiment qui ressemblait à un colisée, bien qu'il soit loin d'être aussi grand que celui de Rome. Il était plutôt de la taille d'un stade d'université. Et apparemment, il n'était pas nécessaire d'acheter des billets, parce que nous sommes entrés librement sans qu'on cherche à nous arrêter.

C'était bien un petit stade. En fait, ma théorie était juste : si les rues étaient désertes, c'était parce que tout le monde était là. Il y avait un bon millier de spectateurs sur les gradins. Au premier coup d'œil, j'ai constaté qu'ils étaient presque tous batus. Ils avaient la peau noire et portaient des robes chamarrées. Mais une poignée de Rokadors étaient éparpillés dans la foule. Avec leurs robes blanches et leur peau pâle, ils ne passaient pas inaperçus.

Il y avait un terrain au sol de terre battue et, un instant, j'ai pensé au stade Bedoowan, sur Denduron, et aux spectacles sanguinaires où l'on donnait des mineurs innocents en pâture à des créatures monstrueuses. J'ai sincèrement espéré que, sur ce monde, ils ne fassent rien d'aussi abominable.

Spader et moi nous sommes accoudés à la rambarde, à temps pour voir s'avancer les deux équipes, chacune venant d'un côté de l'arène. Ils étaient tous batus : il n'y avait pas un seul Rokador parmi eux. Ils avaient l'allure de guerriers, tous minces et court vêtus. Et il n'y avait pas que des hommes dans leurs rangs : la moitié étaient des femmes. Tous portaient de longues tuniques dévoilant une bonne part de peau nue, ce qui m'a permis de constater qu'ils étaient taillés en athlètes. Ils portaient aussi des protections sur les endroits sensibles tels que les coudes, les genoux, et bien sûr le bas-ventre. Ils étaient dix par équipe, et marchaient à la queue leu leu. D'une main, ils tenaient des casques de cuir et, de l'autre, de fines matraques de bois.

– Qu'est-ce qu'ils font ? a demandé Spader.

– Sans doute un match quelconque, ai-je répondu. Mon amie Loor est…

C'est là que je l'ai repérée. C'était la dernière guerrière de la file. Elle était certes plus jeune que les autres, mais était tout aussi impressionnante.

– C'est elle, ai-je dit à Spader en la désignant du doigt.

– C'est ton amie ? a-t-il répondu avec dans la voix un mélange de surprise et d'admiration. Elle est… Elle est… incroyable.

Spader est resté planté là, les yeux braqués sur Loor, comme s'il n'existait plus qu'elle au monde. Finalement, j'ai dû lui donner un coup de coude pour le ramener à la réalité.

– Laisse tomber, ai-je dit. Elle n'est pas ton genre.

– De quel genre est-elle ? a-t-il demandé.

– Du genre qui ne s'intéresse qu'à une chose : la baston. Et si tu crois que j'exagère, tu n'as qu'à regarder.

Les guerriers se sont postés chacun d'un côté de l'arène et ont fini de s'équiper. Là, il y avait quelque chose de bizarre. Ils portaient tous des sortes de pieux de bois d'une dizaine de centimètres qui pointaient de leurs coudes et leurs genoux. Ceux d'une équipe étaient teints en rouge, ceux de l'autre, en vert. Quand ils ont enfilé leur casque, j'ai constaté qu'ils présentaient aussi une pointe protubérante au sommet, comme ceux des soldats allemands de la Première Guerre mondiale. En tout, cela faisait cinq pieux par guerrier. Je ne savais pas à quoi ils pouvaient servir, mais ils leur donnaient une drôle de dégaine.

Enfin, chaque équipe s'est mis en ligne, épaule contre épaule, face à leurs adversaires qui se tenaient de l'autre côté de l'arène. Un Batu vêtu d'une robe jaune brillante a marché jusqu'au centre du stade, où il a planté un bâton dans le sol. Au bout de celui-ci était accroché ce qui ressemblait à un collier fait de grandes dents en or. Puis, sans dire un mot, il est retourné vers les stands. De là, il s'est tourné vers le terrain, a porté une corne d'or à ses lèvres et émis une seule et unique note brève.

Aussitôt, les spectateurs se sont tus et ont regardé les guerriers en contrebas. Un instant, j'ai eu peur pour Loor. Ce jeu était-il dangereux ? Je savais qu'elle pouvait se défendre, mais quel était le but de ce déploiement ? Je ne savais rien de Zadaa et de ses coutumes. Je redoutais que ce soit un spectacle du genre « combat à mort ». Mais je ne pouvais rien faire, sinon regarder en espérant qu'il ne lui arriverait rien.

Le Batu en robe jaune a longuement soufflé dans sa corne. Les guerriers ont tous levé leur matraque dans sa direction en guise de salut. Puis Robe Jaune s'est soudain tu, et le combat a commencé. Aussitôt, tous ont chargé en poussant des cris de guerre. Loor était là, au milieu d'eux. J'aurais voulu fermer les yeux, mais ç'aurait été un manque de respect. Quoi qui puisse se passer, il fallait que je le voie.

Les deux équipes se sont rentrées dedans tout en balançant leurs matraques. J'ai vite compris l'utilité des pieux de bois qui saillaient de leur corps : en fait, ils servaient de cibles. Il ne s'agissait pas de fracasser la tête de l'adversaire, mais de lui arracher ses cinq pointes. C'était une question de rapidité et d'équilibre. Il fallait savoir parer et rendre des coups portés avec une grande dextérité. Bien sûr, malgré l'adresse des combattants, la plupart rataient leur cible et frappaient violemment le corps ou la tête. Mais ce n'était pas un affrontement sanguinaire, plutôt un sport, aussi brutal soit-il. Cela devait faire mal, et demain, il y aurait des bleus à la pelle, mais personne ne perdrait la vie dans cette arène. Une fois que j'ai compris ça, j'ai pu me détendre et tenter de profiter du spectacle.

Loor faisait partie de l'équipe des rouges. Les verts étaient plus costauds et plus bruyants, mais les rouges semblaient plus rapides et plus agiles. Dans un tel combat, je ne savais pas ce qui importait plus : la rapidité ou la force brute.

Apparemment, c'était la force brute. Un guerrier de l'équipe rouge s'est vu arracher toutes ses pointes en cinq secondes. Il a lâché sa matraque et s'est empressé de quitter le terrain. À présent, je commençais à comprendre les règles. Chaque joueur combattait jusqu'à ce qu'il se fasse arracher ses cinq pointes, auquel cas il était mis hors jeu.

Loor a fait des merveilles. Elle restait en retrait de la mêlée et affrontait tous ceux qui cherchaient à l'attaquer. Bien que ce ne soit pas vraiment son genre, elle jouait plus la défensive que l'offensive. Mais ça semblait lui réussir, car la plupart des guerriers avaient perdu au moins un pieu tandis qu'elle avait conservé tous les siens. Elle sautait, virevoltait et repoussait ses assaillants l'un après l'autre, comme une sœur de Jackie Chan.

– C'est la plus maligne de tous, a remarqué Spader. Et la plus belle, sans aucun doute !

Je commençais à croire qu'il avait vraiment hâte de la rencontrer. C'est alors que l'un des guerriers verts a plongé pour attraper le collier d'or, s'en est emparé et s'est aussitôt enfui vers l'autre côté du terrain. Immédiatement, trois combattants rouges l'ont intercepté. Le pauvre bougre n'avait pas une chance. En un éclair, il a perdu toutes ses pointes et lâché le collier. Maintenant, je commençais à comprendre la finalité du jeu. Il ne s'agissait pas uniquement d'être le dernier encore debout. Pour ce que je pouvais en voir, si quelqu'un s'emparait du collier et réussissait à le ramener dans le camp de son équipe, celle-ci l'emportait. Comme le jeu du foulard – en plus effrayant et plus dangereux.

Puis j'ai réalisé que ce n'était pas qu'une mêlée aveugle. Il y avait tout une stratégie en jeu. L'équipe rouge, celle de Loor, était plutôt sur la défensive, mais avait envoyé quelques guerriers pour garder le collier. De son côté, l'équipe verte ne cessait d'attaquer. C'était chacun pour soi, et jusque-là, leur stratégie leur réussissait. L'équipe rouge avait perdu trois guerriers, et plusieurs d'entre eux n'avaient plus que trois pieux, voire moins. L'équipe verte n'en avait perdu qu'un et profitait de son avantage. Apparemment, la meilleure façon de l'emporter à ce jeu était d'attaquer sans se poser de questions et de dominer son adversaire par la force.

Soudain, tout a basculé. Les derniers membres de l'équipe rouge avaient peu à peu formé un cercle autour du collier. Leurs adversaires étaient bien trop occupés à se battre pour comprendre la manœuvre. De plus, après leurs assauts incessants, ils commençaient à fatiguer. Leurs coups de matraque étaient bien moins forts qu'avant. J'imagine que leur tactique consistant à attaquer sans cesse était plus physique que de jouer la défense, et les combattants de l'équipe rouge avaient l'air encore fringants.

Ceux-ci formaient désormais un cercle autour du collier et pouvaient repousser les assauts des verts sans trop de mal. Chaque rouge faisait partie du cercle, à l'exception de Loor. Elle restait dans le périmètre sans prendre de risques. Puis l'un des rouges a poussé un cri sonore. Ce devait être un signal, car Loor est passée à l'action.

Elle a contourné le guerrier vert qu'elle affrontait et couru vers le cercle. Justement, celui-ci venait de se rompre le temps de la

161

laisser entrer. Loor a pris le collier, puis le camp rouge tout entier a fait barrage pendant qu'elle fonçait vers leur côté de l'arène. Ils ont repoussé sans peine les verts, tellement exténués qu'ils pouvaient à peine tenir leurs matraques. En quelques secondes, l'équipe rouge a investi leur camp, Loor au centre. Ils étaient vainqueurs.

Loor a brandi le collier d'un air triomphal.

C'est alors que j'ai explosé. Je me suis mis à acclamer les vainqueurs en sautant sur place comme si ma propre équipe venait de remporter le Superbowl. C'était fabuleux. Loor était géniale. La victoire de l'agilité et de l'intelligence sur la morgue et la force brutale, le triomphe du pot de terre contre le pot de fer. Un bonheur.

Malheureusement, j'étais le seul à me montrer aussi enthousiaste. J'étais là, à trépigner comme un malade, alors que tout le monde restait assis et me regardait en se demandant qui était ce clown qui avait perdu la boule. Tous avaient les yeux braqués sur moi, y compris les combattants du stade. Comment passer pour un crétin, première leçon.

– C'est une coutume de ton pays ? a demandé Spader, tout aussi surpris par ma conduite que les autres spectateurs.

J'ai arrêté de crier d'un coup et j'ai baissé les yeux vers le stade. Mon regard a croisé celui de Loor. Elle aussi cherchait l'origine de toutes ces acclamations. Elle m'a vu, mais ne m'a pas remis sur-le-champ. Elle était épuisée, encore surexcitée par le combat et enthousiasmée par sa victoire. En constatant qu'elle ne savait pas qui j'étais, je me suis senti encore plus mal. C'était un vrai cauchemar. Puis, au bout d'un instant, une lueur s'est allumée dans son regard. Enfin, elle m'a reconnu. Alors il s'est passé quelque chose qui m'a soulagé ; Loor m'a regardé et m'a souri.

Journal n° 7
(suite)

ZADAA

– C'était un exercice d'entraînement, a expliqué Loor. Tous les guerriers doivent y prendre part. Nous apprenons à combattre en équipe comme un seul homme.

Malgré la brutalité de l'affrontement, Loor semblait s'en tirer plutôt bien. Pas de fracture, juste quelques contusions.

– Pour moi, ai-je contré, ça ressemblait plutôt à un match de rugby où les joueurs seraient armés.

Loor et Spader ont ouvert de grands yeux. Ils ne voyaient pas de quoi je parlais. Tant pis. Ce n'était pas bien grave.

Nous marchions tous les trois le long des rues de la ville déserte. Loor nous avait appris qu'elle s'appelait Xhaxhu (prononcez « Ssha-sshou » en aspirant le *h*). C'était la capitale de Zadaa.

Spader marchait derrière nous, la tête basse, à nous écouter. Si pour lui ce que disaient les autres habitants de Zadaa restait du chinois, il pouvait comprendre Loor. Normal : c'était une Voyageuse, elle aussi. Pour les autres, ça viendrait en son temps, comme avec moi. J'aurais bien aimé que Loor puisse le voir tel qu'il était à mon arrivée sur Cloral. Elle l'aurait adoré. Mais comme je l'ai déjà écrit, Spader n'était plus le même. Bon, notre petit tour sur Zadaa l'avait remué, mais on pouvait difficilement l'en blâmer. De plus, la mort de son père l'avait bouleversé. Tout ce que je pouvais faire, c'est espérer qu'il surmonte sa colère et redevienne comme avant.

– Pourquoi es-tu venu sur Zadaa, Pendragon ?

– Pour deux raisons. L'oncle Press et moi pensons savoir ce que Saint Dane mijote sur Cloral, et nous aurions bien besoin de ton aide. L'autre raison, c'est que…

J'ai regardé Spader en me demandant jusqu'où je pouvais aller alors qu'il était à portée d'oreille. J'ai décidé qu'il était temps de mettre les pieds dans le plat :

– C'est que le père de Spader était le Voyageur de Cloral. Maintenant qu'il est mort, cette fonction lui revient. L'ennui, c'est qu'il ne sait rien… De rien. Je dois le mettre au parfum, et pour ça, j'ai besoin de ton aide.

Je me suis tourné vers Spader. Il s'était arrêté net et me dévisageait d'un air abasourdi. Dans son œil, j'ai aussi cru distinguer une pointe de frayeur. Je venais de lui déverser une tonne d'informations toutes plus abracadabrantes les unes que les autres sur le crâne et il avait du mal à faire le tri. De toute évidence, il n'y comprenait rien. Loor s'est tournée vers lui :

– Dis-moi, quel souvenir gardes-tu de ton père ?

Spader l'a dévisagée. La question le surprenait, mais il préparait une réponse. Il a baissé les yeux, plongé dans le passé. Puis il s'est à nouveau tourné vers Loor :

– C'était quelqu'un de formidable, un excellent professeur et je l'aimais.

Je crois qu'il ravalait pas mal d'émotions. Loor a posé la main sur son épaule :

– Alors tu feras un excellent Voyageur. Viens avec moi.

Elle a tourné les talons et s'est remise à marcher. Spader m'a jeté un coup d'œil. Il restait désorienté, mais la peur avait disparu. C'est alors que j'ai compris qu'en venant trouver Loor, j'avais pris la meilleure décision possible.

Loor nous a amené chez elle. Le grand bâtiment était fait de cette même pierre couleur de sable qui semblait être le seul matériau de construction disponible sur Zadaa. Il ne comprenait qu'un rez-de-chaussée aux parquets vernis et au toit de chaume. Et il était immense. Il y avait beaucoup d'autres pièces où habitaient d'autres Zadaiens, comme un vaste immeuble séparé en appartements. À voir le gabarit et les gros bras de ces mêmes habitants, j'en ai déduit qu'il s'agissait d'une sorte de résidence réservée aux combattants. Loor disposait d'un deux-pièces – une salle principale avec un nécessaire pour la cuisine et une chambre à coucher. Le mobilier était fait de rotin ou quelque chose d'approchant : quelques chaises basses et un lit, simples et dépourvus d'ornements. La salle de bains était commune, avec un bassin pour boire et se laver. Un second servait d'égout. Tout était assez rudimentaire, mais fonctionnel.

Nous nous sommes installés dans la pièce principale, tous les trois, et – croyez-le ou non – Loor nous a fait la cuisine. Elle a fait cuire trois petits pains tout à fait délicieux, accompagnés de légumes croquants. Elle nous a aussi servi une boisson sucrée faite à partir de la sève d'un arbre et qui m'a fait penser à du jus de coco. L'oncle Press aurait adoré. Je me suis demandé ce qu'il faisait à ce moment précis, s'il avait échappé aux pillards de Cloral. Mais je ne pouvais rien faire pour l'aider, alors il était inutile de me faire du souci.

Pendant que nous déjeunions, Loor nous a parlé de son existence d'apprentie guerrière. Ici, sur Zadaa, elle faisait partie de l'armée. L'appartement où nous nous trouvions lui était fourni par les autorités militaires et elle pouvait y résider tant qu'elle en faisait partie. Vu son jeune âge, elle n'était pas très élevée dans la hiérarchie. Mais un jour, elle espérait bien finir à un poste de commandement. Et elle y parviendrait, je n'en doutais pas un instant.

Lorsque nous avons fini et débarrassé la table, nous sommes restés là, à nous regarder. Un énorme point d'interrogation planait au-dessus de nos têtes, et nous ne savions comment entamer les hostilités. Spader s'en est chargé. Il avait écouté notre conversation en silence, mais avait décidé qu'il était temps d'en venir au fait. Et en effet, il a rompu la glace :

– Vous dites que je suis un Voyageur. Qu'est-ce que ça signifie exactement ?

Loor a pris la direction des opérations. Très calmement, elle lui a expliqué que chaque territoire avait son Voyageur capable d'emprunter les flumes, que chaque territoire était sur le point d'atteindre un moment critique et que la tâche des Voyageurs était de veiller à ce que le territoire concerné parvienne à une solution pacifique. S'ils échouaient, par contre, il plongerait dans le chaos. Elle lui a aussi parlé de Saint Dane, le Voyageur maléfique aux vues diamétralement opposées. Son but était de pousser les territoires vers leur chute.

C'est là que j'ai mis mon grain de sel. J'ai appris à Spader que Saint Dane pouvait changer d'apparence à volonté. Sur Cloral, il était Zy Roder, le pirate. L'oncle Press et moi étions sûrs et certains qu'il était à l'origine de ces récoltes empoisonnées.

Loor a conclu l'exposé en disant que ni elle, ni moi ne comprenions pourquoi nous avions été choisis pour devenir des Voyageurs. Mais c'était une responsabilité énorme. En effet, nos affrontements contre Saint Dane ne concernaient pas juste les territoires, mais l'ensemble de Halla. Elle a expliqué ce qu'était Halla – tout : tous les territoires, les peuples, les temps. Le but ultime de Saint Dane était de prendre le contrôle de Halla. Et seuls les Voyageurs pouvaient se dresser sur son chemin. Nous, en l'occurrence.

Spader nous a écoutés avec attention. C'est vrai qu'il avait beaucoup à assimiler. Je n'avais pas idée de la façon dont il allait réagir.

– Alors ? ai-je fini par demander. À quoi penses-tu ?

Je voyais qu'il tentait d'assembler le puzzle dans sa tête, mais qu'il avait du mal à faire coller les pièces.

– C'est… c'est un sacré choc, a-t-il dit.

C'est le moins qu'on puisse dire.

– Je suis désolé, les amis, a-t-il ajouté. Je suis un aquanier. Je m'y connais en bateaux et en océans. Je sais comment réparer les moteurs et m'amuser un brin en cours de route. C'est à peu près toute ma vie. Et maintenant, vous me dites que l'avenir de tout ce qui est et a jamais été dépend de moi ? Hobie, je ne suis pas le meilleur candidat pour ce boulot.

– Parce tu crois que moi, je le suis ? ai-je répondu.

Loor s'est levé et a pris quelque chose dans un panier de rotin, près de la cheminée.

– Penses-tu que ton père était digne d'être un Voyageur ? a-t-elle demandé à Spader.

– Absolument, a-t-il répondu sans l'ombre d'une hésitation.

Loor lui a tendu ce qu'elle a tiré du panier. J'ai vu qu'il s'agissait d'une feuille de papier vert pliée en deux semblable à celles sur lesquelles j'avais rédigé mes carnets de Cloral. Spader l'a ouvert pour dévoiler un dessin. En fait, c'était plutôt un demi-dessin. On aurait dit qu'on l'avait déchiré en deux et qu'il manquait l'autre morceau.

Il était tracé à l'encre noire. À environ un tiers de distance du bas, il y avait une ligne horizontale. En dessous, une autre ligne commençant en bas à gauche s'incurvait pour décrire un quart de cercle jusqu'au bord droit de la page. Au-dessus de la ligne horizontale, il y avait quelques points éparpillés sans aucun schéma particulier. Dans le coin droit, tout en haut, il y avait une série de cinq symboles qui devait se prolonger sur la moitié manquante de la feuille.

Je ne savais pas ce que voulait dire ce dessin, jusqu'à ce que je remarque quelque chose qui m'a secoué. Tout en haut, à gauche, j'ai vu un symbole rond, le même que sur la note que le père de Spader lui avait laissé. Spader regardait fixement le morceau de papier. Finalement, au bout d'une éternité, il a murmuré :

– Faar.

– Un phare ? ai-je rétorqué alors que mon cœur s'affolait. Où ça ?

J'ai jeté un coup d'œil à Loor et ai demandé :

– Où as-tu trouvé ça ?

– Ma mère était une Voyageuse, a-t-elle répondu avec le plus grand calme. Elle connaissait le père de Spader.

Hou là. Vous parlez d'un retournement de situation.

– Avant que je sache ce que serait ma destinée, a-t-elle repris, elle a ramené ce dessin d'un de ses voyages. Elle m'a parlé d'un homme pour qui elle avait beaucoup d'admiration. D'après elle, il connaissait déjà les réponses alors que les autres ne s'étaient pas encore posé les questions. Il avait risqué sa vie plus d'une fois pour connaître la signification de ce symbole. Il a dit qu'il était important pour l'avenir de Cloral. Mais il craignait que ce dessin ne tombe dans de mauvaises mains. C'est pour ça qu'il a déchiré la feuille et en a donné la moitié à ma mère. Ton père savait qu'il ne lui restait plus beaucoup de temps, et que son fils continuerait son œuvre. Il a demandé à ma mère de le lui donner lorsqu'il viendrait le chercher. Maintenant, elle est morte, Spader. Il est de mon devoir de te le remettre.

Incroyable. Les Voyageurs formaient vraiment un réseau !

— C'est le même symbole que t'a légué ton père, ai-je dit à Spader. Si tu sais ce qu'il signifie, tu dois nous mettre dans la confidence !

Spader s'est levé et s'est mis à faire les cent pas. Les événements se succédaient trop vite à son goût.

— Ce n'est qu'un conte, a-t-il dit nerveusement. Une histoire pour enfants.

— Que raconte-t-elle ? ai-je insisté.

— Faar ! a-t-il rétorqué. Ce n'est qu'une légende. Tout le monde la connaît.

— Pas nous.

— Alors je vais vous la raconter. Ce symbole représente une cité mythique du nom de Faar, bâtie sur le seul bout de terre non immergée qu'ait connu Cloral. C'était censé être un endroit extraordinaire, peuplé de lettrés, de musiciens, de scientifiques et d'artistes, un véritable éden. Mais, suite à un désastre quelconque, la cité s'est abîmée dans l'Océan. Les anciens ont vu venir la catastrophe et s'y sont préparés. La ville a coulé dans l'Océan, mais d'une certaine façon, ils ont réussi à la sauver. D'après la légende, le peuple de Faar vivra à jamais au fond de l'eau tout en protégeant en secret ceux qui habitent en haut, sur les habitats.

— La ville a été détruite ? a demandé Loor.

— D'après la légende, elle a été submergée, mais rien ne dit qu'elle a été détruite.

— Pourquoi ne nous l'as-tu pas dit tout cela la première fois que nous avons vu ce symbole, sur Magorran ? ai-je demandé.

— Parce que ce n'est qu'une fable ! Mon père me la racontait pour m'endormir quand j'étais petit. Je pensais qu'il me l'avait léguée comme un souvenir des bons moments que nous avions passés ensemble. Je ne croyais pas qu'il y avait un fond de vérité ! Et je ne le crois toujours pas !

— Mais s'il cherchait à te transmettre un message ? ai-je insisté. Si c'était plus qu'une simple fable ? Si ton père avait découvert que Faar existait bel et bien ?

– C'est impossible ! a rétorqué Spader.

– Admettons que ce soit possible, ai-je insisté en brandissant la demi-page. C'est peut-être une carte. Une demi-carte. Ton père pourrait avoir découvert Faar.

– Mais Faar n'existe pas ! s'est-il écrié.

– Imaginons qu'elle soit réelle, a repris Loor. Ce serait exactement le genre d'endroit que Saint Dane voudrait détruire, surtout s'il est important pour les habitants de Cloral.

– Saint Dane ! a crié Spader.

Il était dans tous ses états. Le stress de ces derniers jours finissait par sortir.

– Je ne sais pas ce que sont ces fameux Voyageurs, ou les territoires, ou Halla, ou les flumes et toute cette sorcellerie, mais dans tout ce que vous m'avez dit, il y a au moins une chose que je comprends. Si ce Saint Dane a bel et bien empoisonné les habitants de Magorran, je me fiche pas mal de savoir pourquoi… Il a tué mon père, et il va le payer cher. Pendragon, ramène-moi tout de suite sur Cloral !

C'était à prévoir : de toute notre discussion, où nous lui avions révélé qu'il était un Voyageur et la nature de notre mission, il n'avait retenu qu'une seule chose. Il voulait se venger de Saint Dane.

– Tu ne comprends pas, ai-je dit. Saint Dane n'est pas qu'un simple meurtrier. Je ne suis même pas sûr qu'il soit humain. Ce type est… le mal incarné. Il a des pouvoirs tels que tu ne peux même pas imaginer. Il te tuerait avant même que tu n'aies compris ce qui se passait.

– Il ne peut pas être plus coriace que Loor ! a contré Spader. C'est une guerrière. Elle pourrait venir avec nous et se servir de ses armes contre lui !

– Ce n'est pas si facile, ai-je répondu en tentant de dissimuler mon agacement. Tu ne peux pas déplacer les objets appartenant à un territoire dans un autre. Nous l'avons appris à nos dépens.

– Très bien ! a-t-il crié. Sur Cloral, nous ne manquons pas d'armes en tout genre. Allons-y ! Ce type ne pourra pas nous résister.

– Tu veux rire ! ai-je rétorqué. Si tu affrontes Saint Dane seul à seul, tu es fichu !

– Alors je suis fichu, a-t-il répondu d'un ton qui n'admettait pas la réplique. Mais je ne peux laisser échapper le meurtrier de mon père sans chercher à le venger… aussi puissant que soit cet assassin. Ramène-moi sur Cloral !

Il fallait que je réfléchisse, et vite. Spader avait complètement perdu les pédales. Je devais reprendre le contrôle de la situation avant qu'il ne fasse une bêtise.

— Non, ai-je dit avec toute la détermination possible. Je suis fatigué, et je ne pourrai jamais retrouver la porte dans le noir. Si tu veux repartir tout seul, je te souhaite bien du plaisir. Mais moi, je préfère attendre demain.

Sur ce, je me suis rassis et j'ai pris ma boisson à la noix de coco d'un air tout naturel. Je bluffais dans les grandes largeurs et pouvais juste espérer que Spader ne me prendrait pas au mot et ne se lancerait pas tout seul à la recherche de la porte. Je doutais qu'il soit capable de la trouver, mais on ne sait jamais. Il est resté là, les pieds fermement plantés dans le sol, les poings serrés, à examiner les options qui se présentaient à lui. Finalement, il a déclaré :

— Bon, d'accord. Nous rentrons demain. Mais ensuite, je me lancerai aux trousses de ce Saint Dane, que ça te plaise ou non.

Sur ces derniers mots, il est sorti de l'appartement à grandes enjambées furieuses. J'allais le suivre, mais Loor a posé une main sur mon épaule.

— Laisse-le seul, dit-elle. Il a besoin de se calmer.

Je me suis rassis en reposant ma boisson. J'ai horreur de la noix de coco.

— Eh bien, ai-je dit avec un rire qui sonnait faux, ça ne pouvait pas se passer plus mal.

— Il a du caractère, a remarqué Loor.

— Non, sans blague ? Mais s'il se lance à la poursuite de Saint Dane…

— Tu dois prendre le dessus, Pendragon. Toi et moi savons très bien que Saint Dane le tuera. Je ne veux pas avoir l'air cynique, mais une fois mort, il ne nous sera d'aucune utilité.

— Je vois. À nous deux, nous pouvons…

— Non, a-t-elle répondu avec fermeté. Je ne peux pas retourner sur Cloral avec toi.

Ce n'était pas ce que je souhaitais entendre.

170

– Que veux-tu dire ? ai-je dit, incrédule. Nous sommes des Voyageurs. Nous devons nous serrer les coudes. C'est « ce qui est écrit » ou Dieu sait quoi. Tu ne vas pas me laisser tomber maintenant !

– Je n'ai pas encore découvert quand va venir le moment de vérité de Zadaa. Mais les tensions entre Batus et Rokadors ne cessent de s'exacerber. Je veux travailler à une réconciliation avant que la situation n'empire. Si j'y parviens, ce sera au moins une bataille dont nous n'aurons pas à nous soucier dans l'avenir.

– Ouais, mais tu oublies celle qui me préoccupe en ce moment !

– Pour l'instant, ta mission consiste à contrôler un nouveau Voyageur plein d'ardeur et de résoudre le mystère de Faar. Réfléchis, Pendragon. Tu es plus à même de remplir cette tâche que moi. Tu connais mes méthodes. Je me contenterais de cogner Spader jusqu'à ce qu'il ne soit plus en état de courir après Saint Dane.

Ce n'était pas faux. Loor avait bien des qualités, mais la diplomatie n'était pas son point fort.

– Quand tu auras besoin d'une guerrière, a-t-elle ajouté, je serai là. Tu le sais.

Elle avait raison, bien sûr. Loor était toujours prête à se battre, même quand ce n'était pas la meilleure solution. Devais-je vraiment me charger de deux têtes brûlées ? Formulé autrement, si nous formions une équipe, elle serait les bras et moi la tête. Et il était temps que j'emploie le cerveau qu'elle contenait.

– Alors, c'est possible ? ai-je demandé. Le père de Spader peut-il avoir découvert une cité perdue ?

– Après tout ce que nous avons vécu, y a-t-il encore quelque chose d'impossible ?

Nous nous sommes regardés et nous sommes compris implicitement. En effet, nous étions passés par de sales moments, elle et moi, et nous savions que ce n'était pas fini, loin de là. Non, dans cette nouvelle vie qui était la nôtre, il n'y avait plus rien d'impossible. Il suffisait de l'accepter une bonne fois pour toutes.

Cette nuit-là, Loor a dormi dans sa chambre et je me suis installé sur le sol de la seconde pièce. Elle m'avait donné une couverture, plus une autre au cas où Spader reviendrait. À mon grand soulagement, il est bel et bien rentré quelques heures plus tard. Il est allé s'allonger devant le feu. Je n'ai rien dit, car je ne savais pas quelle était son humeur. Je n'avais aucune envie de déclencher une autre crise de colère.

– Tu dors, Pendragon ? a-t-il murmuré.

– Non.

– Tu as raison, vieux frère. Je ne connais pas les règles de ce jeu. Hobie ! Je ne sais même pas ce qu'est ce jeu. Je m'en remets à ton avis.

Vous parlez d'un soulagement ! Maintenant, je pouvais dormir.

– Mais je dois te dire une chose quand même. Je vais écouter tout ce que tu as à m'apprendre. Je veux comprendre ce que ça signifie d'être un Voyageur. Mais si j'ai une occasion de me venger de ce Saint Dane, je ne la raterai pas.

– C'est le but du jeu, Spader. Nous voulons tous débarrasser l'univers de Saint Dane. Mais nous devons agir avec discernement. Quitte à te paraître insensible, je dirais que les enjeux sont bien plus importants qu'une simple vengeance.

– Mais c'était mon père, Pendragon ! a-t-il répondu avec passion. Comment puis-je l'oublier ?

Je ne me suis pas relevé, je n'ai pas élevé la voix. Je lui ai répondu le plus calmement possible :

– Tu n'es pas le seul à avoir souffert. Mes deux parents et ma sœur ont disparu. La mère de Loor s'est fait tuer sous nos yeux. Les hommes de Saint Dane l'ont criblée de flèches. Ça a été pénible, mais nous avons réussi à voir plus loin que le bout de notre souffrance. Et j'espère que tu auras le courage de faire de même.

Spader n'a pas répondu. Je présume que j'avais touché juste. Oui, nous avions tous perdu ceux que nous aimions. Spader n'avait pas de monopole sur ce point. J'espérais qu'il comprenait à présent que si nous voulions défaire Saint Dane, nous devions attendre la plus grande des batailles et combattre ensemble.

J'étais trop crevé pour réfléchir. Cette journée avait été interminable. J'avais besoin de sommeil et je me suis donc endormi.

Nous nous sommes tous levés avant l'aube. Loor a allumé le feu et a fait cuire encore de cet incroyable pain, plus une demi-douzaine d'œufs. Enfin je pense qu'il s'agissait d'œufs. Ils étaient verts et semblaient plutôt sortir d'un dessin animé. Mais ils étaient délicieux, et je mourais de faim. Nous devions profiter de chaque occasion de nous restaurer, car nous ne savions pas quand nous pourrions prendre notre prochain repas.

Il était temps d'y aller. Spader est allé trouver Loor. :

– Je te remercie de m'avoir aidé à comprendre et d'avoir gardé les notes de mon père. J'imagine que nous nous reverrons.

– En effet, a-t-elle affirmé. (Puis elle a ajouté :) fie-toi à Pendragon. Il est la lumière que nous devons tous suivre.

Voilà qui m'a pris par surprise. Que voulait-elle dire par là ? Ça ressemblait à un compliment, mais je trouvais qu'elle en attendait trop de moi. Spader m'a regardé, et je me suis demandé s'il se posait la même question. Puis il a hoché la tête et nous a laissés.

– Qu'est-ce que c'est que cette histoire de lumière ?

– Je voulais être sûre que Spader t'écouterait, c'est tout, a-t-elle répondu d'un ton moqueur.

Oh, d'accord. C'était déjà mieux que rien.

– Quand tu auras besoin de moi, a-t-elle ajouté, je serai là.

– Merci de m'avoir aidé. J'étais complètement perdu.

– Tu as un bon instinct, Pendragon. Un jour, tu t'en rendras compte.

J'ai acquiescé et je suis sorti de la pièce. C'était la seconde fois que je devais faire mes adieux à Loor, et ce n'était pas plus facile que la première. Pourtant, en cas de besoin, je savais où la trouver.

Spader et moi sommes retournés vers la grille sans dire un mot. Je devais me concentrer afin de retrouver notre chemin. Heureusement, je pouvais compter sur mon anneau. Au bout de quelques petites erreurs de guidage, nous avons retrouvé le bâtiment à la rampe menant à la rivière souterraine.

Je préférais nettement éviter ce type qui manipulait son tableau de bord plein de leviers et de valves. Je n'avais aucune envie de subir d'autres questions. Mais bien sûr, il était là, à examiner ses plans tout en tripotant ses instruments. Vous parlez d'un boulot. Nous avons tenté de passer sans attirer son attention, mais…

– Vous vous êtes encore perdus ? a-t-il demandé sans nous regarder.

– Non, ai-je répondu d'un ton autoritaire. On ne fait que passer.

– Alors, vous me croyez, maintenant ?

– Heu… à quel sujet ?

– Celui des Batus. Ce sont des menteurs et des barbares. J'espère que vous avez retrouvé votre prétendue amie et lui avez dit ma façon de penser.

Loor avait raison. Il y avait vraiment un fort ressentiment entre les Rokadors et les Batus. Pourvu qu'elle réussisse à restaurer l'harmonie.

– Oui, ai-je menti. Merci du conseil.

Il n'a rien ajouté. J'ai fait un signe à Spader, et nous avons continué notre chemin à travers les couloirs menant à la cascade. Lorsque le rugissement de l'eau s'est calmé, Spader a déclaré :

– Je l'ai compris.

– Quoi ?

– Ce que disait ce type. Quand il a pris la parole, ça ressemblait à « Shshaa shashaaa shashaaa » ou quelque chose comme ça. Mais tout d'un coup, ses paroles sont devenues limpides. J'ai compris ce qu'il a dit sur les Rokadors et les Batus. Que s'est-il passé ?

Je n'ai pu m'empêcher de sourire.

– Tu deviens un Voyageur, c'est tout.

Prochain arrêt : Cloral.

SECONDE TERRE

Le téléphone se mit à sonner, faisant sursauter Mark et Courtney. Lorsque tous deux lisaient les journaux de Bobby, ses aventures les absorbaient tant qu'ils en oubliaient leur propre monde. Mais rien de tel qu'une sonnerie de téléphone pour vous ramener à l'instant présent.

Malheureusement pour Courtney, ils s'étaient installés dans la chambre de Mark. Celui-ci avait fait de son mieux pour en évacuer les chaussettes sales et les résidus de sandwiches au fromage (fort), mais la pièce nécessitait toujours le passage d'une équipe de désinfection. Cependant, après avoir ravalé un haut-le-cœur, elle avait fini par se faire à l'odeur rance qui planait sur ces lieux de désolation. En revanche, elle redoutait que des émanations toxiques ne lui rongent le cerveau. Il lui fallait terminer sa lecture au plus vite et s'échapper de ce bouillon de cultures.

Contrairement à leur habitude, ils n'avaient pas pu profiter du sous-sol de Courtney, car le père de celle-ci avait soudain décidé de se remettre à bricoler dans son atelier. Ce qui, dans la maisonnée, était toujours une source d'inquiétude. Lorsque M. Chetwynde décidait de manier un marteau, il ne pouvait rien en sortir de bon. En, général, il finissait par casser quelque chose. Aussi, quand le téléphone se mit à sonner, sa première idée fut : « Papa s'est fait mal ! Il est aux urgences ! »

Comme il n'y avait personne d'autre dans la maison, Mark dut répondre :

– Allô ?

175

– Qu'est-ce qui se passe, Dimond ? gronda une voix familière.

C'était Andy Mitchell. Cet abruti des Carpates avait eu le culot de l'appeler chez lui. Mark se demanda où Mitchell avait trouvé son numéro. Quoique, ce n'était pas si difficile, mais il n'arrivait pas à s'imaginer que Mitchell puisse effectuer une tâche aussi complexe que de chercher dans l'annuaire.

– Salut ! répondit Mark avec une gaieté feinte. Comment va ?

Il était pris au piège. Il ne voulait rien dire qui puisse éveiller les soupçons de Courtney. Il savait qu'elle ne continuerait pas sa lecture sans lui et, donc, qu'elle n'avait rien d'autre à faire que d'écouter leur conversation. Il lutta contre la panique qui montait en lui et pressa le téléphone contre son oreille pour qu'elle ne puisse entendre la suite.

– C'est à toi de me le dire ! répondit Mitchell. (Mark l'entendit renâcler et cracher.) On était d'accord, non ?

– Heuuu… oui, bien sûr, répondit-il d'un ton innocent.

– Alors, c'est quoi l'embrouille ? demanda Mitchell.

– Y'en a pas, tout va bien.

Il regarda Courtney et leva un doigt comme pour dire « J'en ai pour un instant ». Courtney haussa les épaules. Pas de problème.

– Alors, quand est-ce que je vais pouvoir lire les autres journaux ?

– Heuuu… voyons. Pourquoi pas… demain ?

– Pourquoi pas dans une heure ?

L'estomac de Mark se révulsa.

– Oui, pourquoi pas. Pour l'instant, je fais mes devoirs, mais je devrais avoir fini dans une heure. Tu n'as qu'à me rappeler à ce moment-là, d'accord ?

Mitchell raccrocha brutalement. Mark ne savait plus quoi faire. S'il se contentait de raccrocher, Courtney se demanderait ce qui se passait. Il fit donc semblant de continuer sa conversation.

– Ouais. Bonne idée. Bon, je te rappelle plus tard. Salut.

Mark raccrocha. Pourvu que Courtney se soit désintéressée de la conversation pour reprendre sa lecture !

Il n'aurait pas cette chance.

– Qui était-ce ? demanda-t-elle.

Quoi de plus normal.

Mark avait horreur de mentir. De toute façon, il n'était pas doué pour. Maintenant, il fallait qu'il se sorte de ce mauvais pas.

– C'était un pote, répondit-il d'un ton qui se voulait badin. Il a besoin d'aide pour son devoir d-d-d'algèbre.

Au moment même où Mark prononçait ces mots, il les regrettait déjà. Jusque-là, il s'en tirait bien, mais il s'était trahi en bégayant. Et Courtney ne l'avait sans doute pas raté. Ses yeux devaient le trahir. Allait-elle le prendre en flagrant délit ? Il avait l'impression qu'un panneau au-dessus de sa tête proclamait : « Il ment ! » Mais au bout d'un moment, Courtney haussa les épaules.

– Peu importe, dit-elle. Et si nous retournions à ces carnets ?

– Oh, bien sûr !

Mark se rassit sur le lit. Il se sentait si mal ! Il avait horreur de devoir mentir, mais était trop gêné pour lui dire la vérité. Il ne savait pas comment se sortir de cet odieux chantage. Si Courtney apprenait la vérité maintenant, elle n'aurait plus jamais confiance en lui. Il était dans de sales draps. Enfin, pour l'instant, il pouvait oublier ses problèmes et se plonger dans ceux de Bobby.

– Que penses-tu de cet endroit qu'ils appellent Faar ? demanda Courtney.

– Si cette ville existe bel et bien, Saint Dane ne pourrait rien imaginer de pire que de la détruire. D'après ce qu'en dit Spader, c'est une légende connue de tous les habitants de Cloral, une partie intégrante de leur culture. Si Saint Dane la trouvait et la détruisait, ce serait un coup fatal. Vu que ce territoire est déjà ravagé par la famine, il peut s'effondrer comme un château de cartes.

– Ce qui est le but de Saint Dane, ajouta Courtney.

– Exactement.

– Continuons notre lecture, fit Mark.

– Oui, tu as un cours d'algèbre à donner.

Cette remarque blessa Mark, mais il se força à rester impassible. Il était temps de revenir à Bobby.

Journal n° 7
(suite)

CLORAL

Nous n'avons eu aucun mal à retrouver la porte : il nous a suffi de suivre les signaux émis par mon anneau. J'ai ouvert la trappe et j'ai laissé Spader passer en premier, puis je l'ai suivi.

Une fois à mi-chemin du flume, j'ai entendu un bruit sur ma droite. Rappelez-vous, nous descendions en varappe grâce à des prises pour les pieds et les mains creusées à même le mur de pierre. La crevasse était à peine assez large pour une personne, mais s'étalait sur je ne sais combien de mètres de profondeur. Il faisait trop noir pour discerner le commencement de la fin. Aussi, quand j'ai entendu un mouvement sur ma droite, je me suis aussitôt figé. Le bruit n'était pas très fort, rien de plus qu'un caillou qui serait tombé dans la fissure. Mais quoi qu'il en soit, il avait été provoqué par quelque chose – ou plutôt quelqu'un, quelqu'un qui était là, tapi dans les ténèbres.

J'ai regardé prudemment vers l'origine du bruit et je me suis retrouvé face à deux yeux jaunes qui me dévisageaient. Argh ! Ils n'étaient pas grands, mais peu importait. Nous étions près d'un flume, ce qui voulait dire qu'il s'agissait forcément d'un quig. Je n'avais pas la moindre idée du genre de bestiau qui se cachait derrière ces pupilles, mais ce n'était certainement pas un Bisounours en mal de câlins.

Au moindre mouvement, il pouvait passer à l'attaque. Mon esprit s'est bloqué sous l'effet de la terreur. J'étais paralysé.

Heureusement, Spader était moins empoté que moi. Je l'ai senti remonter. Avant que j'aie pu l'avertir, j'ai entendu un craquement sonore, et ça a été tout.

– Il… il s'est passé quoi ? ai-je demandé d'une voix tremblante.

– Je l'ai eu, vieux frère.

Nous nous sommes dépêchés de descendre jusqu'à regagner la
caverne. Là, au pied de la paroi rocheuse, gisait le quig. C'était le
serpent le plus terrifiant que j'aie jamais vu. Il faisait plus d'un
mètre de long, avec une tête recouverte d'un capuchon. Sur son
dos, il y avait une crête osseuse rappelant celle des quigs de
Denduron, en plus petit bien sûr. Mais le plus important, c'est
qu'il était mort. Spader l'avait fait claquer comme un fouet.

– J'ai l'habitude de me colleter avec ce genre de bestioles, a-t-
il dit d'un ton tout naturel. On en trouve de temps en temps à bord
des habitats. Il suffit de leur briser l'échine. (Il a examiné la bête
de plus près et a froncé les sourcils.) Cela dit, je n'ai jamais vu un
serpent aquatique comme celui-ci.

Et il ne risquait pas d'en rencontrer ailleurs que sur Zadaa. En
vérité, sur ce territoire, les quigs avaient la forme de serpents. Et
je suis sûr qu'ils étaient venimeux. Plus que tout, j'ai horreur des
serpents. Plus que des chiens monstrueux, des ours cannibales et
des requins géants. C'est viscéral. Peut-être à cause de leur côté
silencieux, sournois. En fixant la bête, j'ai espéré de toutes mes
forces que Loor puisse maintenir la paix entre les Batus et les
Rokadors, parce que je ne voulais pas devoir retourner sur Zadaa.
Plus jamais.

Spader et moi avons remis nos vêtements de Cloral et repris le
flume. Cette fois-ci, il y est allé de lui-même. Je lui ai montré
comment crier le nom du territoire qu'il voulait atteindre et, juste
avant que les lumières ne l'emportent, je l'ai averti qu'à l'arrivée,
il risquait de se mouiller.

Croyez-le ou non, je commençais à aimer ces voyages en
flume. C'était un des rares moments où je me sentais en sécurité.
Il n'y avait rien à faire, juste se détendre et profiter du voyage.
Une fois au bout du tube, j'ai même tenté d'imiter le plongeon
élégant de l'oncle Press, mais j'ai mal calculé mon coup et j'ai
fait un plat. C'était aussi douloureux qu'à la piscine de Stony
Brooks, je vous jure. Bonjour, Cloral. Au temps pour faire une
entrée en fanfare.

Spader était déjà au bord du bassin.

– À partir de là, tu me suis, a-t-il dit.

Nous étions à nouveau sur son territoire. Cela ne me gênait pas qu'il prenne l'initiative, tant que nous étions d'accord sur la suite des opérations.

– Et les requins ?

Spader s'est emparé de son globe respiratoire et du glisseur.

– Ne t'en fais pas. Reste près du fond. Ces bestioles n'attaquent pas si bas. Tant que tu ne remontes pas à leur niveau, tu ne risques rien.

– Ah, oui ? Et si eux descendent au nôtre ?

Spader a passé la main derrière son dos et ramené un grand couteau d'argent.

– Qu'ils y viennent, a-t-il dit d'un air confiant.

– Hé là ! Tu n'as pas emporté ce coupe-papier sur Zadaa ?

– Crois-tu vraiment que je me rendrais dans des contrées inconnues sans ma fidèle lame ?

– Il y a quelque chose que tu dois comprendre, Spader, ai-je déclaré. Je ne sais plus si je te l'ai expliqué, et si je ne l'ai pas fait, c'est entièrement ma faute. Mais tu ne peux pas emmener le moindre objet d'un territoire à l'autre. Ça peut provoquer… comme… une infection. Crois-moi, j'ai déjà commis une telle erreur, et les conséquences ont été désastreuses.

– Ce n'est qu'un couteau, Pendragon, a-t-il répondu d'un ton négligent. Quel mal peut-il faire ?

Sur ce, il a mis son globe respiratoire et a plongé dans l'eau. J'étais atterré. Spader avait dit qu'il m'écouterait pour apprendre le métier, mais dès que je lui donnais une consigne, il n'avait rien à faire de plus pressé que de la transgresser. Ça n'allait pas être facile de lui faire entendre raison.

Mais je ne pouvais rien y faire pour l'instant. J'ai mis mon propre globe et je l'ai suivi. Je ne voulais pas qu'il prenne trop d'avance. Après tout, c'est lui qui avait un couteau. Nous avons tous deux rasé le fond côte à côte, emportés par nos glisseurs. Je regardait sans arrêt tout autour de moi, cherchant une ombre furtive et meurtrière. Mais ce n'était pas uniquement les quigs qui me tracassaient. Quand nous étions partis pour Zadaa, nous avions quatre pillards aux trousses. J'ai eu, brièvement, l'espoir que les quigs les aient dévorés, mais c'était trop demander. Quand nous avons franchi l'avancée rocheuse pour jaillir dans l'Océan, je me suis senti encore plus vulnérable. Je guettais à droite, à gauche et derrière nous. À un moment donné, j'ai cru voir une silhouette en mouvement sur notre droite. J'allais prévenir Spader lorsque, soudain, l'ombre s'est retournée et a filé à toute allure. Pas de doute, il y avait bien quelque chose. Mais si c'était un quig ou un pillard, il avait décidé de nous laisser tranquille.

Au bout de quelques minutes, j'ai fini par me détendre. Comme l'a dit Spader, les requins ne s'aventuraient jamais bien loin de ce rocher. J'ai cessé de redouter leurs crocs pour m'inquiéter de ce que nous allions trouver sur Grallion. Avant de partir, nous avions saboté le croiseur des pirates et signalé aux aquaniers que les canons ne pouvaient plus tirer. Mais que s'était-il passé ensuite ? Les aquaniers avaient-ils arraisonné le croiseur ? Les pillards avaient-ils investi Grallion ? Avait-on livré bataille ? Et surtout, l'oncle Press était-il sain et sauf ?

Au moins, nous avons vite eu la réponse à l'une de ces questions. En nous rapprochant de Grallion, j'ai aperçu quelque chose dans le lointain, quelque chose qui n'était pas là quand nous étions partis. Tout d'abord, je n'ai pu voir ce que c'était : nous étions trop loin. Ce n'était qu'une masse indistincte. Mais en nous rapprochant, j'ai constaté que c'était gros. Très gros. Spader a été le premier à l'identifier.

— Hobie-ho ! s'est-il écrié. Il y a bien un tourne-boule !

J'ai fini par voir les huit tubes saillant de l'énorme silhouette. J'avais du mal à en croire mes yeux. C'était des canons, et la silhouette… Celle d'un navire coulé ! Le croiseur des pillards ! Un peu plus tard, nous sommes passés au dessus de l'énorme masse. L'épave gisait sur la quille et penchait sur le côté. Être si près d'un monstre pareil était impressionnant. Cela m'a rappelé la vidéo que j'avais vu de l'épave du *Titanic*. Mais ce navire venait de sombrer et n'avait pas eu le temps de rouiller.

Nous ne savions pas ce qui s'était passé après que nous avions saboté les canons du navire, mais de toute évidence, les pillards avaient pris une dérouillée. Maintenant, je voulais arriver sur Grallion le plus vite possible pour entendre le récit de la victoire.

Nous avons dépassé l'épave et continué vers Grallion. Nous sommes restés sous l'eau et n'avons fait surface qu'une fois arrivés aux quais, ceux-là même d'où nous étions partis.

Il y avait un aquanier occupé à réparer un moteur. Lorsqu'il nous a vu émerger, il a ouvert de grands yeux.

– Spader ? a-t-il dit d'une voix pleine d'admiration. Spader !

Le type s'est redressé en poussant des cris de joie :

– Ils sont revenus ! Ils s'en sont tirés ! Hobie-ho, Yenza, ils sont vivants !

Nous avons été accueillis en héros. Les aquaniers se sont précipités vers nous et ont bien failli nous porter en triomphe. Ils m'ont tant claqué le dos que j'en ai eu des bleus – si, je vous assure ! Mais cela n'était pas grave. C'était le pied. Lorsque nous sommes remontés à la lumière du soleil, j'ai jeté un coup d'œil autour de moi. Il n'y avait rien qui puisse suggérer le moindre combat. Tout s'était passé au large, sur le croiseur des pillards. Petit à petit, les aquaniers ont fini par nous raconter toute l'histoire.

Avant l'expiration du délai que Zy Roder leur avait imposé, Yenza s'était empressé de donner ses ordres aux aquaniers : dès qu'ils verraient une fusée jaillir de l'Océan, ils devaient passer à l'attaque. Les aquaniers l'ont crue folle, mais ont obéi. Ils ont vu la fusée et attaqué les pillards. Ils ont envoyé plusieurs bateaux pour avoir l'avantage du nombre et ont pris leurs adversaires par surprise. Les canons du *Poursuite* étaient inutilisables et les pirates n'étaient pas préparés à un affrontement au corps à corps. Avant qu'ils n'aient pu s'organiser, les aquaniers avaient abordé le vaisseau et en avaient vite pris le contrôle.

Le seul problème, c'est que bon nombre de pillards s'étaient enfuis à l'aide de petits hors-bords. Pire encore, Zy Roder lui-même avait pu s'échapper. Oui, Saint Dane s'en était tiré. Quand j'ai entendu la nouvelle, j'ai jeté un coup d'œil à Spader. Il en était ébranlé. Il savait qu'en réalité Roder n'était autre que Saint Dane, et je suis sûr qu'il espérait apprendre sa capture. Mais nous n'aurions pas cette chance.

Ensuite, les aquaniers ont sabordé le croiseur pour s'assurer que plus personne ne s'en servirait à des fins néfastes. Tout en les écoutant raconter leur victoire, j'ai fait attention tour à tour aux aquaniers et à Spader. Et ce que j'ai vu ne m'a guère enthousiasmé. Rien à voir avec ce soir chez Grolo, où il était le centre de l'attention, racontant des histoires entre deux tournées. Non, si Spader se réjouissait de la victoire des aquaniers, il ne l'a pas montré. Il a écouté leur récit et, quand ils ont eu terminé, les a félicités poliment. Le Spader que je connaissais aurait bondi en criant : « Hobie-ho ! Malheur à qui se frotte à Grallion ! C'est ma tournée ! » Mais pas ce nouveau Spader. Celui-ci était bien plus sombre, et il m'inquiétait considérablement.

C'est là que, derrière le groupe d'aquaniers enthousiastes, j'ai vu apparaître l'oncle Press ! Il m'a souri et m'a fait un signe de la main. J'ai couru vers lui et l'ai serré dans mes bras pendant qu'il me rendait mon étreinte.

– Tu commences à devenir une légende vivante, a-t-il dit avec un petit rire. Bientôt, ils vont composer des chants à ton honneur.

– Crois-moi, je n'ai rien fait de très héroïque. J'ai bien failli y rester.

Ce n'était pas de la fausse modestie : j'étais sincère.

– Où étais-tu passé ? a-t-il demandé.

Je lui ai fait un résumé de notre passage sur Zadaa et de notre rencontre avec Loor. J'ai aussi expliqué que Spader commençait à saisir ce qu'était un Voyageur, mais n'en faisait rien de bon : il ne pensait qu'à sa vengeance, et nous aurions du mal à l'empêcher de foncer bille en tête. Puis je lui ai parlé de la découverte la plus importante de tout ce voyage : ce symbole et cette moitié de carte qui pourrait nous mener à la cité perdue de Faar, puisque tel était le nom que lui donnait la légende. L'oncle Press était d'accord avec moi : si cette ville existait, c'était la cible idéale pour Saint Dane.

Spader s'est arraché aux fêtards et nous a rejoints.

– Saint Dane s'est échappé, a-t-il dit d'une voix dépourvue de toute émotion, même si je savais qu'il devait bouillir intérieurement.

– Ne t'en fais pas, a répondu l'oncle Press, confiant. Nous le retrouverons.

J'avais pas mal réfléchi à la suite des opérations, et c'était le bon moment pour aborder le sujet.

– Je pense que nous devrions nous rendre à Panger, ai-je déclaré.

Spader m'a lancé un regard surpris.

– Non. Laisse ma mère en-dehors de tout ça.

– Je crains qu'elle ne soit déjà impliquée, ai-je ajouté en tentant de ne pas paraître trop dur.

– Pourquoi ? Comment ?

– Ton père a donné la moitié de la carte à Osa pour qu'elle te la remette. Ce qui veut dire que l'autre moitié est là, quelque part. Nous ne l'avons pas trouvée dans les affaires de ton père, donc je suis prêt à parier que c'est ta mère qui l'a.

Spader a tiré la demi-carte de sa poche. L'oncle Press l'a prise et examinée.

– Ces chiffres pourraient être des coordonnées incomplètes, a-t-il dit.

Spader lui a repris la carte d'un geste brusque.

– Je m'en fiche. N'allez pas impliquer ma mère dans vos histoires.

– Tu ne comprends pas, ai-je insisté. Peut-être que cette Faar n'est qu'une fable dont nous n'avons pas à nous soucier. Mais si elle existe bel et bien et que Saint Dane recherche cette cité perdue, il voudra mettre la main sur l'autre moitié de la carte. Si elle est en possession de ta mère, celle-ci court de gros risques.

Spader a encaissé le coup. On aurait dit que je lui avais balancé un seau d'eau en pleine figure. Ça ne me plaisait pas, mais je devais lui faire comprendre ce qui était en jeu. Il a regardé la demi-carte, puis l'a fourrée dans sa poche :

– Allons trouver Yenza, a-t-il dit. Elle nous confiera un bateau. Nous pouvons être à Panger avant la nuit.

Il s'est mis à courir vers le baraquement des aquaniers. L'oncle Press l'a suivi des yeux et a dit :

– Il souffre.

– Ce n'est pas bon signe. Quand il se retrouvera face à Saint Dane…

– Nous nous en soucierons le moment venu. Pour l'instant, partons à la chasse au trésor.

Journal n° 7
(suite)

CLORAL

L'oncle Press et moi avons suivi Spader jusqu'à l'autre bout des baraquements des aquaniers. Alors que nous nous rapprochions, nous avons entendu des cris en provenance du bâtiment.

– Je l'avais prévenue, vous ne pouvez dire le contraire ! J'avais tout prévu, et personne n'a voulu m'écouter !

La voix provenait du bureau de Wu Yenza. Quand nous avons jeté un coup d'œil, nous avons vu Yenza derrière son bureau, la mine sévère, comme à son habitude. Spader se tenait à l'arrière de la pièce, à l'écouter. L'essentiel du brouhaha venait des deux ingénieurs agronomes plantés devant le bureau, ceux-là même que j'avais vu devant le poste de pilotage de Magorran peu avant la collision. Ils étaient alors en train de se disputer, et apparemment ils n'en avaient pas encore terminé. Au moins, cette fois-ci, je pouvais entendre ce qu'ils se disaient. L'homme était petit, avec un crâne dégarni et un visage d'elfe, et il s'appelait Ty Manoo. Dans une autre vie, il aurait pu travailler à l'atelier du Père Noël. Il faisait les cent pas en agitant les bras et parlait en postillonnant.

– Nous avons mis en branle un processus que nous devons arrêter ! s'est-il écrié.

La femme ne semblait pas si inquiète. Elle s'appelait Po Nassi et était grande et mince, avec des traits affirmés évoquant un chat errant. Elle restait là, les bras croisés, l'air ennuyé, comme si Manoo n'était qu'un enfant capricieux.

– Une fois de plus, tu en fais trop, a-t-elle dit en levant les yeux au ciel.

— J'en fais trop ! a rétorqué Manoo. Sur Magorran, les morts se comptent par milliers, et nous venons d'être attaqués par des pillards ! Comment devrais-je réagir ?

— Quel est le problème ? a demandé Spader.

— Il est de taille, a craché Manoo. C'est nous qui avons provoqué l'empoisonnement de Magorran.

Servez chaud ! Vous parlez d'un rebondissement. L'oncle Press et moi avons échangé un regard et sommes entrés dans le bureau. Il était temps d'y mettre notre grain de sel. Yenza nous a vus et s'est levée. Elle semblait perturbée, comme si elle perdait le contrôle de la situation. D'après le peu que je connaissais d'elle, ce n'était pas son genre.

— Spader, sors tes amis de mon bureau.

— Non, a rétorqué Spader. Ils sont là pour nous aider.

— Je ne veux pas provoquer une vague de panique, a répondu Yenza. Pas question de laisser naître des rumeurs avant que nous ne sachions ce qui s'est passé exactement.

L'oncle Press s'est adressé à Yenza d'un ton calme et maîtrisé :

— Si je puis me permettre, commandant, Pendragon et moi avons fait un long voyage parce que nous avons appris que certaines… difficultés pouvaient se présenter sur Cloral. Nous ne voulons ni semer la panique, ni répandre des rumeurs. Notre seule et unique motivation est de vous aider à surmonter cette crise.

Yenza a plongé son regard dans celui de l'oncle Press et s'est détendue. C'en était presque inquiétant. La voix rassurante de l'oncle Press lui avait retiré toute combativité. Ce qui m'a rappelé qu'Osa, la mère de Loor, pouvait avoir le même effet sur les gens, comme un don hypnotique. Je me suis demandé si c'était un truc de Voyageur et j'ai noté mentalement de poser la question plus tard.

— Ils nous ont déjà aidé à sauver Grallion, a ajouté Spader. Ce sont des amis.

Yenza nous a toisés. Finalement, elle s'est rassise et a lancé aux ingénieurs agronomes :

— Racontez-leur ce que vous m'avez dit.

Aussitôt, Manoo a pris le relais :

– C'était une expérience. La population de Cloral est en pleine croissance. La demande en nourriture augmente constamment.

Pour ne pas être en reste, Nassi a ajouté :

– Nous avons calculé que si la tendance se confirme, les besoins pourraient excéder les réserves de nourriture. Voilà pour-quoi nous avons tenté de trouver quelque chose.

– Nous avons cherché des moyens d'augmenter la production de plantes, a enchaîné Manoo. Nous nous sommes dit que si les récoltes pouvaient croître plus rapidement et donner plus de fruits, notre problème serait résolu. Nous avons fait des expé-riences avec des engrais et des greffes, pour modifier la structure cellulaire des plantes. Mais nous étions dans l'erreur !

– Ce n'était pas une erreur, a rétorqué Nassi, mais une expé-rience en cours !

– Mais nous avons modifié le cours naturel des choses ! J'ai bien essayé de leur dire qu'on courait à la catastrophe, mais ils n'ont pas voulu m'écouter !

– Parce que nous étions sur le point de réussir ! a rétorqué Nassi.

– Réussir ? Nous avons bien créé des plantes à la croissance accélérée, mais elles étaient empoisonnées !

Manoo n'avait pas l'air bien du tout. Il a essuyé son front gluant de sueur et a continué :

– C'est à cause de l'engrais ! Nous avons fabriqué un engrais qui a affecté la croissance des plantes et modifié leur structure génétique. C'était incroyable. Les plantes poussaient sept fois plus vite et donnaient deux fois plus de fruits. Nous étions si enthousiastes que nous voulions faire part de notre découverte à tout le monde ! Mais nous sommes allés trop vite. Nous aurions dû soumettre le résultat à une série de tests.

– Il y a peu de temps que nous avons découvert ces... effets secondaires indésirables, a repris Nassi d'un ton badin, comme s'il s'agissait d'un simple détail. Certaines des récoltes mutantes ont été infectées. Mais nous ne risquons rien : nous n'avons jamais utilisé cet engrais ici, sur Grallion.

– Oui, mais nous en avons envoyé des échantillons à la Société agronomique ! a crié Manoo. Nous voulions qu'ils les étudient, rien de plus ; hélas, les résultats leur ont fait si forte impression qu'ils ont aussitôt lancé la fabrication de cet engrais à grande échelle et l'ont répandu aux quatre coins de Cloral !

Yenza s'est levée d'un bond :

– Vous voulez dire que cet engrais qui est aussi un poison est désormais utilisé dans tout Cloral ? a-t-elle hurlé en cherchant à contenir son horreur.

– La Société d'agronomie se trouve à Panger, a dit Spader. Nous devons y aller pour leur dire de ne plus le diffuser.

– C'est précisément ce qui nous reste à faire ! a piaillé Manoo.

– Donnez-nous un vaisseau rapide, a ajouté Spader. Nous pouvons y être avant la nuit.

Spader était rusé. Il fallait absolument arrêter la distribution de cet engrais, mais s'il voulait se rendre sur Panger, c'était avant tout pour protéger sa mère. Belle façon de faire d'une pierre deux coups.

– Je viens avec vous ! a ajouté Manoo.

Il s'est tourné vers Nassi, a agité un doigt furieux sous son nez et a crié :

– Et toi aussi. Je ne veux pas être le seul a assumer la responsabilité de ce fiasco !

Nassi a haussé les épaules.

– Très bien, si tu veux. Je sais prendre mes responsabilités. Quand nous aurons perfectionné notre trouvaille, on nous traitera en héros.

– Mais pour l'instant, nous sommes des assassins, a rétorqué Manoo.

Ce qui a fait réagir Nassi. Jusque-là, elle ne considérait le problème que comme une expérience scientifique. Se faire traiter d'assassin était une autre paire de manches. Elle a eu l'air ébranlé.

– Je viendrai, a-t-elle dit.

Yenza a contourné son bureau et s'est dirigé vers la porte.

– Retrouvez-moi au quai de la proue dans deux pecks, a-t-elle ordonné. Je vous fait préparer un vaisseau. Nous partons tous pour Panger.

Puis, juste avant de partir, elle s'est retournée et a tendu un doigt rageur :

– Et n'en parlez à personne ! a-t-elle dit d'un ton sévère. Si Grallion ne risque rien, il est inutile de provoquer une vague de panique.

Elle a quitté la pièce. Nassi et Manoo l'ont suivie, nous laissant seuls avec Spader.

– Est-ce possible ? ai-je demandé. Saint Dane n'aurait donc rien à voir avec cette histoire de poison ?

– C'est une possibilité, a répondu l'oncle Press, mais ce n'est pas vraiment important. Peut-être n'a-t-il pas provoqué la situation, mais il pourra certainement en profiter.

– Et il reste la question de Faar, ai-je ajouté. Qu'est-ce que ce mythe vient faire dans cette histoire ?

– J'espère que nous trouverons la réponse à cette question une fois sur Panger, a fait l'oncle Press.

Quarante minutes – soit deux pecks, selon la façon de compter locale – plus tard, nous nous sommes retrouvés sur le quai, tous les six, prêts à partir pour Panger. Je suis resté là en compagnie de l'oncle Press, de Spader et des deux ingénieurs agronomes. Notre vaisseau était plutôt cool : une sorte de hors-bord survitaminé de douze mètres de long. Il était peint du même vert aquatique que le croiseur des pillards. À l'avant, il y avait une cabine assez grande pour abriter une cuisine et des couchettes. Le poste de pilotage se trouvait en haut de la cabine. Wu Yenza était déjà là, à faire chauffer les moteurs. Le pont était assez vaste, avec des sièges le long de la rambarde. Ça m'a fait penser aux hors-bord sur lesquels l'oncle Press m'avait emmené – sauf que celui-ci avait l'air de pouvoir sacrément tracer.

Nous sommes tous montés à bord, et Spader a largué les amarres. Yenza a fait vrombir les moteurs, encore qu'ils soient plutôt silencieux. Ces engins à eau étaient extraordinaires ! D'une main experte, elle a fait sortir le navire des quais pour gagner la pleine mer. Un peu plus tard, nous avons dépassé la bouée. Yenza a alors mis les gaz, et nous avons compris pourquoi on nous avait donné un tel engin. L'accélération a été si forte qu'elle a bien failli me déséquilibrer et me faire passer par-dessus bord. Quelques secondes plus tard, nous foncions sur la surface des flots comme un jet supersonique.

Tout cela en silence et sans heurts, comme les skimmers. Sans le vent qui me frappait le visage, je n'aurais jamais pu dire à quelle vitesse nous filions. J'ai tenté de me lever, mais me suis rassis aussitôt : le souffle m'aurait emporté.

Pendant la plus grande partie du voyage, les ingénieurs agronomes sont restés dans la cabine, à discuter entre eux, ce qui n'avait rien de bien étonnant. Ils avaient emmené des bloc-notes et ne cessaient d'y griffonner des équations et des formules. J'imagine qu'ils cherchaient un moyen de contrer les effets désastreux de leur engrais mutant.

Yenza a tenu les commandes, avec Spader pour navigateur. À l'aide de cartes marines, il a dessiné l'itinéraire qui nous mènerait à Panger.

L'oncle Press et moi n'avions rien à faire, sinon nous ronger les sangs. Arriverions-nous trop tard pour arrêter les expéditions d'engrais ? Jusqu'où ceux-ci étaient-ils allés ? Avait-il déjà déclenché une réaction en chaîne susceptible d'infecter toutes les récoltes de Cloral ? Plus étrange encore était le mystère de Faar. Cette cité mythique était-elle si importante pour que le père de Spader en parle à l'heure de sa mort ? Et avait-elle un rapport avec Saint Dane ? Heureusement, nous trouverions la réponse à toutes ces questions sur Panger.

– C'est tout à fait logique, a murmuré l'oncle Press, qui fixait la surface des flots en réfléchissant.

– Quoi ?

Ce n'était pas vraiment ce que j'attendais de lui.

– Les agronomes sont allé trop loin, a-t-il continué, pensif. Leurs intentions étaient certainement honorables, mais ils ont créé un monstre. C'est exactement le genre de chose dont Saint Dane peut profiter à fond. Il fera tout ce qui est en son pouvoir pour que le poison se répande et fasse basculer Cloral dans le chaos. C'est le moment de vérité. C'est le pourquoi de notre présence ici.

– Et cette cité perdue de Faar ?

– Je ne vois pas ce qu'elle vient faire dans l'équation, mais si le père de Spader s'inquiétait à son propos, moi aussi.

J'ai levé les yeux vers la cabine de pilotage pour voir Spader fixer l'horizon. J'aurais bien voulu savoir ce qui lui trottait dans la tête. C'était un type super, et je le considérais comme un ami. Mais je craignais que la colère qu'avait fait naître en lui la mort de son père ne lui attire des ennuis et ne fasse empirer la situation. J'espérais de tout cœur que sa mère soit en sécurité. Mais même si c'était le cas, Spader devrait lui apprendre la mort de son mari. Ça ne serait pas facile, mais ce que je craignais plus que tout, c'est qu'elle ait déjà connu le même sort que ma famille. Si Spader découvrait que sa mère avait disparu, j'étais sûr qu'il toucherait le fond.

Le voyage a duré une bonne partie de la journée. J'ai tenté de prendre un peu de repos, mais j'étais trop inquiet pour dormir. J'ai regardé le soleil traverser le ciel pour plonger dans le grand Océan. Puis, alors que je plongeais enfin dans les bras de Morphée…

– La voilà ! s'est écriée Yenza.

Je me suis empressé d'escalader l'échelle menant au poste de pilotage et j'ai suivi la direction qu'elle indiquait. Tout d'abord, je n'ai pas distingué grand-chose, juste un point gris sur l'horizon. Mais alors que nous nous rapprochions, j'ai vu de quoi il s'agissait.

Panger.

Nous avions beau naviguer à une vitesse incroyable, nous avons dû mettre encore deux bonnes heures pour atteindre notre destination. C'est dire à quel point cette cité était vaste. Plus nous nous rapprochions, plus les bâtiments semblaient immenses. J'ai vite compris que cet habitat était largement aussi grand que Grallion, mais contrairement à ce dernier, il était hérissé de tours. C'était une véritable mégalopole ! Certains gratte-ciel devaient bien faire quarante étages. Ça me rappelait des quartiers de chez nous, sauf que cette ville était flottante. Incroyable !

Peu à peu, j'ai pu distinguer les bâtiments en détail. Comme je vous l'ai déjà dit, il n'y a pas d'acier sur Cloral. Tout y est fait d'une sorte de plastique aggloméré très rigide. Du coup, ces immeubles n'avaient pas les couleurs de l'acier ou du béton : ils étaient blancs et bleu clair, ou vert. À part ça, ils ressemblaient à ceux de Manhattan.

Quand nous sommes arrivés à hauteur de la bouée de sécurité et avons ralenti, j'ai failli attraper un torticolis à force de regarder ces gratte-ciel qui semblaient égratigner les nuages. Je n'avais qu'une idée en tête : comment ce monstre pouvait-il flotter ?

Yenza a manœuvré notre vaisseau vers les quais, qui ressemblaient beaucoup à ceux de Grallion. Deux aquaniers nous ont guidés et ont amarré le navire. Puis ils se sont mis au garde à vous et ont salué Yenza à sa descente sur le quai.

— Nous pouvons repartir d'un instant à l'autre, a-t-elle affirmé d'un ton autoritaire.

— Oui, chef ! ont répondu les aquaniers, très professionnels.

Yenza s'est alors retournée et à aboyé en direction de Manoo et Nassi :

— Où se trouve la Société d'agronomie ?

Manoo s'est précipité le long de la rambarde. Il a bien failli tomber à l'eau, mais s'est redressé et a continué comme si de rien n'était. Nassi a levé les yeux au ciel et, d'un pas élégant, est descendue sur le quai.

— Nous allons vous montrer le chemin, a-t-il dit sèchement.

Le petit bonhomme est passé devant Yenza et s'est dirigé vers les escaliers menant à la surface. Nous l'avons suivi. J'ai rejoint Spader et lui ai demandé :

— Quand es-tu rentré chez toi pour la dernière fois ?

Il n'a pas répondu. Il regardait droit devant lui et a même pressé le pas pour s'éloigner de moi. Bon, d'accord, il n'avait pas envie de discuter. Il avait l'esprit ailleurs.

Une fois à la surface, nous sommes sortis d'un immeuble pour découvrir une scène qui ressemblait au centre de n'importe quelle grande ville. Les trottoirs étaient bondés d'une foule pressée, de petits véhicules arpentaient les rues et des vendeurs ambulants munis de chariots proposaient des grignoteries en tout genre. J'avais l'impression d'être de retour à New York, sauf qu'ici tout était plus pittoresque et beaucoup, beaucoup plus propre.

Par contre, un détail m'a tout de suite convaincu que je n'étais pas de retour chez moi. Des sortes d'aqueducs s'étendaient parallèlement à chaque rue. Ils étaient à peu près aussi larges que celles-ci, six mètres environ, ce qui suffisait largement aux nombreux petits bateaux à moteurs à eau qui y circulaient. Je n'étais jamais allé à Venise, mais d'après ce que j'en avais vu, c'était un peu la même chose. D'un coup d'œil, j'ai compris que ces canaux sillonnaient toute la surface de l'habitat. Des ponts les surmontaient, en arc de cercle afin que les bateaux puissent passer en dessous. Et chacun de ces ponts était flanqué d'une magnifique fontaine dont les jets d'eau formaient des figures complexes. Celles-ci n'avaient pas d'autre fonction que d'être décoratives.

Une chose est sûre : Panger était vraiment une cité magnifique.

Mais je n'ai pas eu le temps de l'apprécier à sa juste valeur. Quand nous nous sommes regroupés dans la rue, Spader ne s'est même pas arrêté. Sans un mot d'explication, il est parti vers l'un des canaux.

– Spader ! a crié Yenza. Spader, reviens ! C'est un ordre.

Spader ne l'a pas écoutée. Je savais où il allait, et personne ne pourrait l'arrêter.

Yenza s'apprêtait à le poursuivre, mais l'oncle Press s'est interposé.

– Il va voir sa mère, a-t-il dit.

Yenza s'est radoucie un bref instant, mais elle a aussitôt retrouvé sa dureté :

– Je comprends, a-t-elle rétorqué d'un ton colérique, mais nous ne sommes pas là pour ça, et il le sait.

– En effet, a rétorqué calmement l'oncle Press. Nous allons nous occuper de lui pendant que vous vous rendez à la Société d'agronomie. C'est ça le plus important.

Yenza s'est tournée vers Manoo et Nassi. Cette dernière était à bout de patience. Manoo semblait sur le point de demander où étaient les toilettes.

– Nous ne pouvons pas perdre encore plus de temps ! a piaillé Manoo.

– Laissons-le voir sa mère, a repris Yenza, puis ramenons-le au vaisseau.

– Compris, a répondu l'oncle Press.

De toute évidence, Yenza aimait bien Spader. Je pense qu'elle lui pardonnait bien plus qu'à d'autres aquaniers. De plus, Spader avait sauvé Grallion, avec notre aide bien sûr. Donc je présume qu'il avait bien mérité son indulgence.

Spader avait déjà sauté sur un skimmer et mettait le contact.

– Euh… oncle Press, ai-je dit, il va nous semer.

– Foncez ! a crié Yenza.

L'oncle Press et moi avons piqué un sprint vers le canal. Il faut croire que les skimmers appartenaient à la communauté, parce que les gens les empruntaient et les abandonnaient sur place, comme les bicyclettes en Chine.

Spader a fait vrombir son skimmer avant de partir en trombe. Nous allions le perdre.

– Oncle Press !

– Voilà ! J'en vois un ! a-t-il annoncé.

Il a désigné du doigt un skimmer libre. Nous avons sauté dessus, l'oncle Press a démarré le moteur, et nous étions partis.

Heureusement que la vitesse était limitée sur ces canaux. Ceux-ci étaient plutôt encombrés et quiconque appuyait un peu trop sur le champignon courait à l'accident. Spader était déjà loin devant, mais je sentais qu'il ne pouvait pas foncer comme il le désirait : apparemment, c'était l'heure de pointe. D'une main experte, l'oncle Press a louvoyé autour des traînards et évité ceux qui venaient en face sans plus de conséquences que quelques jurons bien sentis.

Nous avons continué notre route entre ces immenses bâtiments, comme si nous étions au fond d'un canyon. Mais ce n'était pas le moment de profiter de la balade : il ne fallait pas quitter Spader de vue. Celui-ci semblait savoir précisément où il se rendait et a plusieurs fois viré de bord pour emprunter des canaux adjacents. J'ai indiqué la direction à prendre à l'oncle Press, trop occupé à éviter les autres skimmers pour suivre des yeux le chemin qu'empruntait Spader.

Finalement, notre cible a viré dans un canal étroit encaissé entre deux bâtiments plus petits. Je l'ai vu abandonner le skimmer et j'ai repéré l'immeuble vers lequel il se dirigeait. J'ai eu comme un sentiment de déjà vu. C'était la même situation que lorsque nous avions suivi Spader jusque chez son père, sur Magorran. Pourvu que nous ne découvrions pas les mêmes horreurs !

Nous sommes vite descendus de notre véhicule et nous sommes mis à courir. C'était inutile : Spader était là, dans la rue, à nous attendre.

– Je viens juste de m'apercevoir de votre présence, a-t-il dit d'un air un peu gêné. Je ne savais pas que vous me suiviez.

– Oui, ben, on est tous dans le même bain, que tu le veuilles ou non, ai-je répondu.

– Je suis désolé. Je suis heureux que vous soyez là. Je suis un peu…

Il n'a pas fini sa phrase. Il avait peur de ce qu'il allait découvrir.

– C'est bon, Spader, a dit l'oncle Press. Nous sommes avec toi.

Il a acquiescé, puis a tourné les talons et nous a menés vers l'immeuble où habitait sa mère. Celui-ci ressemblait à n'importe quel bâtiment résidentiel de chez nous, sauf qu'il était jaune clair. Il y avait cinq étages comportant dix appartements chacun. Spader connaissait le chemin. Nous avons monté les escaliers jusqu'au dernier étage, puis continué vers la porte au fond du couloir. Spader s'est arrêté face au panneau. Il ne tarderait pas à découvrir ce qu'il était venu chercher, et il était tiraillé entre son désir d'entrer et la peur de ce qu'il allait découvrir. Il nous a regardés, et l'oncle Press a hoché la tête pour l'encourager.

Spader a frappé à la porte en lançant un « Hobie-ho ! » joyeux.

Pas de réponse. Il a frappé à nouveau.

– Maman ?

Pas de bruit de pas courant vers la porte. Pas d'appel pour demander qui était là. Pourvu que sa mère fasse la sieste, ou soit sortie faire une course, ou chez des amis, peu importe.

Spader s'est tourné vers nous, puis il a essayé de tourner la poignée. La porte était ouverte. Son cœur devait battre la chamade, parce que le mien ne s'en privait pas. Il a inspiré profondément, puis est entré dans l'appartement de sa mère. L'oncle Press et moi avons fait de même.

Je dois vous dire, les gars, je ne pensais pas vivre une situation pareille une fois dans ma vie, alors deux fois… Ce n'était pas juste.

L'appartement était vide. Pas seulement désert, mais vide, sans un meuble ou un tableau ou quoi que ce soit qui puisse indiquer que quelqu'un avait un jour habité ici. J'avais ressenti exactement la même chose lorsque nous nous étions rendus au

2, Linden Place à Stony Brook et que j'avais constaté que ma maison n'était plus là. Bon, c'est sûr que ce que j'avais vécu avec vous sur la Seconde Terre était plus dramatique. Après tout, j'avais constaté la disparition complète de mon univers : mes parents, ma famille, ma maison. Mais je savais très bien ce que Spader ressentait.

Il est resté là, près de la porte, à fixer d'un œil incrédule l'appartement vide. L'oncle Press est allé poser une main sur son épaule et lui a dit les mots magiques :

– Ne sois pas triste. C'était écrit.

Spader s'est détourné d'un geste plein de colère.

– Comment est-ce possible ? a-t-il crié. Où est-elle ?

– Elle n'est pas morte, a repris l'oncle Press. Maintenant, tu es un Voyageur. Ce qui veut dire qu'il était temps pour elle de passer à autre chose.

Spader lui a rendu un regard rempli d'incompréhension. À vrai dire, moi-même je ne voyais pas pourquoi devenir un Voyageur impliquait la perte de nos parents.

– Alors où est-elle ? ai-je rétorqué. Et pendant qu'on y est, où est ma famille ?

L'oncle Press semblait mal à l'aise. D'après moi, il savait très bien où ils se trouvaient, mais Dieu sait pourquoi, il ne voulait pas le dire.

– Spader, je vais te déclarer la même chose que j'ai dite à Bobby quand il a découvert que sa propre famille avait disparu, a-t-il dit calmement. Depuis ta naissance, tu étais destiné à devenir un Voyageur. Le rôle de ta famille était de t'élever et de t'apprendre à être ce que tu es aujourd'hui pour que tu puisses entamer ton voyage – mais eux-mêmes ont entrepris le leur. Un jour, tu les reverras. Je te le promets.

– Et mon père ? Il n'est allé nulle part. Il s'est fait tuer !

– C'était un Voyageur, a affirmé l'oncle Press. Il avait d'autres obligations. Je te garantis qu'au fil du temps tu finiras par tout comprendre, mais pour l'instant, crois-moi : tu n'as pas à t'inquiéter pour ta mère. Il ne lui est rien arrivé de grave.

Soudain, des sentiments déjà anciens sont remontés en moi. Je commençais à en avoir assez d'ignorer ce que signifiait exacte-

197

ment ce statut de Voyageur. Je ne savais que trop ce que devait ressentir Spader. Pour lui, tout ce micmac était nouveau. Nous sommes restés quelques instants dans cette pièce, puis Spader est parti en courant dans l'appartement. Nous l'avons suivi alors qu'il traversait ce qui avait dû être une chambre à coucher, aujourd'hui désertée.

Il s'est planté là, au milieu de la pièce, et a dit :

– C'était ma chambre. J'y ai vécu de ma naissance jusqu'au jour où je suis devenu aquanier. Je n'arrive pas à croire qu'on puisse effacer d'un coup toute mon enfance. (Il s'est dirigé vers un placard.) Donne-moi un coup de main, Pendragon.

J'ai haussé les épaules et l'ai suivi.

– Tu me fais la courte ?

J'ai joint les mains pour qu'il puisse monter et je l'ai soulevé.

– J'avais une cachette que personne d'autre ne connaissait, a-t-il dit en palpant le mur. C'est là que je rangeais tout ce qui était important pour moi.

Ça me brisait le cœur. Spader réagissait de la même façon que moi-même, lorsque j'avais arpenté le terrain vague qui se tenait à la place du 2, Linden Place, cherchant désespérément la moindre indication prouvant que j'avais un jour habité ici. En vain. Même la marque que notre balançoire avait laissée sur l'arbre avait disparu. Je savais que la cachette de Spader serait vide.

Au-dessus de la porte du placard, on avait découpé avec soin un rectangle dans le mur. Spader a retiré le couvercle et a regardé à l'intérieur. Il était vide, bien sûr. Il me suffisait de voir son expression pour le comprendre.

Mais, alors même qu'il allait redescendre, son visage s'est éclairé. Contre toute attente, il avait bien découvert quelque chose.

– Repose-moi.

Je me suis penché et j'ai lâché son pied. Il s'est cogné l'épaule contre la porte, mais est retombé sur ses pieds.

– Qu'est-ce que tu as trouvé ?

J'avais du mal à croire qu'on ait pu oublier une trace de son ancienne existence. Il a tendu son trésor.

Aussitôt, j'ai compris que ce n'était pas quelque chose qu'il y avait lui-même laissé. C'était une feuille de papier vert pliée en deux. À l'extérieur, on avait écrit en lettres noires : « Pour Spader. Je t'aime et je suis fière de toi. Hobie-ho ! » Sans doute l'écriture de sa mère.

Spader a déplié la feuille pour voir son cadeau d'adieu. C'était l'autre moitié de la carte de Faar.

– Elle a peut-être disparu, a-t-il dit d'une voix douce, mais j'imagine que son travail n'était pas vraiment terminé tant qu'elle ne m'avait pas remis ce document.

– Hello ? Y a quelqu'un ?

Une voix joyeuse s'éleva de l'entrée de l'appartement. Celle d'une femme. Un instant, j'ai cru que la mère de Spader était de retour. Spader a dû penser la même chose, car il s'est précipité vers l'entrée. L'oncle Press et moi l'avons suivi.

Une fois dans le vestibule, nous avons constaté que ce n'était pas du tout la mère de Spader. C'était Po Nassi, l'ingénieur agronome. Que faisait-elle ici ?

– Ah, vous voilà ! Pourquoi avez-vous filé comme ça ? a-t-elle fait du ton d'une maîtresse d'école réprimandant ses enfants.

– Pourquoi n'êtes-vous pas restée avec Yenza et Manoo ? a demandé l'oncle Press.

– Ces deux-là vont droit dans une impasse. J'ai mieux à faire de mon temps.

Bizarre. Nous aurait-elle suivis ?

– Alors, Spader, mon jeune ami, a-t-elle repris. As-tu trouvé ce que tu cherchais ?

Il a répondu par un regard éperdu. L'oncle Press et moi ne valions pas mieux. De quoi parlait-elle ?

– Moi-même, je ne l'aurais pas cru possible, a-t-elle expliqué. Comme vous autres Cloriens, je croyais que cette cité perdue de Faar n'était qu'un mythe. Du moins jusqu'à ce que je voie le symbole dessiné par ton père. C'était un Voyageur de premier ordre. J'imagine qu'il a découvert que la cité existait bel et bien et a défini son emplacement. Et je crois que maintenant, vous le savez aussi.

Aïe. L'oncle Press s'est crispé. J'ai senti mon poil se hérisser. J'avais bien peur de savoir où menait cette conversation, et ça ne me plaisait guère.

– Comment pouvez-vous savoir tout ça ? a dit Spader, abasourdi.

Il ne comprenait rien à ce qui se passait, mais ne tarderait pas à le savoir.

Nassi a regardé l'oncle Press avec un sourire félin.

– Ahhh, Press. L'innocence de ces jeunes gens n'est-elle pas émouvante ?

C'est alors que c'est arrivé. Nassi, l'ingénieur agronome, s'est transformée sous mes yeux. Son visage s'est tordu, son corps a ondulé, toute sa silhouette est devenue informe et comme liquide. Sa métamorphose n'a pas duré plus de cinq secondes, mais je suis sûr qu'elle hanterait Spader jusqu'à la fin de ses jours. Moi aussi, mais j'avais déjà assisté à une telle scène. Ses cheveux se sont allongés tout en virant au gris. Son corps s'est élevé jusqu'à dépasser les deux mètres. Ses vêtements sont passés du bleu de Cloral à un noir familier. Et le plus impressionnant était encore ses yeux. Ils étaient d'un bleu glacier et brûlaient d'une flamme maléfique.

– Tu comprends mieux maintenant, monsieur le plongeur ? a feulé cette grande silhouette inquiétante.

Spader m'a regardé, l'air affolé.

– C'est Saint Dane, ai-je dit d'une voix dépourvue d'émotion.

Journal n° 7
(suite)

CLORAL

— Vilains garnements, vous avez coulé mon croiseur ! a-t-il dit d'une voix badine, comme si ça n'avait aucune importance.

Spader m'a regardé, puis l'oncle Press. Je crois qu'il était en état de choc. Rien ne l'avait préparé à une telle vision. Elle ne me remplissait pas de joie non plus, mais au moins, j'avais une longueur d'avance. J'avais déjà assisté au tour de passe-passe de Saint Dane.

— C'est toi qui as répandu cet engrais empoisonné ? a demandé l'oncle Press.

Saint Dane a éclaté d'un rire maléfique. Et c'était reparti. J'ai horreur que les méchants ricanent. Ça veut toujours dire qu'ils en savent plus que vous.

— Tu me surestimes, Press, mon ami. Tu sais bien que je ne déclenche jamais rien.

— Mais tu donnes juste un petit coup de pouce, a ajouté l'oncle Press.

— Pour cela, je plaide coupable. Cette fouine de Manoo et ses ingénieurs agronomes auraient abandonné leurs expériences depuis longtemps si je ne les avais pas convaincus de continuer. Je n'ai eu qu'à flatter leur ego. Je leur ai dit qu'ils allaient devenir des héros en sauvant Cloral de la famine ! (Il a eu un rire ironique.) Aveuglés par leurs visions de grandeur, ils n'ont pas compris qu'ils concoctaient de quoi exterminer tout ce qui vit sur ce territoire. Surprise !

— Donc, tu as bien tué mon père, a craché Spader.

– Indirectement, dirons-nous, a répondu Saint Dane d'un ton déjà ennuyé. Mais un Voyageur en moins, ça ne peut faire que du bien, non ?

Voilà qui a fait exploser Spader. Il a sauté à la gorge de Saint Dane. Mais celui-ci s'est empressé de tirer de sous son manteau un revolver argenté qu'il a collé contre la poitrine de Spader. L'aquanier s'est arrêté net. Ses yeux brûlaient de haine, mais il ne pouvait rien faire.

– Écoute Pendragon, a déclaré calmement Saint Dane. Il sait que tu ne peux me vaincre.

– Ah, oui ? ai-je rétorqué. Comme sur Denduron ?

Pour la première fois, Saint Dane s'est tourné vers moi. Ses yeux bleu glacier m'ont donné le frisson.

– Ce n'est qu'un contretemps, rien de plus. Le jeu vient à peine de débuter, Pendragon.

– Un jeu ? a hurlé Spader. Tu as tué des centaines de personnes, et tu appelles ça un jeu ?

– Bien sûr, a répondu Saint Dane.

Il s'est alors mis à se transformer à nouveau. Son corps s'est fait liquide, il a légèrement rétréci et, au bout de quelques secondes, nous avions devant nous le pillard Zy Roder.

– C'est bien un jeu, a-t-il repris d'une voix différente, plus rauque. Et les enjeux sont énormes !

À ce moment, la porte s'est ouverte et plusieurs pillards ont investi l'appartement. Tous étaient munis de pistolets argentés semblables à celui de Saint Dane. Nos chances de nous en sortir venaient de baisser considérablement.

– Bon, a dit Saint Dane, j'ai une question à vous poser. Dites-moi tout ce que vous savez sur cet endroit qu'on appelle Faar.

Nous avons fait de notre mieux pour ne pas nous regarder.

– Faar est un conte pour enfants, a fini par répondre Spader. Que veux-tu savoir ?

Saint Dane a vissé le canon de son revolver dans la poitrine de Spader, lui arrachant une grimace de douleur.

– Inutile de ruser, tu perds ton temps. J'ai vu le symbole de Faar sur le bureau de ton père. Je savais qu'il la cherchait, mais je sais depuis qu'il l'avait trouvée.

– Tu étais là ? ai-je demandé, soufflé. À bord de Magorran ?

– Ou plutôt, Po Nassi y était, a-t-il ajouté avec un petit rire. Elle était encore là quelques secondes avant votre arrivée.

J'ai eu l'impression que Saint Dane aimait se jouer des gens avec ses petites charades.

Ce type me débecte.

Il a regardé Spader droit dans les yeux et a ajouté :

– Ton père a découvert Faar et t'a transmis l'information, n'est-ce pas ?

Spader n'a pas bronché. Il n'allait pas lui donner les deux parties de la carte. Pas question. Mais Saint Dane, rapide comme l'éclair, a saisi Spader de sa main libre. L'oncle Press et moi avons fait un pas en avant, mais les autres pillards nous ont maîtrisés et empêchés d'intervenir.

– Parle ! a craché Saint Dane en serrant le cou de l'aquanier.

Il devait être d'une force extraordinaire, car il a soulevé Spader du sol d'une seule main.

– Dis-moi ce que tu sais, ou je commencerai par tuer Pendragon, puis Press, puis je retournerai sur Grallion pour voir quels méfaits je peux y commettre. Je vous tuerai tous, sauf toi. Tu devras passer le reste de ta vie en sachant qu'ils sont morts à cause de toi, qui as refusé de me dire ce que je ne tarderai pas à découvrir de toute façon.

Spader commençait à virer au bleu. L'oncle Press et moi nous sommes débattus pour échapper aux pillards, mais en vain. Nous ne pouvions rien faire.

Spader a lentement ramené sa main vers la poche contenant la carte.

– Non ! ai-je crié.

Trop tard. Spader a tiré les deux moitiés de feuille et les a jetées à terre. Saint Dane l'a aussitôt lâché, et Spader s'est affalé sur le sol en hoquetant. Un autre pillard a ramassé les deux morceaux de la carte et les a tendus à Saint Dane. Le Voyageur maléfique les a rassemblées et étudiées pendant quelques secondes. Puis il a souri :

– C'était donc si simple. Merci, Spader. Maintenant, Cloral n'a plus le moindre espoir de lutter contre l'épidémie que je prépare depuis si longtemps.

Hein ? Quel rapport pouvait-il y avoir entre une mythique citée disparue et un engrais empoisonné qui se répandait dans tout le pays ?

Boum ! Un coup de feu a résonné dans le vestibule. Les pillards se sont tous mis à l'abri. Je ne me serais pas cru capable d'agir aussi rapidement, mais grâce à cette seconde de chaos, j'ai plongé et j'ai arraché les deux feuilles des griffes de Saint Dane.

Boum ! Boum ! Deux autres coups de feu. Enfin, ce n'était pas exactement ça. Vous vous souvenez de la façon dont j'ai décrit le bruit émis par les canons du croiseur, qui tiraient des espèces de missiles d'eau compacte ? En fait, c'était celui que faisaient toutes les armes lourdes de Cloral. Et là, dans le couloir, se tenaient Wu Yenza et deux aquaniers. Impossible de dire comment ils avaient pu savoir que nous étions mal barrés, mais à ce stade, je m'en fichais.

Les projectiles aquatiques ont frappé les murs et explosé en faisant bien plus de dégâts qu'une balle normale.

– Jetez vos armes ! a crié Yenza.

Pendant que Saint Dane et les autres pillards se mettaient à couvert, l'oncle Press nous a entraînés vers la chambre, Spader et moi. Les pillards étaient trop occupés pour nous courir après.

– Il y a une autre sortie ? a crié l'oncle Press.

– Une corniche qui fait tout le tour du bâtiment, a hoqueté Spader, qui se remettait mal d'avoir été à moitié étranglé.

– Montre-nous !

De l'autre pièce provenait le fracas des missiles à eau. L'un d'entre eux a carrément foré un trou dans le mur pour finir dans la pièce où nous nous trouvions, en passant à trente centimètres de ma tête. Ce n'était pas de vulgaires pistolets à eau !

Spader a ouvert une fenêtre et a sauté. L'oncle Press m'a fait signe de le suivre. J'ai hésité un instant. Je n'aime pas trop l'altitude et on était quand même au cinquième étage. Pas top ! Mais je n'avais pas le choix. Dehors, les pillards étaient plus nombreux que les aquaniers. Dès que les méchants comprendraient qu'ils avaient l'avantage, ils se lanceraient à notre poursuite. J'ai donc ravalé mes angoisses et j'ai escaladé l'appui de la fenêtre.

En effet, une corniche d'une cinquantaine de centimètres de large faisait le tour de l'immeuble. En principe, ça suffisait pour marcher tranquillement, mais quand on se trouve au cinquième étage, ça semble bien étroit. J'ai regardé en bas, ce qui m'a aussitôt donné le vertige.

— Vas-y ! a crié l'oncle Press.

Il était déjà derrière moi et me poussait pour que j'aille rejoindre Spader. Celui-ci était déjà arrivé à l'angle du bâtiment. J'ai fait deux pas en avant, puis…

Boum ! Un pan de mur a volé en éclats juste devant moi dans un jaillissement de poussière. Soudain, j'ai oublié ma peur de l'altitude et je me suis mis à courir. Derrière l'oncle Press, d'autres décharges ont pilonné l'immeuble, creusant d'énormes cratères dans la façade. Si nous nous arrêtions, elles nous arracheraient à la corniche.

Spader a atteint l'angle et a disparu de l'autre côté. Je l'ai aussitôt suivi. À présent, nous étions de l'autre côté de l'immeuble, à l'opposé des combats qui faisaient rage. Spader a trouvé une fenêtre et a sauté à l'intérieur. Un instant, j'ai cru que nous allions piétiner un pauvre bougre faisant tranquillement la sieste, mais heureusement, nous nous sommes retrouvés dans une cage d'escalier.

— Descendez par là ! a ordonné Spader.

Mais au lieu d'ouvrir la marche, il est reparti en arrière, vers le couloir où les combats continuaient. L'oncle Press l'a attrapé au passage :

— Où vas-tu ?

— Chercher Saint Dane !

Il a tenté de se dégager, mais l'oncle Press le tenait bon.

— Écoute, Spader, tu n'as eu qu'un bref aperçu de ce qui se passe. Tu ne fais pas le poids devant les pouvoirs de Saint Dane.

— Sans oublier la fusillade en cours, ai-je ajouté. Si tu y retourne, tu es fichu.

Spader semblait déchiré. Son sang bouillait dans ses veines et il n'avait qu'un seul désir : faire payer Saint Dane.

— Comme nous te l'avons dit, a repris l'oncle Press d'une voix apaisante, le véritable enjeu de la bataille est bien plus important.

Tu as entendu ce qu'il a déclaré à propos de Faar. Cette cité pourrait être la dernière partie de son plan visant à détruire Cloral. D'après toi, c'est quoi le plus important ? Retourner là-bas pour te faire tuer ou accomplir ce que ton père aurait attendu de toi ?

Spader a levé des yeux interrogateurs sur Press.

– Partons à la recherche de la cité perdue de Faar ! a alors lancé mon oncle.

Boum ! Comme pour ponctuer sa phrase, un missile aquatique a arraché la porte du couloir. Les pillards se rapprochaient. Mais Spader était désormais des nôtres. Il savait ce qu'il devait faire.

– Allons-y ! a-t-il crié.

Et il a dévalé les escaliers quatre à quatre. J'ai bien cru tomber et les descendre sur le crâne, ce qui, à ce stade, aurait été plutôt bête, mais nous devions faire vite. J'ai donc tenu le rythme tant bien que mal.

Nous avons franchi au pas de course une des portes du bâtiment et avons foncé vers le canal et les skimmers. Quand nous avons tourné à l'angle de l'immeuble, j'ai vu Yenza et deux des aquaniers qui passaient à reculons la porte d'entrée sans arrêter de tirer. Pourvu que personne ne vienne s'interposer pour finir en perte collatérale !

– Yenza ! a crié l'oncle Press.

La chef des aquaniers a levé les yeux et constaté que nous étions sortis du bâtiment. Elle a aussitôt aboyé un ordre aux autres aquaniers, qui ont cessé le combat pour foncer à leur tour vers les skimmers. En cours de route, de petites bombes à eau ont frappé le sol à nos pieds. Je n'ai pas eu besoin de me retourner pour voir que les autres pillards étaient sortis du bâtiment et s'étaient lancés à notre poursuite. Je pouvais juste espérer qu'ils soient assez loin pour que leurs fusils manquent de précision.

Nous avons atteint le canal à peu près en même temps et avons bondi sur les skimmers. Personne n'a échangé un mot. L'oncle Press et moi avons partagé un skimmer, Spader et Yenza un autre et les deux aquaniers un troisième.

Les moteurs ont rugi. Nous étions à quelques secondes du départ quand Spader s'est retourné et m'a souri.

– Le dernier au quai paie sa tournée !

À cet instant, j'ai retrouvé ce bon vieux Spader. Il a fait vrombir son engin et a démarré en trombe. L'oncle Press a aussi mis pleins gaz et nous avons filé sur l'eau, suivis par les aquaniers. Tout autour de nous, l'eau bouillonnait déjà du déluge de missiles aquatiques alors que les trois skimmers échappaient aux pillards.

Le chemin qui nous ramènerait aux quais était tortueux à souhait, et qui plus est, le trafic était intense. Mais cette fois-ci, nous ne nous en soucions pas trop. Spader en tête, nous avons évité les autres skimmers comme des portes dans une descente de ski. Je me suis demandé si, sur Panger, il y avait une police de la route susceptible de nous arrêter pour conduite dangereuse. Heureusement, nous n'avons percuté personne, bien que nous ayons plus d'une fois frôlé l'accident.

Ce n'est qu'une fois arrivés au canal, près des quais, que nous avons pu reprendre notre souffle. Mais la course ne faisait que commencer. Nous avons amarré nos skimmers et nous sommes dirigés vers les quais.

— Comment saviez-vous qu'il fallait nous suivre ? a demandé l'oncle Press a Yenza.

— À cause de Nassi, a-t-elle répondu. Je m'en suis toujours méfié. Dès que vous êtes partis à la poursuite de Spader, elle a filé en douce.

— Vous nous avez sauvé la vie, Yenza, a ajouté l'oncle Press. Merci.

Yenza s'est immobilisée dans cette rue bondée et s'est tournée vers nous trois. Les aquaniers se tenaient derrière elle, prêts à tout. Yenza avait l'habitude d'être aux commandes et n'aimait pas se savoir dépassée, surtout lorsqu'elle devait affronter des pillards.

— À vous voir parler avec Zy Roder, on aurait dit que vous le connaissiez. Que se passe-t-il ?

Nous nous sommes regardés, tous les trois. Comment pouvions-nous lui expliquer ne serait-ce qu'une partie de ce qui se passait ? C'est l'oncle Press qui s'est dévoué :

— Po Nassi travaillait avec Zy Roder, a-t-il expliqué.

Techniquement parlant, Po Nassi était Zy Roder, mais l'oncle Press a préféré ne pas entrer dans les détails. Sage décision.

— Elle savait très bien ce qu'elle faisait, a-t-il continué. Elle savait que cet engrais était un poison. Le père de Spader et moi-même enquêtions sur cette histoire… Enfin, avant sa mort.

– Po Nassi voulait empoisonner Cloral ? a-t-elle répondue, choquée. Mais pourquoi ?

– C'est difficile à croire, mais c'est la vérité. Nous devons quitter Panger immédiatement. Où est Manoo ?

– Je suis là, je suis là !

Le petit bonhomme courait vers nous depuis le bâtiment menant aux quais. Il avait l'air en colère et vaguement dégoûté.

– Où étiez-vous passé ? a-t-il demandé.

– Es-tu allé à la Société d'agronomie ? a renchéri Yenza, ignorant la première question.

– Oui, a-t-il répondu nerveusement. Mais il est trop tard.

– Comment ça ?

– L'engrais a été envoyé dans tout Cloral, a gémi Manoo. Toutes les fermes sous-marines s'en servent déjà. Nos réserves de nourriture vont être empoisonnées ! C'est une catastrophe !

Ce n'était rien de le dire ! Le plan de Saint Dane venait d'entrer en action, et Manoo était malade d'inquiétude.

– Retourne à la Société d'agronomie, a ordonné l'oncle Press. Tu vas leur faire retrouver l'itinéraire de chaque livraison et prévenir les navires. Tu peux t'en charger ?

– Je pense, oui, a répondu Manoo. Mais qu'est-ce qui vous donne le droit de…

– Obéis, Manoo ! a aboyé Yenza.

Elle a hélé deux aquaniers.

– Escortez-le jusqu'à la Société d'agronomie et veillez à ce qu'il ne lui arrive rien de fâcheux.

Les aquaniers ont salué sèchement et se sont préparés à accompagner Manoo. Yenza a pris le petit bonhomme par les épaules en un témoignage de confiance et d'affection :

– Fais ce qu'on te dit, Manoo. Hobie-ho.

Manoo s'est redressé comme si le sort de Cloral tout entier dépendait désormais de lui. Il avait une mission, et la prenait très au sérieux.

– Allons-y ! a-t-il crié aux deux aquaniers, et ils sont partis tous les trois.

Yenza s'est à nouveau tournée vers l'oncle Press et lui a demandé :

– Pourquoi devons-nous quitter Panger, au juste ?

L'oncle Press m'a regardé en tendant la main. J'ai tout de suite compris et lui ai donné les deux morceaux de la carte.

– Vous avez entendu parler de la cité perdue de Faar ?

Quelques minutes plus tard, nous avions rejoint les hors-bords et foncions au large vers… Eh bien, dans l'idée, nous voulions gagner la cité perdue de Faar, mais à ce moment-là, nous avions l'impression de courir après un conte de fées.

Quand nous avons assemblé les deux parties de la carte, nous avons vu que le trait horizontal qui partait du fond vers le coin gauche se continuait sur l'autre partie, jusqu'en haut. La ligne incurvée qui naissait en bas à gauche formait un demi-cercle complet avec une autre ligne incurvée sur la deuxième moitié et formait comme un grand sourire sous la ligne horizontale. Les points à gauche au-dessus de la ligne horizontale se continuaient sur l'autre moitié. Enfin, la série de chiffres du côté gauche se continuait sur la droite.

Nous n'avions pas la moindre idée de ce que ça pouvait signifier, mais Spader et Yenza savaient à quoi correspondaient les chiffres. C'étaient les coordonnées typographiques d'un point précis situé au beau milieu de l'Océan. À présent, nous avions un emplacement, mais celui-ci se trouvait à bonne distance de Panger. D'après eux, même si nous poussions les moteurs à fond, le voyage nous prendrait toute la nuit. Spader a calculé notre trajectoire et l'a insérée dans le système de pilotage automatique pour que nous ne risquions pas d'en dévier. Lorsqu'on parcourt une telle distance, la moindre erreur peut nous envoyer à des kilomètres du point de chute. Sauf incident, lorsque le soleil se lèverait, nous serions à l'endroit précis où, s'il fallait en croire la carte, nous trouverions la cité perdue de Faar.

J'étais impatient, mais pas dupe. L'idée de découvrir une cité perdue à demi submergée était un peu tirée par les cheveux. Enfin, après tout, comme l'avait dit Loor, rien n'était impossible.

J'espérais aussi que Saint Dane n'avait pas une mémoire photographique. Il avait à peine eu quelques secondes pour étudier la carte avant que Yenza et les aquaniers ne débarquent en fanfare. Avec un peu de chance, il aurait oublié une partie des coordonnées, ou ferait une erreur quelconque qui l'enverrait au diable. Je l'espérais, mais n'y croyais pas un seul instant. Je savais que désormais, Saint Dane disposait des mêmes informations que nous. Pourrait-il nous prendre de vitesse ? C'était une course, mais sur quoi débouchait-elle ?

La nuit était belle, et l'Océan était si paisible que les étoiles se reflétaient sur la surface des flots. Je me tenais sur la proue, à contempler ce magnifique spectacle, quand j'ai senti une présence derrière moi.

C'était Spader.

— Dis-moi, d'où viens-tu exactement ?

— C'est une longue histoire, ai-je répondu. C'est un endroit qu'on appelle la Seconde Terre. Ne me demande pas s'il y en a une première ou une troisième, je n'en sais rien. J'habite une ville du nom de Stony Brook. Là, nous avons de grandes villes, des fermes et des villages, comme Cloral, sauf que tout ça ne flotte pas sur l'Océan. Pour autant que je me souvienne, les quatre cinquièmes de la planète sont submergés. Le reste est sur la terre ferme.

— Mais comment pouvez-vous vous déplacer sans skimmers ni hors-bords ?

— Eh bien, avec des voitures… Des véhicules qui peuvent parcourir de longues distances sur la terre ferme, et des trains qui cheminent sur des rails. Ah, oui, et… nous pouvons voler.

— Quoi ? a-t-il demandé, interloqué.

J'ai éclaté de rire.

— Enfin, façon de parler… Disons plutôt que nous disposons d'avions, des engins volants. Certains ont à peine assez de place pour deux personnes, d'autres sont assez grands pour en contenir quatre cents.

— Hobie, c'est de la magie ! s'est-il exclamé.

J'imagine que pour quelqu'un qui est originaire d'un territoire où l'on n'a pas inventé d'appareils volants, cette notion doit être assez extraordinaire – aussi inconcevable que de pouvoir respirer sous l'eau grâce à des globes de plastique qui se collent sur votre tête. Chaque territoire est unique à sa façon et, croyez-le ou non, l'idée qu'il y en ait encore plein d'autres qui n'attendaient que moi commençait à me plaire.

– Et tu as une famille ? m'a-t-il demandé.

– Ouais. Un père, une mère et une petite sœur qui s'appelle Shannon.

Nous sommes restés silencieux un bon moment. Nous pensions tous les deux la même chose. Qu'était-il arrivé à nos familles ?

– Tu sais, Pendragon, a-t-il dit, je crois que Press était sincère quand il a dit que nous les reverrons un jour. Mais avant, nous allons vivre des aventures extraordinaires.

Je n'ai pas pu m'empêcher de sourire. Peut-être commençait-il à accepter son sort.

Pendant le reste de la nuit, Spader et Yenza se sont succédé aux commandes. Nous avons tous essayé de dormir un peu, mais ce n'était pas si facile. Nous sommes passés dans la cabine, qui comprenait quelques couchettes. J'étais surexcité, mais j'avais tant besoin de sommeil qu'à peine la tête posée sur l'oreiller je suis tombé dans le sirop. Je comptais dormir une ou deux heures au maximum, et en fait, j'ai roupillé toute la nuit !

C'est le bruit des moteurs en pleine décélération qui m'a fait émerger. Aussitôt, je me suis redressé sur mon hamac. Bien sûr, je me suis cogné la tête sur une poutre, j'ai juré comme un charretier et je suis monté sur le pont.

L'oncle Press, Spader et Yenza étaient déjà là. Nous devions avoir bien roulé, enfin navigué, car le soleil se levait à peine. Il faisait noir et les étoiles se reflétaient toujours sur l'eau. Tout était silencieux, surtout maintenant que les moteurs s'étaient tus et que nous étions immobiles. J'ai regardé tout autour de moi, mais je n'ai vu que de l'eau, à l'infini.

– Nous sommes arrivés ? ai-je demandé.

– À l'endroit précis indiqué par la carte, a répondu Spader.

– C'est bizarre, a repris Yenza. D'après les portulans, nous sommes au-dessus d'une immense fosse, l'une des plus profondes de Cloral. Mais mes instruments me disent que le niveau de l'eau est plutôt réduit. Je n'y comprends rien.

— Nous ne sommes peut-être pas au bon endroit ? ai-je suggéré.

— Impossible, a répondu Spader.

Je me suis dirigé vers la proue du hors-bord et j'ai regardé au loin. L'Océan était si paisible qu'il était difficile de voir où se terminait l'horizon et où commençait la surface des flots. Surtout avec le reflet des étoiles sur la mer.

Les étoiles. Les étoiles qui se reflètent sur l'eau. C'est alors que j'ai enfin compris.

Je me suis précipité vers les autres et j'ai crié :

— Passez-moi la carte !

Spader avait suivi ma pensée. Il avait joint les deux morceaux à l'aide d'une sorte de colle. Je l'ai tendue vers l'horizon. Puis je me suis retourné lentement jusqu'à ce que tout soit aligné par rapport à la carte…

— C'est ça ! me suis-je exclamé.

— Quoi ? a rétorqué l'oncle Press.

— Regardez ! ai-je dit en désignant la carte. Ces lignes verticales représentent l'horizon. Et ces petits points sont…

— Des étoiles ! a crié Spader. Hobie-ho, regardez !

C'était incroyable. Les points sur la carte s'alignaient parfaitement avec les constellations qui se découpaient dans le ciel nocturne. Pas d'erreur possible : nous étions au bon endroit.

— Heureusement que nous sommes arrivés de nuit, a remarqué l'oncle Press.

— Dans ce cas, ai-je demandé, c'est quoi ce grand demi-cercle sous la ligne ?

Je pense que la vérité nous a frappés tous les quatre au même moment. Nous avons échangé des regards circonspects. Nous savions très bien ce qu'était ce demi-cercle. Si la ligne était l'horizon, tout ce qui se trouvait en dessous était submergé. Et dans ce coin-là, il ne pouvait pas y avoir qu'une fosse sous-marine.

— Est-ce possible ? a demandé Spader, émerveillé.

— Depuis que je suis toute petite, a répondu Yenza avec révérence, j'ai entendu parler de Faar. C'est censé être l'endroit le plus merveilleux du monde. C'est là que serait née Cloral. Et dire qu'elle existe peut-être pour de bon…

Cette idée était si incroyable qu'elle n'est même pas parvenu à terminer sa phrase.

— D'une façon ou d'une autre, nous allons découvrir ce qu'il en est, a affirmé l'oncle Press.

À sa voix, j'ai compris qu'il voulait traiter cette aventure comme une expédition de routine. Sans doute préférait-il que Spader et Yenza oublient leurs mythes d'enfance pour se concentrer sur tout ce qui pouvait leur arriver.

— Mangeons un morceau, a-t-il dit. Puis nous nous préparerons à plonger. Dès que nous y verrons assez clair, nous irons jeter un coup d'œil à ce qu'il y a là-dessous.

Nous disposions d'un stock de fruits secs et de légumes. Je me suis dit, brièvement, qu'ils pouvaient être empoisonnés comme le reste des provisions de Cloral. Mais comme tout était séché, ils devaient être là depuis un bon bout de temps : nous ne risquions rien. Donc, nous nous sommes tous assis pour prendre notre petit déjeuner. À vrai dire, c'était plutôt dégueu. On aurait dit de la semelle. Mais bon, il fallait bien se remplir l'estomac, alors je me suis forcé.

Peu à peu, le ciel s'est éclairci, puis le soleil a pointé à l'horizon. Il n'a pas tardé à nous baigner de ses rayons.

Il était temps d'y aller. Comme nous étions sur un vaisseau d'aquaniers, celui-ci était bien équipé : des globes respiratoires, des harpons, des glisseurs. Nous avons décidé que Yenza resterait à bord tandis que nous trois partirions en quête de la cité perdue.

Ainsi, l'oncle Press, Spader et moi nous sommes équipés. Chacun d'entre nous a enfilé un globe et pris un harpon.

Je n'avais pas de montre, mais j'étais sûr que nous avions passé les vingt minutes qu'il vaut mieux attendre avant de se mettre à l'eau quand on vient de manger. Là, je me suis mis à rire tout seul. J'allais plonger pour chercher une cité légendaire submergée de l'autre côté de l'univers, et je ne pensais qu'à un vieux dicton à la noix conçu pour m'éviter d'avoir des crampes après un pique-nique. C'est dans ces moments-là que je regrettais ma grand-mère.

— Si nous voyons quelque chose, nous referons surface pour vous prévenir, a dit l'oncle Press à Yenza. Mais je dois vous dire que Zy Roder dispose des mêmes informations que nous. À ce moment même, il doit être en chemin. Quoi qu'il arrive, n'essayez pas de l'affronter, c'est compris ?

– Vous vous adressez à une aquanière en chef, Press, s'est offusqué Yenza avec orgueil. Je sais ce que je fais.

– Au temps pour moi, a répondu l'oncle Press avec un sourire d'excuse. Mais je vous en prie, soyez prudente.

– Je peux vous faire la même recommandation, a-t-elle ajouté avec un petit sourire.

Je commençais à croire que, comme on dit, Yenza avait « un faible » pour l'oncle Press. Ce n'était pas une bonne idée. Ce n'est pas le genre de type avec qui on peut entamer une liaison. Il est tout le temps par monts et par vaux.

– Prends la tête, Spader, a dit l'oncle Press. Nous te suivrons de chaque côté, a-t-il ajouté en souriant. Regarde si tu vois quelque chose qui ressemble à une énorme ville.

– Hobie-ho ! s'est écrié Spader en riant.

– Hobie-ho.

Nous avons pris nos glisseurs, salué Yenza d'un geste de la main et avons plongé. Quelques secondes plus tard, nous flottions doucement à la surface.

– Tout le monde est prêt ? a demandé l'oncle Press.

Nous l'étions. Spader a plongé, l'oncle Press et moi juste derrière lui. Nous avons continué dans cette formation en V sur quelques mètres, puis nous avons regardé autour de nous. Yenza avait raison : l'eau n'était pas si profonde, une vingtaine de mètres tout au plus. En tout cas, pas de quoi dissimuler une ville entière. Le fond était désert. Aussi loin que je pouvais voir, il n'y avait rien, que cette eau bleu-vert et un grand champ de corail brun et peu élevé. Pas de cité en vue. Rien ; le vide.

– Prenons cette direction, a dit Spader. C'est la destination qu'indiquait l'alignement d'étoiles sur la carte.

Tandis que nous foncions avec nos glisseurs, j'ai remarqué que le fond de l'Océan était moins intéressant que celui qui entourait Grallion. Il n'y avait ni plantes, ni champs de varech. Pas de fermes. Et apparemment, même pas de poissons. L'équivalent clorien de notre Lune, les cratères en moins. Nous avons continué sans voir quoi que ce soit d'autre que cet horizon monotone. Je n'avais pas envie de jouer les rabat-joie, mais je commençais à croire que nous perdions notre temps.

J'allais dire un truc lorsque, du coin de l'œil, j'ai vu bouger quelque chose. Un mouvement rapide. Je me suis tourné vers la droite, mais je n'ai rien distingué. Sans doute un cil ou une illusion… Mais non : je l'ai remarqué une seconde fois. Il y avait quelque chose sous l'eau, avec nous. J'ai cru distinguer un poisson. Il m'a rappelé la silhouette qui nous avait suivis, Spader et moi, tandis que nous échappions aux pillards sous Grallion.

Je l'ai repéré encore, et encore, et encore.

— Vous avez vu ? ai-je demandé aux autres.

Spader s'est arrêté. Nous avons fait de même.

— Qu'est-ce que c'était ? a-t-il demandé.

— Moi aussi, je l'ai vu, a repris l'oncle Press.

Ouf ! Je n'avais pas la berlue. Mais dans ce cas, ça voulait dire que des poissons à l'allure bizarre étaient assez malins pour nous filer. Et ils étaient rapides, en plus. Et gros. Pas vraiment Moby Dick, mais au moins aussi grands qu'un homme.

— Là ! a crié l'oncle Press.

Nous avons tous distingué une silhouette qui se déplaçait sur notre droite. Elle était trop éloignée pour que nous puissions dire avec précision ce que c'était, mais elle se déplaçait un peu plus lentement que les autres, ce qui nous a permis de constater qu'elle était bien réelle.

— Je propose qu'on les suive, a suggéré Spader.

— Hobie-ho ! a répondu l'oncle Press.

Super. Pourvu que ça ne se retourne pas contre nous. Nous sommes partis dans la direction qu'avait pris ce drôle de poisson. Nous avions mis les bouchées doubles, mais les autres silhouettes avaient une telle avance qu'on ne pouvait pas les apercevoir avec précision. On aurait dit qu'ils nous poussaient à les suivre. Pourtant, c'était impossible. Ce sont les hommes qui pêchent les poissons, pas l'inverse !

— Vous avez vu ? a demandé Spader.

Nous avons regardé droit devant. Le fond de l'Océan descendait presque à pic.

– Restez près du fond, a conseillé l'oncle Press. Pas question de nous laisser semer.

J'ai senti s'accentuer la pression de l'eau. Chez nous, il vaut mieux éviter de descendre en dessous de… mettons, vingt mètres. Sinon, on risque toutes sortes de problèmes de décompression et, si on reste trop longtemps en bas, on peut être frappé de ce qu'on appelle l'« ivresse des profondeurs ». Mais sur Cloral, il n'y avait rien de tout ça. C'était lié sans doute aux systèmes de filtrage des globes respiratoires, qui s'arrangeaient pour doser le volume d'oxygène dans notre corps. Cela dit, je n'étais encore jamais descendu aussi profond. Il faisait de plus en plus sombre dans ce qui ressemblait bien à la fosse dont parlait Yenza. Nous poursuivions un grand poisson intelligent au cœur de l'inconnu, et je commençais à avoir la frousse.

– Il y a une falaise droit devant, a remarqué Spader.

En effet : à trente mètres de là, il semblait y avoir un à-pic. D'après Yenza, c'était la fosse la plus profonde de tout Cloral, et je pense que nous allions la voir de près. Mais pour nous, ce serait la fin du voyage. Nous n'allions certainement pas nous aventurer plus profond. Nous n'avions pas de lampes, l'eau devenait de plus en plus froide, et qui sait ce qui nous attendait en bas ?

J'ai aussi vu ce poisson que nous suivions plonger droit dans la fosse. Je n'avais pas l'intention de le suivre.

– Allons jusqu'au bord, a dit l'oncle Press. Nous nous arrêterons là.

Ouf ! Au moins, c'était officiel. L'oncle Press et moi avons rattrapé Spader, si bien que nous avons continué épaule contre épaule. Quoi qui puisse nous attendre de l'autre côté de cette fosse, nous le verrions ensemble. Nous sommes donc arrivés au bord et avons contemplé l'abîme.

Mark, Courtney, je sais que je me répète, mais le spectacle qui s'est dévoilé à nos yeux semblait impossible. Je n'avais jamais rien vu de tel et je ne le reverrai sans doute jamais de ma vie. Chaque territoire a quelque chose qui lui est propre. Certains sont maléfiques, d'autres beaux, d'autres tout simplement spectaculaires. Comme ce que nous voyions. Nous sommes restés là, pétrifiés.

— Hobie, a marmonné Spader. Je rêve, c'est bien ça ?

— En ce cas, a répondu l'oncle Press de la même voix pâteuse, nous rêvons tous.

Le fond disparaissait dans les ténèbres. Nous étions au pied d'une fosse digne du Grand Canyon. L'eau était claire, mais il était impossible d'en voir l'autre bord – elle devait être d'une largeur incroyable. Cependant ce que nous avons distingué nous a fait oublier de telles notions. C'était une sorte de ballet aquatique enchanté.

Car sous cette falaise, il y avait des centaines de ces poissons verts semblables à celui que nous avions suivi. Mais maintenant que nous étions plus près, nous avons constaté que ce n'était pas des poissons mais, aussi incroyable que cela puisse paraître, des humains. Enfin, je crois. Ils en avaient la forme, même s'ils étaient dotés d'une peau verte, comme s'ils étaient à moitié poisson. Ils avaient des bras et des jambes, mais on aurait plutôt dit des nageoires palmées. Cette même peau verte recouvrait leur visage. Ça peut sembler horrible, mais ça ne l'était pas. Loin de là.

Au contraire, c'était un spectacle d'une beauté infinie. Tous plongeaient, évoluaient avec grâce et avaient l'air de bien s'amuser. C'était comme de regarder un aquarium où des masses de poissons virevoltent dans l'eau comme des danseurs de ballet.

En bas, plusieurs lumières les éclairaient. Ces faisceaux allaient et venaient sans cesse alors que les hommes-poissons entraient et sortaient des cônes lumineux. J'étais comme hypnotisé. J'aurais pu les regarder pour l'éternité. C'était absolument magnifique.

Trois de ces hommes poissons ont alors quitté le gros de la troupe pour nager vers nous.

— Aïe ! ai-je dit. On peut paniquer maintenant ?

— Ne fais pas un geste, a ordonné l'oncle Press.

J'ai obéi, mais je suis aussitôt passé de l'extase à l'angoisse. Que nous voulaient ces marsouins-là ?

Chacun s'est avancé vers l'un d'entre nous et nous a fait signe de le suivre. Pas de doute, ils pouvaient penser. Peut-être étaient-ils plus homme que poisson.

— Qu'est-ce qu'on fait ? ai-je demandé nerveusement.

— Il vaut mieux les suivre, a répondu l'oncle Press, qui était déjà parti.

Gloups. Je n'avais pas le temps de discuter. Spader et moi l'avons suivi. Je ne voyais pas ce que ces créatures pouvaient bien nous vouloir. Qu'on se joigne à leur ballet ? Serait-ce une insulte de décliner l'invitation ?

Mais ils ne se sont pas joints au groupe principal. Nos guides se sont enfoncés dans la fosse. J'ai eu un moment de panique, mais l'oncle Press a dit très calmement :

— Tout va bien. Ralentissez.

En dessous de nous, j'ai aperçu quelque chose. La paroi de la fosse. D'abord, j'ai entendu un léger grondement, puis j'ai vu un trait de lumière apparaître sur la roche.

— Qu'est-ce que c'est que ça ? a demandé Spader.

La tension rendait sa voix rauque. Tant mieux : je n'étais pas la seule poule mouillée du lot.

La fissure s'est agrandie jusqu'à ce que nous constations qu'il s'agissait d'une sorte de porte qui se relevait lentement. Puis, comme s'ils réagissaient à un signal, les hommes poissons se sont rassemblés comme... ben, comme un banc de poissons, et tous sont entrés dans la lumière ! Ils ont plongé comme un seul homme, ont pris de la vitesse et ont disparu dans la paroi.

Nos trois guides étaient restés avec nous. Ils nous ont fait signe de suivre le mouvement et ont filé à leur tour vers la lumière.

Nous sommes restés sur place, tous les trois. Même l'oncle Press n'avait pas l'air si faraud.

— Qu'en dis-tu ? ai-je demandé.

L'oncle Press a regardé nos trois guides qui nous faisaient toujours signe, puis s'est tourné vers nous :

— M'est avis que la cité perdue de Faar... n'est plus perdue pour tout le monde.

Journal n° 7
(suite)

CLORAL

Si je devais décrire en une phrase ce que c'est que d'être un Voyageur, ce serait : « Quand on croit avoir tout vu… on s'aperçoit vite qu'il n'en est rien. »

Comme si voyager d'un territoire à l'autre via les flumes n'était pas suffisant, dans chacun d'entre eux, je ne cessais de découvrir des endroits tous plus invraisemblables les uns que les autres. De quoi vous faire tourner la tête ! J'imagine que ça n'aurait pas dû me surprendre. Un Voyageur venant pour la première fois sur la Seconde Terre ressentirait probablement la même chose. Et quiconque passerait d'un faubourg de Chicago à une forêt d'Amérique du Sud, puis à un village de Sibérie serait tout aussi déconcerté. Et pourtant, ce que nous avons découvert au fond de l'Océan de Cloral dépassait l'imagination.

Mais ce devait être cent fois plus bizarre pour Spader. Pour lui, la cité perdue de Faar était un mythe. Vous vous imaginez tomber sur la hutte des Sept Nains ? Ou découvrir l'Arche de Noé ? Ou le jardin d'Éden ? Chaque culture a ses mythes et ses légendes. Je ne peux savoir ce qu'on ressent en découvrant qu'une d'entre elles est vraie. Et pourtant, c'est exactement ce que Spader était en train de vivre lorsque nous avons passé l'entrée de Faar.

Je n'étais toujours pas sûr que nous devions suivre ces hommes-poissons dans cette grotte. Jusque-là, ils n'avaient rien fait, sinon s'amuser comme une bande de dauphins. Mais ça pouvait aussi être un piège. Et si ces étranges créatures se repaissaient des nageurs qui les suivaient sans réfléchir, persuadés de découvrir la vérité derrière le mythe alors qu'ils étaient voués à finir en sushi ? Comme toujours, j'imaginais le pire.

Ce qui m'a fait changer d'avis, c'est quelque chose que j'ai vu juste au-dessus de l'entrée. C'était partiellement dissimulé derrière un rideau d'algues, mais comme ça faisait deux mètres de haut, on ne pouvait pas le rater. C'était une ancienne gravure. Le temps avait érodé quelques détails, mais les lettres enchevêtrées ne laissaient planer aucun doute. Spader les a vues, lui aussi, et il m'a souri. C'était le symbole que son père lui avait laissé, celui de Faar.

Nous nous sommes regardés et avons hoché la tête pour montrer que nous étions préparés à aborder l'étape suivante, puis nous nous sommes mis à nager vers la lumière qui jaillissait de l'immense ouverture.

Nous nous sommes retrouvés dans un tunnel souterrain assez grand pour y faire entrer une voiture – enfin, une voiture amphibie. Nous sommes passés devant de grands phares braqués vers l'Océan. Ensuite, mes yeux se sont accoutumés à l'obscurité, et j'ai vu que le tunnel continuait de s'enfoncer sous la roche. Tous les trente centimètres, de petites ampoules marquaient le chemin. Heureusement : je ne sais pas si j'aurais eu le courage d'avancer dans le noir. Puis j'ai entendu une sorte de raclement. La porte de pierre se refermait derrière nous. Un choc sourd a marqué le moment où elle s'est close pour de bon. Nous étions enfermés : nous devions aller de l'avant, que cela nous plaise ou non.

– Tout va bien ? a demandé l'oncle Press.

– On fait aller, ai-je répondu d'une voix tremblante.

Spader s'est contenté de flotter, les yeux écarquillés.

– Ça va, Spader ? a demandé l'oncle Press.

– Un peu nerveux, c'est tout, a-t-il répondu.

Au moins, il l'avait dit en premier. Moi, j'étais plus que nerveux. Mon cœur battait si fort que ça m'étonnait que les autres ne l'entendent pas. Puis quelque chose m'a touché l'épaule.

– Ahhh ! ai-je crié en me retournant.

C'était un des hommes-poissons. Bon sang, qu'est-ce qu'ils étaient silencieux ! Comme des serpents. C'est pour ça que j'ai horreur des serpents : ils se déplacent sans le moindre bruit. Je vous l'ai déjà dit ?

Il nous a fait signe de le suivre et s'est engagé dans le tunnel. Nous l'avons suivi. Il n'y avait rien d'autre à faire. Nous sommes restés tout près les uns des autres, ce qui était plus rassurant. Le tunnel était très long et le décor pas très intéressant. J'ai eu tout le temps d'imaginer à quoi pourrait bien ressembler cette cité perdue. Je me suis demandé si elle était entièrement submergée. Ce serait bizarre, comme de vivre dans un de ces bocaux à poissons que les gens décorent avec des petits châteaux et des épaves de bateaux.

Jusque-là, ces hommes-poissons n'avaient pas cherché à communiquer avec nous autrement que par signes. Peut-être qu'ils ne pouvaient pas parler ? Pourvu que la capacité d'un Voyageur à comprendre toutes les langues s'applique au langage des sourds...

J'aurais bientôt la réponse à cette question, et bien d'autres auxquelles je n'avais pas encore pensé, car j'ai vu que le tunnel devenait de plus en plus brillant.

Quelques instants plus tard, le niveau de l'eau s'est mis à baisser. Nous avons pu passer nos têtes au-dessus de l'eau, puis en sortir pour marcher sur le fond. Voilà qui répondait à ma première question. Faar était peut-être sous l'eau, mais la ville elle-même était isolée. Tant mieux. Je n'avais pas trop envie d'évoluer dans un bocal à poissons.

Le niveau a continué de baisser, si bien que nous avons pu retirer nos globes respiratoires. L'eau atteignait à peine nos chevilles. En regardant droit devant, j'ai vu que le tunnel s'incurvait vers la droite. La lumière qui irradiait de l'autre côté me dit que nous ne tarderions pas à contempler la cité perdue de Faar.

Nous avons retiré nos nageoires et nos fusils à harpon pour les déposer à côté de nos glisseurs.

L'homme-poisson que nous avions suivi a marché vers nous. Oui, j'ai bien dit marché. Sur ses deux jambes. Je me suis vaguement rappelé de *La Créature du lac noir*, ce vieux film d'horreur en noir et blanc. Mais si ce gars nous voulait du mal, il serait passé à l'action quand nous étions encore dans l'eau. Du coup, je n'avais pas peur – enfin, pas trop. Il a tendu la main vers sa tête et s'est mis à arracher la fine peau verte qui le recouvrait dans une sorte de bruit de succion mouillé. Un instant, j'ai cru que j'allais vomir. S'il s'agissait d'une sorte de mue, à la façon des serpents, il aurait pu nous en dispenser.

Mais j'ai fini par comprendre ce qui se passait. Sous cette couche verte, j'ai vu un type tout ce qu'il y a de plus humain. Cette simili peau était une sorte de combinaison de plongée. Elle me rappelait les tenues des patineurs de course aux jeux Olympiques – sauf qu'il s'y rajoutait des mains et des pieds palmés. Car lorsqu'il a retiré sa combinaison intégrale, j'ai vu que ses mains étaient humaines. Sous sa seconde peau, il portait une autre tenue moulante bleue pas si différente de nos propres vêtements, et qui le recouvrait des genoux au cou.

En fait, ce gars-là n'avait rien de particulier. Il était petit, moins d'un mètre soixante, mais bâti en force. Pas un poil de graisse. S'il fallait lui donner un âge, il semblait avoir la trentaine. Et il était chauve comme une petite cuillère. Ce n'était pas étrange en soi, mais son visage avait quelque chose de bizarre. J'ai mis un certain temps avant de percuter : il n'avait pas de sourcils. C'est le genre de détail qu'on ne remarque que s'il vient à manquer. C'était bizarre. Pas horrible, mais bizarre. Plus encore, ses yeux étaient du bleu le plus limpide que j'aie jamais vu. En fait, j'ai dû me rapprocher pour voir qu'ils avaient une couleur. Sa peau était aussi très pâle, ce qui n'avait rien de surprenant, vu qu'il vivait sous l'eau.

En fait, c'était quelqu'un de tout à fait normal, à part quelques caractéristiques étranges. Rien d'une créature de cauchemar. Plutôt encourageant.

Le type a fini de retirer son costume une pièce et s'est dirigé vers nous :

– Je m'appelle Kalaloo, a-t-il dit avec un sourire plein de chaleur.

– Et nous sommes… à Faar ? a demandé Spader, un peu perdu.

– Tout à fait. C'est Faar.

Nous avons tous échangé un regard qui voulait dire « On y est arrivés ! ».

– Je m'appelle… a commencé l'oncle Press.

– Press, oui, je sais, a répondu Kalaloo. Et tu es Pendragon, a-t-il ajouté en se tournant vers moi. Et toi Spader. Tu ressembles à ton père.

Comment, ça ? Ce type savait qui nous étions ?

– Vous avez connu mon père ? a demandé Spader, époustouflé.

– Sa mort m'a beaucoup affecté, a-t-il répondu avec sincérité. C'était un ami à moi.

– Un instant, ai-je dit. Comment pouvez-vous savoir qui nous sommes ?

– Le père de Spader nous a dit qu'il n'était pas le seul de son espèce. Cela fait un certain temps que nous attendons votre visite, et que nous veillons sur vous.

– Je le savais ! ai-je bafouillé. C'est l'un d'entre vous que j'ai vu quand on fuyait les pillards !

– Oui, c'était moi-même, a-t-il répondu. Je voulais m'assurer qu'il ne vous arrive rien de fâcheux. Mais j'ai bien failli échouer quand tu as été aspiré dans le moteur du croiseur.

– C'était vous ? ai-je répondu, choqué.

Il a souri et acquiescé.

– J'étais tout près.

– Ben, heu… merci.

C'était un peu léger pour quelqu'un qui m'avait sauvé la vie. La tête me tournait. J'avais à nouveau l'impression d'avoir une longueur de retard.

– Comment pouvez-vous respirer sous l'eau ? ai-je demandé. Vous n'avez pas de branchies ou quelque chose comme ça ?

Kalaloo a éclaté d'un rire chaleureux :

– Non, même si parfois, on le regrette !

Il a soulevé sa combinaison verte et nous a montré qu'elle comportait un petit embout respiratoire.

– Ce gadget extrait l'oxygène de l'eau. C'est très efficace.

On aurait dit une variante de l'espèce d'harmonica à l'arrière des globes.

– J'espérais qu'Osa serait avec vous, a-t-il repris. Va-t-elle nous rejoindre ?

J'ai regardé l'oncle Press, qui s'est chargé de répondre à cette question pénible.

– Osa est décédée, a-t-il déclaré d'un ton solennel.

Cette nouvelle a paru beaucoup affecter Kalaloo.

– Elle avait une fille, non ? a-t-il demandé.

– Elle s'appelle Loor, ai-je répondu. Et elle est tout ce que pouvait souhaiter sa mère.

– La mort d'Osa m'attriste. Elle va laisser un grand vide.

Il y eut un moment de silence à la mémoire d'Osa, puis Kalaloo a dit :

– Nous ferions mieux d'y aller. Vous êtes attendu au Cercle du Conseil.

– Qui nous attend ? a demandé l'oncle Press.

– Le Conseil de Faar. Ils ont hâte de s'entretenir avec vous.

Nous nous sommes regardés, tous les trois. Nous étions attendus ? C'était bizarre, mais nous n'avions pas de raison de nous défiler. Nous avons donc suivi Kalaloo vers la lumière.

En cours de route, j'ai remarqué que le sol était tout à fait sec. Après l'angle du couloir, nous sommes tombés sur une salle qui ressemblait à un vestiaire – version locale. Plusieurs hommes étaient occupés à retirer leurs combinaisons adhésives vertes. Sans doute les nageurs que nous avions vu là-dehors. Tous étaient bâtis sur le même moule que Kalaloo : peau claire, ni cheveux ni sourcils et des yeux bleus. C'était assez angoissant, mais je commençais déjà à m'y habituer. Comment devais-je les appeler ? Faarites ? Faarmiers ? Faarbares ? Mais bientôt, j'ai appris qu'ils étaient des Faariens, tout simplement.

Ils ont accroché leurs peaux sur des crochets, puis enfilé ces tuniques blanches et soyeuses qui les faisaient ressembler à des Romains. Ils les passaient par-dessus leur tête et elles leur descendaient jusqu'aux genoux. Ils nouaient autour de leur taille des pièces de tissu de couleur variable, du vert luxuriant au rouge vif. Personne ne portait de chaussures, ni même de sandales.

Tandis que nous passions au milieu d'eux, plusieurs nous ont souri et salués.

J'ai dit « salut ! » autant de fois que possible. Je voulais paraître aussi amical qu'eux. À un moment donné, je me suis surpris à marcher à reculons pour ne pas perdre le contact visuel. Du coup, je suis rentré dans l'oncle Press.

– Oups, pardon, je ne voulais pas…

Je me suis retourné et me suis figé sur place. Les mots sont restés coincés dans ma gorge. Je venais de voir pour la première fois la cité perdue de Faar. Ou peut-être devrais-je dire la cité retrouvée de Faar. Ou juste Faar. Ou juste… phénoménale.

Par où commencer ? Une fois de plus, j'allais découvrir une nouvelle merveille. J'ai dû me rappeler que, selon la légende, elle était jadis en surface. Si c'était vrai, parfait, mais le fait que nous soyons à plusieurs centaines de mètres en dessous de la surface des flots rendait le tout… et bien, c'était plutôt dur à avaler.

Je me tenais devant une montagne. Je sais, ça peut sembler impossible, mais je n'y peux rien. La ville était creusée sur les pentes escarpées d'une petite montagne. L'embouchure du tunnel se trouvait plus près du sommet que du fond, si bien que nous contemplions Faar d'en haut.

Elle avait l'air très ancienne. Pas de bâtiments modernes, pas de voitures, pas la moindre trace de technologie. Mais il y avait des oiseaux partout. Incroyable mais vrai : des oiseaux voletaient joyeusement dans une caverne sous-marine !

Les bâtiments évoquaient la Grèce antique, avec des escaliers de marbre menant vers des structures en dômes flanquées de colonnes. Ils étaient tous perchés sur cette montagne anguleuse, tous de taille variable, allant d'énormes monuments comme on en voit à Washington à de petites maisons toutes simples aux murs de stuc blanchi à la chaux. De nombreux Faariens circulaient sur les agréables allées qui sillonnaient la montagne, de bas en haut, de haut en bas, de gauche à droite et de droite à gauche. La ville était presque entièrement drapée de magnifiques plantes grimpantes et plusieurs cascades jaillissaient de sources enfouies au creux de la roche.

Tout en bas, à la base de la montagne, j'ai vu de beaux champs verdoyants et d'autres constructions moins élaborées que celles sur la montagne. Je me suis promis de demander plus tard ce que c'était exactement.

Je vous rappelle que nous étions sous la surface de l'Océan. J'ai oublié un détail qui a son importance : ce décor était protégé par un dôme luisant. Pas de ciel, juste ce dôme qui laissait filtrer assez de lumière pour éclairer la ville. Maintenant, je comprenais ce que signifiait l'arc de cercle sur la carte du père de Spader : le couvercle qui protégeait Faar.

Kalaloo nous a laissés tranquilles le temps pour nous de nous remettre de cette extraordinaire vision. Il devait comprendre à quel point nous étions stupéfaits. Finalement, il s'est tourné vers Spader :

— Est-ce ainsi que tu l'imaginais ?

— Hobie, a dit Spader émerveillé. On dirait que quelqu'un a effacé de mon esprit tout ce que je m'imaginais sur Faar pour le remplacer par... ça.

— J'avoue ne pas bien connaître la légende, a dit l'oncle Press.

— Marchons, a suggéré Kalaloo.

Il nous a mené le long d'un chemin qui serpentait le long de la paroi. Heureusement pour nous qui ne portions pas de chaussures, il était recouvert de sable doux.

— Je pense que le mythe a pris de l'importance au fil du temps, a-t-il commencé. Mais je peux vous donner la version abrégée. Au début, Faar était la seule terre immergée de tout Cloral. La ville aurait coulé suite à un cataclysme naturel, mais ce qui s'est réellement passé est beaucoup plus simple : le niveau de l'Océan s'est mis à monter. Heureusement, ça a été un processus très lent. Le Conseil de Faar était au courant et a eu le temps de prendre des mesures. On a érigé un immense dôme au dessus du cœur de la ville. Ce que vous voyez là n'est qu'une infime partie de l'ancienne Faar. Nous n'avons pas pu tout sauver. L'eau s'est mise à monter alors que le dôme était encore en construction. C'était une course contre la montre. Quand nous avons enfin scellé le dôme, les flots recouvraient presque son sommet.

J'ai revu notre trajet pour arriver jusqu'ici et j'ai compris qu'alors que nous arpentions le récif, la cité de Faar était juste en bas de nous, camouflée par cette couche corallienne.

— Pourquoi est-ce que, d'en haut, le dôme ressemble à du corail ? Ai-je demandé.

— Parce que c'en est. Tout au début, le dôme était transparent comme du cristal, mais au fil du temps le corail s'est développé jusqu'à le recouvrir. Au début, nous retirions les coraux, puis le

Conseil a décidé qu'il valait mieux les laisser, parce qu'ils nous dissimulent à la vue d'éventuels plongeurs. Mais nous avons fait en sorte que la couche reste assez fine pour laisser filtrer les rayons du soleil.

Nous avons continué de parcourir cette ville étonnante. Ceux que nous croisions nous saluaient gentiment. Tous semblaient plutôt relax. En passant, j'ai entendu de la musique. On aurait dit ces trucs New Age qu'on entend chez le dentiste et qui sont censés vous détendre avant qu'il ne sorte la fraiseuse. Pas vraiment à mon goût.

– Pourquoi avez-vous décidé de vous cacher ? a demandé l'oncle Press.

– Faar était le berceau de la vie sur Cloral. Elle a donné une puissante civilisation qui utilisait l'eau comme source d'énergie et créait des matériaux de fabrication à partir de la vase des fonds marins. Mais les gens ne pouvaient s'en contenter. Bien avant la montée des eaux, des aventuriers ont bâti des vaisseaux et sont partis explorer le reste du monde. Ils ont cherché d'autres terres immergées, mais en vain. Ils ont affronté les difficultés d'une existence de nomade sur l'Océan. Les générations se sont succédé et, comme Faar était la seule terre immergée, elle est devenue une cible. Les enfants de Faar partis en quête d'aventure sont revenus en ennemis, cherchant de quoi subsister. Faar risquait la destruction. Ainsi, quand nous avons découvert qu'elle allait disparaître sous les flots, nous y avons vu une chance inespérée de survivre.

– Donc, quand la ville a coulé, vous êtes restés cachés sous la surface afin de protéger la ville des descendants de ceux qui y étaient nés ?

– Exactement. Les nomades ont dû créer toute une civilisation à partir de rien. Beaucoup sont morts avant d'en arriver aux habitats que vous voyez aujourd'hui. S'ils sont allés aussi loin, c'est à cause de leur rage de survivre, mais aussi grâce au peuple de Faar.

– Que voulez-vous dire ? a demandé Spader.

– Quand le Conseil de Faar a décidé que nous devions rester cachés, on a aussi décrété que nous ferions tout notre possible pour aider en secret ceux qui étaient restés à la surface. Comment aurions nous pu faire autrement ? C'étaient nos frères. C'est devenu le but principal des Faariens. Les Cloriens, comme nous appelons le peuple du dessus, avaient bien besoin d'aide. En cachette, nous nous sommes occupés de leurs fermes sous-marines. Nous les avons guidés vers des mines contenant les matériaux dont ils avaient besoin. Nous en avons même sauvé beaucoup de la noyade à l'époque où ils luttaient pour bâtir les habitats.

— Pardon, ai-je demandé, vous n'arrêtez pas de dire « nous » comme si vous y étiez. Vous n'êtes tout de même pas si vieux, non ?

Kalaloo éclata de rire.

— Non, bien sûr ! L'essentiel de ce que je vous raconte me vient de mes ancêtres. Au moins deux cents générations se sont écoulées depuis l'édification du dôme.

— Bon, d'accord, simple curiosité.

— Soyez sûrs d'une chose, a continué Kalaloo. Sans le peuple de Faar, les Cloriens n'auraient jamais pu survivre pour devenir la société qu'ils ont aujourd'hui. Nous en sommes très fiers, et nous continuons de faire notre possible pour aider nos frères de la surface.

— Que savez-vous du danger qui les menace en ce moment ? a demandé l'oncle Press.

— Ce qui nous ramène à la réunion du Cercle du Conseil à laquelle vous devez assister, a répondu Kalaloo, soudain très sérieux. C'est le père de Spader qui nous en a parlé en premier. Il est rare qu'un Clorien tombe sur Faar par hasard, mais ton père n'était pas un Clorien comme les autres. On aurait dit qu'il… avait un but précis dans la vie.

Je savais très bien ce que voulait dire Kalaloo. Le père de Spader était un Voyageur. Il avait un but précis, pas de doute.

— Et je sens que vous trois êtes de la même trempe, a-t-il ajouté.

Bien vu, homme-poisson.

— Que vous a-t-il dit ? a insisté l'oncle Press.

— Qu'il craignait qu'un grand fléau ne s'abatte sur Cloral et menace tout ce qui y vit.

J'ai jeté un regard à Spader et à l'oncle Press. Apparemment, le père de Spader avait percé à jour le plan de Saint Dane. Mais il en avait été victime avant d'avoir pu l'arrêter.

— Savait-il ce qui allait se produire exactement ? a repris l'oncle Press.

— Il avait peur que quelque chose n'affecte les récoltes. Et d'après ce que nous avons vu, il avait raison. Des messages en provenance de tout Cloral disent que le produit des fermes sous-marines est empoisonné.

— C'est l'engrais, ai-je dit. Il fait grandir plus vite les plants, mais ils les rend mortels.

— Pourquoi mon père est-il venu à vous ? a demandé Spader. Pour vous prévenir ?

— Oui, a aussitôt répondu Kalaloo. Mais aussi pour demander notre aide. Nous connaissons bien mieux les cycles de vie que les Cloriens. Il voulait savoir si nous pouvions empêcher la catastrophe.

Kalaloo se tut. Il restait à répondre à la grande question. Le père de Spader avait-il raison ? Faar détenait-elle un moyen d'empêcher la réaction en chaîne ?

— Alors ? a demandé l'oncle Press. Pouvez-vous faire quelque chose ?

— Sûrement, a répondu Kalaloo en souriant.

Il a désigné le bas de la montagne et les grands bâtiments que je vous ai décrits.

— Là se trouve l'avenir de Cloral, expliqua-t-il. Depuis des générations, nous avons étudié chaque variété de plante qu'on peut y trouver. En deux mots, nous savons comment fonctionne la planète.

— Et les récoltes empoisonnées ? ai-je demandé.

— Nous avons déjà analysé des échantillons de ces plantes mutantes. Nous avons découvert que leur structure génétique avait été modifiée et leur composition corrompue. Ce nouvel engrais nous pose un problème assez complexe, mais nous avons les moyens de le résoudre. En ce moment même, nous nous préparons à envoyer des centaines de Faariens vers chaque ferme sous-marine de Cloral pour y livrer un composé chimique simple qui annulera les méfaits de l'engrais. C'est une tâche de titan, mais nous pouvons y arriver. Cela dit, les Cloriens doivent d'abord cesser d'utiliser cet engrais.

– C'est en cours, a dit l'oncle Press. Ils sont au courant et tentent d'arrêter les livraisons.

Kalaloo eut un grand sourire.

– Voilà une excellente nouvelle ! Lorsque les Faariens auront agi, les récoltes ne risqueront plus rien !

Apparemment, Kalaloo se réjouissait de voir que tout était bien parti pour revenir à la normale.

Nous savions qu'il n'en était rien.

L'oncle Press semblait inquiet. Spader aussi. Soudain, j'ai su avec une certitude glaçante sur quoi déboucherait le dernier acte de cette histoire.

Cette race ancienne et avancée détenait la clé qui permettrait de sauver tout Cloral ; nous n'en doutions pas un seul instant. Mais ça signifiait aussi que Saint Dane allait attaquer Faar pour l'en empêcher.

Depuis des siècles, le peuple de Faar se protégeait sous les eaux de Cloral ; à présent, il ne pouvait plus se cacher.

Saint Dane connaissait la position de Faar, et il était déjà en route.

Je ne savais pas si ces braves gens avaient de quoi se défendre, mais nous allions bientôt le découvrir. Je vais clore ce journal ici, les gars, parce quoi qui puisse arriver, ça se produira bientôt. Ce journal a été écrit et envoyé de Faar, une incroyable cité d'anges gardiens cachée à des dizaines de mètres sous les eaux de Cloral.

Malheureusement, l'eau seule ne pourra plus la protéger.

Fin du journal n° 7

SECONDE TERRE

Mark finit sa lecture avant Courtney et s'adossa au bureau. Bien sûr, il redoutait la bataille qui n'allait pas tarder d'éclater sur Cloral et avait peur pour Bobby, Press et Spader. En fait, il se demandait si cette bataille n'avait pas déjà eu lieu. Bobby et Cloral se trouvaient-ils dans le passé ? Ou dans un lointain futur ? Ou tout se passait-il dans le même continuum que la Seconde Terre ? Cette histoire de temps relatif était un des grands mystères des aventures de Bobby.

De plus, il était pénible de lire ce qui arrivait à son ami sans pouvoir y faire quoi que ce soit. Cela dit, Mark n'aurait pas su par où commencer. Et de toute façon, après ce qui s'était passé sur Denduron, il n'avait pas le droit de s'en mêler. Son rôle était de jouer les bibliothécaires et de conserver précieusement les manuscrits de Bobby.

Ce dernier point était aussi une source d'angoisse, parce qu'il avait l'impression de faire un travail de cochon. Il ne cessait de consulter sa montre dans l'espoir que Courtney ne tarderait pas à terminer sa lecture. Ainsi, elle s'en irait avant qu'Andy Mitchell ne vienne réclamer ce qui lui était dû.

Finalement, Courtney reposa le journal et leva les yeux sur Mark.

– Ces gens ne peuvent se défendre par eux-mêmes, dit-elle gravement. D'après la description qu'en a fait Bobby, ils sont pacifiques.

Mark se leva et rassembla les feuilles éparses.

– Ouais, ben, on va bien voir.

231

– Ça ne t'inquiète pas ?

– Si, bien sûr, mais qu'est-ce qu'on y peut ?

Courtney baissa la tête. Il avait raison. Ils ne pouvaient pas changer le cours des événements.

– Il se fait tard, dit-elle. J'ai à faire.

Il aurait bien voulu qu'elle s'en aille avant que le téléphone ne sonne.

– Ah, c'est vrai. Ton cours d'algèbre.

– Pardon ?

Mark ne voyait pas de quoi elle parlait. Mais une seconde plus tard, il se souvint de son mensonge et tenta de rattraper le coup :

– Oui. L'algèbre. Je d-d-dois aider un ami.

Et voilà. Il bégayait encore. Il ravala une grimace.

– Ça va ? demanda-t-elle. Tu m'as l'air bien nerveux.

– J-j-je m'inquiète pour Bobby, c'est tout.

Il avait horreur de mentir à Courtney, mais il ne savait pas quoi faire d'autre. De plus, ce n'était pas vraiment un mensonge. Il avait bel et bien peur pour Bobby.

C'est alors que le téléphone se mit à sonner. Mark le regarda comme s'il voulait le voir éclater en mille morceaux. Courtney croisa son regard, mais ne réagit pas.

– Je suis partie, dit-elle en se levant. Appelle-moi quand…

– Dès que je recevrai le nouveau journal.

Dring ! Pour Mark, la sonnerie résonnait comme un coup de tonnerre.

– À plus, dit Courtney, et elle le laissa dans sa chambre.

Il décrocha avant que cette terrible sonnerie ne lui brise à nouveau les tympans.

– Allô ?

– Alors ? fit la voix tant redoutée.

– Un instant.

Mark regarda par la fenêtre pour s'assurer que Courtney était bien partie. Un peu plus tard, il la vit marcher sur le trottoir. Son estomac se serra. Il avait l'impression d'être un traître.

232

– Retrouvons-nous sur l'Ave, dit Mark dans le combiné. Dans le mini-parc juste en dessous de Garden Poultry.

– Dans un quart d'heure, fit Mitchell.

– On ne peut pas dire un peu plus tard...

Clic.

– J'imagine que c'est non, fit Mark en reposant le combiné.

Il était pris au piège. Il devait amener le journal n° 6 à Mitchell. Sinon, celui-ci irait trouver la police. Il ne pouvait pas s'en tirer.

Mark se rendit donc au grenier et ouvrit le vieux bureau où il entreposait les journaux de Bobby. Il en tira le n° 6 et le remplaça par celui qu'il venait de terminer. Un instant, il se dit qu'il n'avait qu'à tous les amener à Mitchell, histoire d'en finir une bonne fois pour toute. Mais il n'aimait pas transporter ne serait-ce qu'un seul des journaux. Et s'il se faisait renverser par un autobus ? S'il devait tous les perdre, il en ferait une crise cardiaque.

Non, il valait mieux prendre son temps. Avec un peu de chance, Mitchell finirait par se désintéresser de toute cette histoire. C'était son seul espoir. Ainsi, il referma son tiroir, le boucla soigneusement, mit le journal n° 6 dans son sac à dos et partit vers Stony Brook Avenue.

Mark marcha d'un pas pressé, passant devant son restau préféré, un snack du nom de Garden Poultry où on faisait les meilleures frites de tout l'univers habité. En général, les odeurs de cuisson planant autour du kiosque en un nuage salé et appétissant faisaient que Mark ne pouvait résister à la tentation de s'offrir une boîte de frites (ils les servaient en boîtes, comme les plats chinois à emporter). Mais aujourd'hui, il avait autre chose en tête.

Il arriva au petit parc qui se trouvait non loin de Garden Poultry. Un jour, un autre bâtiment s'était sans doute tenu à ce même endroit, mais c'était bien avant sa naissance. La ville en avait fait un parc miniature avec une pelouse, une allée de pierre, des arbres en fleurs et plusieurs bancs de bois où les passants pouvaient s'installer pour déguster leurs cartons de frites de chez Garden Poultry.

C'était un joli petit coin, à une exception près : Andy Mitchell était là, assis sur l'un des bancs, à attendre. En fait, il se tenait à l'arrière du banc, les pieds sur le siège.

– T'es en retard ! cria Andy dès qu'il vit Mark arriver.

– Tu ne m'as pas laissé beaucoup de temps, répondit Mark.

– Tu as le…

Il ne finit pas sa phrase. Il s'empara du sac à dos de Mark et se mit à fouiller dedans.

– Hé, doucement ! s'insurgea Mark. Il faut traiter ces carnets avec respect.

– Ouais, ouais, si tu le dis.

Mitchell déroula le journal n° 6 et se mit à lire. Mark s'assit sur le banc, près des pieds de Mitchell, et se prépara à une longue attente. Mitchell devait être le lecteur le plus lent du monde.

Comme la dernière fois, il dut demander à Mark la signification de plusieurs mots. Mark n'arrivait toujours pas à croire qu'à quatorze ans, on puisse ignorer ce que signifiaient « manipuler » ou « élaborer ». Quel imbécile. Mark souffrait de le voir manier les feuilles si précieuses de ses doigts gras teintés de nicotine comme s'il s'agissait d'un quotidien périmé. Et plus encore, lorsque Mitchell renâclait de sa façon bien à lui pour cracher sur le trottoir. Ce type ne savait donc pas ce qu'était un Kleenex ?

Finalement, au bout d'une éternité, Mitchell termina sa lecture.

– Ben dis donc, fit-il avec une pointe d'admiration.

C'est tout ce que tu trouves à dire ? pensa Mark, sarcastique. Mais il n'osa pas le dire à voix haute de peur de se faire tabasser.

– Tu penses que c'est la vérité ? demanda Mitchell.

– Oui, répondit Mark simplement, sincèrement.

Il n'avait qu'une seule envie : rentrer chez lui.

– T'as déjà reçu le suivant ?

Mark réfléchit à sa réponse, mais aboutit à la conclusion qu'il valait mieux dire la vérité. Il en avait assez de mentir.

– Oui.

– Eh bien, je ne veux pas le lire.

Hein ? Mark leva soudain la tête. Était-ce vrai ? Mitchell se désintéressait-il de toute cette histoire ? Peut-être avait-il trop de mal à lire ces journaux. Tous ces grands mots lui collaient la migraine ? Ou bien commençait-il à comprendre ce qu'ils signifiaient vraiment et préférait faire comme s'ils ne les avait jamais lus plutôt que d'accepter leurs implications angoissantes ? Quoi qu'il en soit, peu lui importait, du moment qu'Andy Mitchell lui fichait la paix et ne réclamait plus de lire les aventures de Bobby.

– Je le lirai après les journaux 1 à 5. J'ai l'impression de prendre cette histoire en marche. Je veux savoir comment tout a commencé.

Mark en resta abasourdi. Ses espoirs venaient de disparaître en fumée.

– Et je veux les lire d'un seul coup, ajouta-t-il.

– Pas question ! s'écria Mark. Jamais je ne t'amènerai tout le paquet. Je ne peux pas courir ce risque. Éventuellement, je peux te les amener un à…

Mitchell jeta en l'air le journal n° 6.

– Hé ! cria Mark horrifié en se levant pour récupérer les feuilles qui s'éparpillaient dans le parc.

Mitchell éclata de rire en voyant Mark les pourchasser alors que le vent les emportait. Finalement, il réussit à toutes les récupérer et souffla dessus pour en chasser la poussière.

– T'as toujours pas compris, dit Mitchell. Soit tu fais ce que je veux, soit je préviens la police.

C'était de mal en pis. Il ne se débarrasserait jamais d'Andy Mitchell. Celui-ci avait pris goût aux aventures de Bobby et ne se contenterait pas d'un simple aperçu. Mark n'avait plus qu'à tenter de garder le contrôle de la situation.

– D'accord, dit-il. Mais quoi que tu dises, je refuse de sortir tous ces journaux en même temps. Le mieux, c'est encore que tu viennes les lire chez moi.

L'idée de voir Mitchell dans sa chambre était aussi attirante que d'attraper la scarlatine. C'était un cauchemar sans précédent. Mais il n'y avait pas d'autre solution.

– D'accord, fit Mitchell avec un sourire torve, ça me va. Quand ?

– Je ne sais pas. Quand mes parents seront sortis. Je te préviendrai.

Mitchell vint se planter devant Mark et approcha son visage du sien. Son haleine puant la vieille clope faillit faire suffoquer Mark.

– Ça me plaît bien, gloussa la brute. On devient de véritables associés.

Mitchell se racla la gorge, tourna les talons et s'en alla. Mark n'y tenait plus. Ce bruit de gorge répugnant lui retournait l'estomac. Il inspira profondément, puis s'assit sur le banc et regarda les pages froissées du journal n° 6. *J'ai tout gâché. Je suis un gros nul.*

La semaine suivante, Mark fit de son mieux pour éviter Mitchell. Il arrivait juste à l'heure, parce que son tourmenteur savait qu'il était souvent en avance. Il entrait par une porte à chaque fois différente pour ne pas établir de routine. Il emportait ses livres avec lui afin de ne pas devoir passer par son casier. Il ne s'approcha même plus de la zone près des poubelles, derrière l'école, là où les élèves allaient fumer en cachette. Ce n'était pas dur, puisqu'il n'y allait jamais – du moins tant qu'il n'avait pas une feuille à récupérer. Il n'aimait pas se rappeler cet épisode.

Grâce à ses manigances, Mark réussit à passer une semaine sans croiser Andy Mitchell. Mais le stress lui pesait. Et ses notes étaient en chute libre. Il faudrait bien que quelque chose finisse par casser.

C'est ce qui se produisit ce samedi-là. Ses parents étaient tous deux absents pour la journée, et il espérait passer une longue matinée à se goinfrer de dessins animés. C'était un rituel auquel, il en était sûr, s'adonnaient la plupart des gamins de son école, même s'ils n'auraient jamais voulu l'admettre. Il venait de s'installer sur son canapé en attendant le début de *Bugs Bunny* lorsqu'on sonna à la porte. Un instant, il eut envie de ne pas répondre. Mais si c'était un colis pour son père, il serait mal barré. Il alla donc ouvrir. Ce n'était pas le postier.

– Ça commence à bien faire, cracha Andy Mitchell en poussant Mark dans la maison. Pourquoi tu m'évites comme ça ?

Mark avait la réponse à cette question.

– Mes p-p-parents ne sont pas sortis de la semaine, fit Mark nerveusement. Je n'ai p-p-pas eu d'occasion.

– Et maintenant, où qu'ils sont ?

Mark eut envie de lui dire qu'ils étaient au premier, mais se dit qu'il ne supporterait pas de devoir éviter Mitchell encore toute une semaine.

– Ils sont sortis.

– Parfait ! Où sont les carnets ?

– Attends-moi d-d-dans le salon, dit Mark. Je vais les chercher.

Pas question de montrer sa cachette secrète à Mitchell. Déjà, celui-ci savait qu'il les conservait chez lui : c'était bien assez. Pendant que Mitchell se marrait en regardant *Pepe le Putois* (Qui pouvait aimer *Pépé le Putois* ? C'était le personnage le moins drôle de toute l'histoire du dessin animé. Tout le monde savait ça !), Mark alla chercher les journaux.

Il tenta de faire le moins de bruit possible pour que Mitchell ne sache pas où il se rendait. Mitchell était aux limites de sombrer dans la délinquance juvénile, et s'il devait s'introduire dans la maison pour faucher les journaux, il n'hésiterait probablement pas. Mais s'il ne savait pas où ils se trouvaient... Mark alla au grenier, ouvrit le tiroir et en tira les quatre rouleaux bruns où étaient écrits les premiers journaux de Bobby, et retourna au salon. Il atteignit le vestibule du premier lorsque...

– Hé, y a des toilettes ici ?

Mark fit un saut de carpe. Mitchell était là, à l'étage, juste devant son nez.

– Bien sûr. En bas, près de...

Mark sentit tressauter son anneau. Oh, non. Il fallait que cela arrive maintenant, et devant Andy Mitchell. Une fois de plus.

– Qu'est-ce qu'y a ? demanda Mitchell. T'as pas l'air dans ton assiette. Toi aussi, tu veux passer aux chiottes ?

Mark devait réfléchir, et vite. Il ne voulait pas que Mitchell voie arriver le nouveau journal. Il préférait que ce crétin en sache le moins possible.

– Va dans ma chambre, ordonna-t-il, c'est plus près.

Plutôt boire de l'acide sulfurique que de laisser Mitchell entrer dans son sanctuaire. Mais vu le peu de temps qu'il avait, c'était tout ce qu'il avait pu trouver.

– T'as qu'à me filer les journaux, j'les lirai aux chiottes, renifla Mitchell.

Voilà une image dont il se serait volontiers passé. Mais il sentit son anneau tressaillir à nouveau. Il commençait déjà à grandir. Le temps lui était compté. Il passa donc les liasses à Mitchell et le poussa dans sa chambre.

– Préviens-moi quand tu auras fini, dit Mark avant de fermer la porte.

Il avait réussi. Mitchell serait occupé ailleurs le temps qu'arrive le nouveau journal. Il courut le long du vestibule tout en arrachant l'anneau à son doigt. Celui-ci avait déjà atteint sa taille maximale et lui brûlait la paume. Il bifurqua dans la chambre de ses parents afin que Mitchell ne risque pas de voir ou d'entendre le spectacle.

Il ferma la porte, posa l'anneau sur le sol et recula. Aussitôt, les lumières annoncèrent que la porte de Cloral venait de s'ouvrir. Des notes enchevêtrées, un ultime éclair, et le courrier était arrivé.

L'anneau avait repris sa taille normale et un nouveau rouleau de papier vert gisait à côté. Un instant, l'enthousiasme de recevoir des nouvelles de Bobby faillit lui faire oublier la question de Mitchell. Il savait que ces feuilles lui raconteraient la bataille de la cité perdue de Faar. Comme il aurait voulu les lire sur-le-champ ! Mais il ne pouvait pas faire ça : d'abord, son pacte implicite avec Courtney disait qu'ils ne devaient les lire qu'ensemble. Ces derniers temps, il avait fait bien des bêtises, il n'en ferait pas une de plus. Ensuite, Mitchell était assis sur ses toilettes à lire les premiers journaux de Denduron. Cette idée lui collait des frissons.

Comme il ne voulait pas courir le risque d'aller au grenier pour ranger le journal, il le jeta sous le lit de ses parents. Il y serait en sécurité en attendant que Mitchell s'en aille. Bien sûr, vu l'allure à laquelle il lisait, ça pouvait lui prendre la semaine. Mais Mark n'avait pas le choix.

Il retourna dans sa chambre afin d'expliquer à Mitchell tous les mots qu'il ne comprenait pas. Il ouvrit la porte et vit que celle des toilettes était fermée. C'était déjà ça. Il ne voulait pas l'entrevoir le pantalon autour des chevilles. *Beurk*.

– Rends-moi service, Andy, lança Mark. Finis ce que tu dois finir et reviens ici, d'accord ?

Pas question de risquer de mouiller les feuilles.

– D'accord ? répéta-t-il.

Pas de réponse. Mark alla frapper à la porte.

– Tout va bien ?

Toujours rien. Mark se sentit pris de panique. Mitchell aurait-il fait une chute ? Était-il malade ? Comment pourrait-il expliquer la situation ? Il fallait qu'il sache. Mais, Mitchell étant Mitchell, il avait peut-être choisi de ne pas répondre. Il n'avait pas envie d'ouvrir la porte et de le surprendre dans sa charmante position. Pourtant, il devait s'assurer que tout allait bien. Il ouvrit donc la porte.

– Est-ce que ça…

Les toilettes étaient désertes.

– Andy ? Mitchell !

Mark sortit à reculons, complètement pris de court. Que s'était-il passé ? Il parcourut sa chambre des yeux, à la recherche d'un indice.

Et il le trouva. La fenêtre était ouverte. Il alla regarder au-dehors. Le toit du porche était juste en dessous de sa fenêtre. Souvent, Mark et Bobby avaient emprunté ce chemin pour aller et venir en cachette. Le toit donnait sur un treillis à roses de l'autre côté de la maison. On pouvait en descendre comme d'une échelle.

Andy Mitchell venait de faucher les journaux de Bobby.

Journal n° 8

CLORAL

Ça y est. Tout est terminé.

Je n'ai pas besoin de vous dire que je m'en suis sorti, puisque sinon, je ne serais pas en train de rédiger ce journal. Je suis de retour sur Grallion, où pour la première fois depuis bien longtemps, je me sens en sécurité. Malheureusement, tout le monde n'a pas eu cette chance.

Alors que je suis là, dans mon appartement, à revivre les événements de ces derniers jours, j'ai du mal à coordonner mes pensées, comme si mon cerveau était engourdi. On dit que c'est ce qui arrive quand on est en état de choc. Tout ce qui m'est arrivé me fait l'effet d'un songe. C'est peut-être mieux ainsi. Lorsqu'on se sent aussi mal, il est plus facile de prétendre qu'on rêve.

Beaucoup ont fait preuve de bravoure, même face à une mort certaine. Je crois que c'est ce dont je me souviens le mieux. Au cours de cette épreuve, j'ai rencontré des gens de grande valeur, là, sur Cloral. J'espère qu'ils pensent la même chose de moi.

Voici ce qui s'est passé.

Kalaloo nous a menés – l'oncle Press, Spader et moi – le long d'un chemin sinueux qui nous a fait grimper la montagne. Il s'est terminé devant un immense abri à ciel ouvert perché sur un plateau non loin du sommet. Nous avons gravi quelques marches de marbre jusqu'à une large plate-forme ronde au sol orné de nombreux dessins. Mais alors là, c'était vraiment du grand art. Des scènes très soignées montraient des gens occupés à construire des bateaux, nager avec des bancs de poissons multicolores et même la construction du dôme au dessus de Faar. J'imagine que cette incroyable mosaïque retraçait l'histoire de la cité. Je n'avais aucune envie de marcher dessus. J'avais l'impression de piétiner une œuvre d'art.

Tout autour de cette plate-forme s'élevaient des colonnes massives soutenant un gigantesque dôme de marbre. On se serait cru sur le mont Olympe ! Dominant les marches menant à la plate-forme, il y avait un grand symbole de marbre accroché au dôme : celui de Faar tel que l'avait dessiné le père de Spader.

Au centre de la plate-forme, il y avait un cercle de gradins, eux aussi de marbre. Là, un groupe d'hommes et de femmes se tenaient assis tout en discutant avec animation. J'en ai compté douze exactement, vêtus de ces mêmes tuniques communes à tous les habitants de Faar. Bien sûr, ils n'avaient pas un poil sur le caillou. Même les femmes. Bizarre. Ce devait être ce Conseil de Faar où nous étions attendus. Kalaloo nous a guidés vers le cercle et, aussitôt, tous se sont tus. C'était un peu angoissant. Nous sommes restés là, en plein centre, entourés par tous ces gens chauves qui nous regardaient d'un air méprisant, comme si nous étions des intrus venus perturber leur monde parfait. Ce qui, si on y réfléchit bien, était le cas.

Nous sommes restés plantés là comme des ballots sans savoir quoi dire. Finalement, Kalaloo a pris la parole :

– Nous venons de recevoir des nouvelles. Toutes ne sont pas bonnes. Ces braves Voyageurs perpétuent l'œuvre de notre excellent ami Spader, mort de façon si tragique.

Il est passé derrière le jeune Spader et a posé une main sur son épaule :

– En fait, a-t-il continué, je vous présente le fils de Spader. Nous devons l'accueillir comme il se doit.

Les douze membres du conseil ont applaudi poliment, mais sans grand enthousiasme. Tout était si formel ! J'avais envie de crier : « Réveillez-vous, les gars ! Saint Dane est en route pour vous faire une grosse tête ! Debout ! Il est temps de vous préparer ! » Mais ce n'était pas une bonne idée.

L'oncle Press les a un peu secoués. Il leur a raconté l'erreur tragique que les Cloriens avaient commis en créant un engrais qui empoisonnait les récoltes. Il leur a dit qu'il était heureux de voir que les braves gens de Faar avaient les moyens de contrecarrer les effets néfastes de ce produit et d'assainir les récoltes. Il faut le dire, il s'en est tiré comme un chef. Il n'a pas arrêté d'arpenter le cercle comme un avocat en pleine plaidoirie. Personne ne pouvait détacher les yeux de sa présence imposante.

L'oncle Press leur a aussi annoncé les mauvaises nouvelles. Il leur a dit qu'un pillard avait découvert l'emplacement de Faar et que lui et sa bande se dirigeaient sans doute vers la cité à ce moment même.

Ce qui provoqua quelques remous. Enfin, le Conseil donnait signe de vie !

– Comment est-ce possible ? a demandé une femme. Comment un pillard a-t-il pu apprendre l'existence de Faar ?

L'oncle Press n'a pas cherché à édulcorer la réalité :

– Je crains qu'il ne l'ait appris en même temps que nous. Le père de Spader disposait d'une carte pour nous guider jusqu'ici, et le pillard l'a vu.

Spader baissa la tête de honte, mais je lui ai donné un coup de coude. Il n'avait pas à se sentir coupable. Il n'avait pas d'autre choix que de montrer la carte à Saint Dane.

– Nous n'aurions jamais dû faire confiance au vieux Spader ! s'est écrié un des hommes avec colère. Le laisser partir était une erreur !

Ce qui provoqua une nouvelle échauffourée. Ces gens devenaient carrément hostiles. Après tout, c'était nous qui avions désigné leur cachette aux méchants. Ils avaient le droit d'être furieux, mais je commençais à les préférer quand ils restaient là, inertes comme des statues.

– Je vous en prie ! a lancé l'oncle Press pour rétablir le calme. Nous avons une question plus importante.

– Plus importante que la sécurité de Faar ? a crié une conseillère.

– Oui.

La foule a grommelé, mais ils voulaient entendre ce qu'avait à dire l'oncle Press.

– L'homme qui va partir à l'assaut de Faar est celui qui a empoisonné les récoltes. Ce qu'il désire, c'est la destruction de

Cloral tout entière. Le père de Spader l'avait découvert. S'il n'était pas venu ici, vous n'auriez entendu parler de la catastrophe que bien trop tard. Maintenant, vous avez une chance de l'arrêter.

– Mais il a amené un requin à notre porte ! a rétorqué un homme.

– Celui-ci était déjà à votre porte ! Croyez-vous que le peuple de Faar serait immunisé ? Vous tirez votre nourriture des fermes sous-marines, non ? Si personne ne vous avait avertis, combien d'entre vous seraient déjà morts ?

Voilà qui les a calmés. Parce que l'oncle Press avait tout à fait raison. Si le père de Spader n'était pas allé sur Faar pour tirer la sonnette d'alarme, il y aurait eu bien plus de morts que sur Magorran.

Les membres du conseil ont échangé des regards soucieux. Leur monde parfait commençait à trembler sur ses bases.

– Je vous en prie ! a repris l'oncle Press avec fougue. Vous devez envoyer les Faariens décontaminer les fermes le plus tôt possible. C'est ce que veut cet homme : vous empêcher de sauver Cloral.

– Et qui va sauver Faar ? a remarqué une femme. Nous ne sommes pas des guerriers. Notre discrétion est notre seule défense. Nous n'avons ni armes, ni boucliers.

Bonne question. Dommage que personne ne puisse y répondre.

Finalement, quelqu'un a pris la parole :

– Il y a peut-être un moyen, a dit Spader. En ce moment, une aquanière de Grallion flotte au-dessus de nous. Je peux remonter à la nage en un rien de temps et lui exposer la situation. Nous pouvons retourner sur Grallion, rassembler une troupe d'aquaniers et revenir pour arrêter les pillards. Ce sera un sacré tourne-boule, mais je suis sûr qu'une bande de pirates ne peut tenir tête à mes aquaniers.

– C'est impossible, a répondu Kalaloo. Pour ça, il faudrait révéler l'existence et la localisation de Faar. Nous aurions trop à perdre.

– Pensez à ce que vous perdrez si vous refusez notre protection, a contré l'oncle Press.

C'était un choix difficile. Personne ne s'est avancé pour émettre une opinion. Quelle que soit la décision qu'ils allaient prendre dans quelques instants, elle changerait irrémédiablement l'avenir de Faar et Cloral.

C'est alors qu'un homme entre deux âges qui, jusque-là, n'avait encore rien dit, s'est levé. Ce devait être assez extraordinaire, car tous les autres l'ont regardé. Apparemment, ils avaient le plus grand respect pour ce type. J'ai eu l'impression qu'il ne parlait pas souvent, mais que lorsqu'il ouvrait la bouche, tout le monde l'écoutait. En d'autres termes, c'était le chef. Il s'est exprimé lentement d'une voix légèrement rocailleuse.

– Depuis que les eaux se sont refermées sur notre ville, nous attendons ce jour, a-t-il commencé. Personne, pas même ceux qui ont bâti ce dôme, ne croyait que nous resterions cachés jusqu'à la fin des temps. Cloral est désormais un monde fort différent, et principalement en bien. Je pense qu'il est temps pour nous de le rejoindre.

Cette déclaration a provoqué quelques murmures parmi les membres du conseil. Finalement, une femme s'est levée et a dit :

– Pensez-vous donc que nous devrions transmigrer ?

Je ne sais pas ce que « transmigrer » veut dire, mais comme elle a prononcé ce mot avec horreur, j'imagine que c'était quelque chose d'assez dramatique.

– Non, a répondu l'homme, rien d'aussi radical. Je propose juste que nous nous présentions peu à peu à nos frères d'en haut.

– Puis-je vous rappeler que nous devons faire vite si nous voulons sauver les fermes sous-marines ? a remarqué l'oncle Press. Sinon, il ne restera plus beaucoup de frères à qui se présenter.

Les membres du Conseil échangèrent des regards incertains. Ils allaient prendre la décision la plus importante depuis que leurs descendants avaient découvert que leur ville allait être engloutie sous les flots. Nous vivions un moment historique.

J'ai enfin eu le courage de dire quelque chose :

– Ça fait des éternités que vous assistez les Cloriens, ai-je fait d'une voix que j'ai dû maîtriser pour qu'elle ne tremble pas. Il est peut-être temps que vous les laissiez vous aider.

L'homme entre deux âges a croisé mon regard. Il était vieux et frêle, mais la lueur farouche qui brûlait dans ses yeux m'a dit qu'il ne fallait pas le sous-estimer.

– Comment t'appelles-tu ? a-t-il demandé.

– Pendragon.

Il a eu l'air de me jauger, ce qui m'a collé les jetons. Soudain, je me suis dis que j'aurais dû la fermer. Mais il m'a décoché un petit sourire.

– Nous en avons beaucoup débattu avant ce conseil d'aujourd'hui, et nous avions tous de bonnes intentions. Mais les mots du plus jeune d'entre nous sont limpides comme le cristal. (Il s'est tourné vers le conseil et a continué d'une voix pleine de conviction.) En effet, il est temps d'accepter l'assistance de ceux que nous aidons depuis si longtemps. Que tous ceux qui acceptent que le jeune Spader revienne avec ses aquaniers disent « ho ».

Ils n'ont pas tous répondu en même temps. Mais finalement, l'un après l'autre, les membres du conseil ont fait « ho », et à chaque réponse, leurs voix étaient plus fortes et plus fermes.

– Que ceux qui sont contre disent « no ».

Il n'y en a pas eu. L'homme s'est alors tourné vers nous :

– Nous avons pris notre décision. S'il te plaît, jeune Spader, pars sans plus tarder. Nous devons agir avec célérité.

Spader s'est tourné vers l'oncle Press et moi. Ses yeux brûlaient d'enthousiasme. Il n'avait vécu que pour ce moment.

– Yenza sera-t-elle d'accord ? a demandé l'oncle Press.

– Tu le sais déjà, a répondu Spader avec une conviction inébranlable.

– En ce cas, a ajouté l'oncle Press avec un sourire, pourquoi n'es-tu pas déjà en chemin ?

– Hobie-ho ! ai-je dit en lui donnant une tape amicale sur l'épaule.

– Ne commencez pas la fiesta sans moi, les gars ! s'est-il écrié, puis il a tourné les talons et sauté de la plate-forme.

Pourvu qu'il rejoigne vite Yenza et que l'armée des aquaniers arrive à temps !

– Maintenant, a repris l'homme entre deux âges, il reste la question des fermes sous-marines. Sommes-nous prêts, Kalaloo ?

— Je crois, a-t-il répondu. Les vaisseaux sont en cours de chargement.

— Alors, pars sans plus tarder, toi aussi.

Kalaloo s'est tourné vers nous :

— Venez. Il faut que vous voyiez ça.

En effet, nous ne demandions qu'à voir comment les Faariens allaient s'y prendre pour sauver les fermes sous-marines. Ça me semblait impossible, mais comme j'avais pu le constater, rien n'est impossible dans ce monde.

Après avoir respectueusement salué les membres du Conseil, nous sommes descendus à notre tour de la plate-forme.

— Pendragon ! a lancé l'homme entre deux âges.

Je me suis arrêté et je me suis tourné vers lui.

— Cet homme qui nous veut tant de mal… Est-il vraiment si redoutable ?

Ça, c'était la grande question. Ce qu'il voulait réellement savoir, c'était si Saint Dane avait vraiment les moyens de détruire Faar. Je devais lui répondre le plus sincèrement possible. Je ne voulais pas que le Conseil reconsidère sa décision. J'ai soutenu son regard pour qu'il comprenne à quel point j'étais sérieux.

— Je pourrais répondre par un simple oui, ai-je dit, mais la vérité, c'est qu'il est l'incarnation d'une volonté maléfique qui défie l'imagination. Il est impossible de lui échapper. Le pire que vous puissiez faire serait de ne pas avoir assez peur de lui.

Le vieil homme a acquiescé. Il avait l'air fatigué. Il a levé la main pour me remercier et me dire d'y aller.

Kalaloo nous a fait prendre un autre chemin pour entrer dans un tunnel qui s'enfonçait dans la montagne même. Nous avons suivi un couloir étroit qui nous a menés dans les tréfonds de la cité. Les parois s'ornaient d'œuvres d'art somptueuses, pour la plupart des portraits d'hommes et de femmes à l'air sévère. Probablement d'anciens membres du conseil. Mais je n'ai pas posé la question : nous avions plus important à faire qu'étudier l'histoire de l'art.

— Nous devons nous rendre à la base de la montagne, a expliqué Kalaloo. C'est là que les choses se passent.

— Ça fait une sacrée descente, a remarqué l'oncle Press.

– Pas par le chemin que nous allons prendre.

Nous sommes arrivés devant un énorme tube qui descendait du plafond pour s'enfoncer dans le sol. Droit devant nous, une porte était creusée dans sa paroi, et je présume qu'il y en avait d'autres. Kalaloo nous a fait franchir celle-ci, et nous nous sommes retrouvés dans une pièce pas plus grande qu'une cabine d'ascenseur. En fait, c'était exactement ça. Le vaste tube contenait quatre ascenseurs.

Kalaloo a actionné un levier sur le côté de la cabine. J'ai entendu un sifflement pneumatique et nous avons entamé notre descente, à toute allure. Ce truc n'avait pas de porte, et voir défiler les étages donnait l'impression d'aller encore plus vite. Je me suis cramponné nerveusement au flanc de la cabine. Kalaloo éclata de rire :

– Ne t'en fais pas, Pendragon. Tu flottes sur un coussin d'air. C'est la source d'énergie qui alimente une bonne partie de Faar : de l'air comprimé circulant dans les conduits creusés dans la montagne.

Cool. Mais tant que nous ne serions pas de retour sur la terre ferme, je n'avais qu'à espérer que cet aérovateur n'aurait pas une fuite. Nous allions si vite que mes oreilles sifflaient. Kalaloo a abaissé le levier des gaz, et nous avons ralenti peu à peu. Quelques instants plus tard, nous nous sommes arrêtés en douceur.

– Comme de flotter sur un nuage, ai-je dit d'un ton qui se voulait badin alors que ma voix se brisait.

L'oncle Press a éclaté de rire. Il savait que j'avais la frousse.

Kalaloo nous a fait passer par un autre couloir interminable qui a débouché sur la lumière du jour. Dès que nous sommes sortis, j'ai vu que nous nous trouvions à la base de la montagne de Faar. C'était une vision assez majestueuse, cette cité recouverte d'un dôme luisant.

Nous nous sommes empressés le long d'un chemin menant aux grands bâtiments dont je vous ai déjà parlé. En cours de route, nous avons croisé de nombreux Faariens. Je n'ai pu m'empêcher de remarquer qu'ici, ils se déplaçaient un peu moins lentement. Les autres flânaient et profitaient de la musique, mais ceux-ci avaient du travail.

– Les récoltes mutantes sont peut-être mortelles, a expliqué Kalaloo, mais la modification génétique qu'elles ont subi est relativement simple. Nous avons préparé un composé chimique qui, une fois pulvérisé sur les plantes, inversera rapidement le processus.

C'était plutôt rassurant, mais il ne s'agissait pas d'asperger d'insecticide un buisson de roses. Nous parlions de fermes qui s'étendaient sur des milliers d'hectares. Ces types avaient beau être technologiquement avancés, ce n'était pas une mince affaire.

– Comment est-il possible de répandre ce composé sur des surfaces aussi gigantesques ? a demandé l'oncle Press.

Comme quoi, les grands esprits se rencontrent.

– Rien de plus facile, a répondu Kalaloo avec un sourire plein de fierté.

Nous étions arrivés devant la porte d'un immense bâtiment. Contrairement aux structures de marbre antique accrochées à flanc de montagne, il avait l'air plus moderne. Il m'a fait penser à un hangar d'aéroport.

Quand nous sommes entrés, j'ai pu constater que ma première impression n'était pas loin d'être la bonne. Ce n'était pas un hangar pour avions, mais il en avait la taille, et il n'y avait ni plafond, ni cloisons pour diviser cet espace. Ce n'était qu'un garage en une seule pièce. Mais j'ai alors vu ce qui ressemblait au fantasme de n'importe quel amateur de science-fiction. Comme ça m'a paru plutôt cool, j'imagine que je rentre dans cette catégorie.

Toute une flotte de petits sous-marins était là, alignée devant nous. J'en ai compté vingt en tout. D'abord, je me suis dit qu'ils ressemblaient à ces hélicoptères où le pilote est installé dans une bulle transparente. Ils avaient la même taille et les mêmes cockpits comprenant deux sièges et des instruments de contrôle. À l'avant s'étendait un long bras mécanique qui devait servir à ramasser des objets, un peu comme sur les navettes spatiales. Derrière la bulle, le fuselage du sous-marin était vert clair, si bien qu'une fois en mer, il devait être quasiment invisible.

Chaque sous-marin flottait dans son propre alvéole individuelle. Deux cylindres accrochés de chaque côté du sous-marin devaient être les moteurs. Chaque alvéole disposait d'une grande porte pour le lancement.

L'endroit bourdonnait d'activité. Des Faariens se massaient autour des sous-marins afin de les préparer à leur mission. On devait remplir les réservoirs, car la plupart des véhicules avaient de gros tubes accrochés au dos et raccordés à d'énormes bidons fixés en hauteur, près du plafond. Pourtant, ils n'avaient pas besoin de carburant, puisqu'ils utilisaient l'eau pour se propulser. Je me suis demandé à quoi servaient ces tubes, mais j'ai attendu que Kalaloo nous l'explique. En tout cas, c'était une sacrée opération.

– Nous les appelons des traceurs, a fièrement déclaré Kalaloo. Ils n'ont l'air de rien, mais une fois lancés à pleine vitesse, ils sont si rapides qu'ils en deviennent presque invisibles.

Si c'était vrai, leur nom était approprié, parce qu'ils avaient vraiment l'air de pouvoir tracer.

Kalaloo m'a fait signe de monter à bord d'un des sous-marins. Je ne me suis pas fait prier ! Au sommet de la bulle, il y avait une trappe ouverte : je me suis glissé sur le siège du pilote. J'ai eu l'impression de me retrouver aux commandes d'un jet, surtout en voyant que le principal instrument de commande était un manche à balai, comme sur un avion.

– Le pilote dirige le traceur, a-t-il continué. L'autre se charge de la navigation, des armements et de déposer la cargaison.

– La cargaison ?

Il a désigné le tube qui descendait du plafond jusqu'aux appareils.

– C'est là le but principal des traceurs. Nous nous en servons surtout pour nous occuper des fermes sous-marines de Cloral. Ça fait des générations que nous le faisons en secret. À l'arrière, il y a une cale chargée de graines, d'engrais ou de minerais, selon leurs besoins. Pour l'instant, nous y mettrons le produit chimique qui va sauver les récoltes.

À présent, je comprenais tout. Les tubes ne transportaient pas du carburant, mais leur produit miracle. Ces traceurs étaient des avions d'épandage version aquatique.

– Ils ont quel rayon d'action ? a demandé l'oncle Press.

– Avec ces vingt là, nous pouvons couvrir tout Cloral.

Impressionnant. Ils savaient ce qu'ils faisaient, pas de doutes. Je commençais à croire que nous allions réussir. Si leur antitoxine fonctionnait vraiment – et nous devions y croire – ils allaient sauver Cloral de la catastrophe. J'avais hâte de voir partir cette flottille.

– Quand seront-ils prêts pour le lancement ? a demandé l'oncle Press.

– Très bientôt. Ils sont presque chargés et l'entretien est en...

– Press !

Nous nous sommes retournés pour voir Spader courir vers nous. Mince ! Il était censé avoir rejoint Yenza et être en route pour Grallion. Que faisait-il encore en bas ? Il s'est arrêté devant nous, hors d'haleine, les yeux fous.

– Elle a disparu, a-t-il hoqueté.

– Comment ça, disparu ? a demandé l'oncle Press, très calme. Yenza est repartie sur Grallion ?

– Non. Je veux dire qu'elle n'était plus là quand j'ai refait surface. Il lui est arrivé quelque chose.

J'ai aussitôt envisagé le pire. Et si Saint Dane l'avait capturée ? C'était une dure à cuire, mais elle était toute seule. Elle n'aurait jamais pu tenir tête à une bande de pillards armés jusqu'aux dents. Je suis descendu du traceur et j'ai bondi entre Spader et l'oncle Press.

– Pensez-vous que Saint Dane ait pu l'enlever ? ai-je demandé.

Une seconde plus tard, on a répondu à ma question, mais pas l'oncle Press. Un grondement sourd et lointain a résonné. Ça ressemblait beaucoup à une explosion. Nous avons échangé un regard, puis l'oncle Press s'est tourné vers Kalaloo :

– Faites sortir les traceurs immédiatement ! a-t-il crié.

Kalaloo s'est tourné vers ses hommes et a aboyé ses ordres.

– Interrompez le chargement ! Il faut hâter le lancement !

L'oncle Press a couru vers la porte, nous deux sur ses talons. Nous sommes sortis au pas de course alors que deux autres explosions retentissaient. Elles provenaient de l'extérieur du dôme. Et elles semblaient très proche.

Plusieurs Faariens regardaient autour d'eux d'un air décontenancé. Ils n'avaient encore jamais rien vécu de tel. En les voyant, j'ai ressenti une bouffée de compassion, car ce n'était qu'un début.

— Il est là, n'est-ce pas ? ai-je demandé.

— La fiesta vient de commencer, j'en ai bien peur, a répondu l'oncle Press.

Journal n° 8
(suite)

CLORAL

Les explosions se rapprochaient, de plus en plus nombreuses. Ça devenait effrayant. À chaque nouveau choc, le sol tremblait sous nos pieds.

— À quoi joue Saint Dane ? ai-je demandé nerveusement. A-t-il des espèces de bombes sous-marines, ou quelque chose comme ça ?

— Tu as vu quelque chose à la surface ? a demandé l'oncle Press à Spader. Des vaisseaux ?

— Non, mon vieux. Rien du tout.

D'autres explosions se sont succédé à intervalles rapides. Saint Dane tentait de faire s'écrouler la ville.

— Bobby, a dit l'oncle Press, il faut que les Faariens s'en aillent sans plus attendre.

— Pardon ? ai-je répondu sans oser en croire mes oreilles.

— Il faut évacuer Faar. S'ils restent là, ils vont tous mourir.

— Mais… où vont-ils aller ? Il n'y a rien là-dehors. Rien que l'Océan.

— Tu les a vus évoluer dans l'eau ? Tu crois vraiment que c'est un problème ?

Il avait raison. Ces Faariens était à moitié poissons.

— Ils ont plus de chances dehors, a-t-il ajouté. S'ils restent là, ils font des cibles parfaites.

— Pourquoi tu me dis ça ? ai-je demandé.

— Parce que tu vas retourner voir le Conseil. Convaincs-les de… de… Il avait du mal à trouver ses mots.

— D'abandonner le navire ? ai-je complété.

— Oui, c'est ça, a-t-il acquiescé tristement. Spader et moi allons faire notre possible pour lancer les traceurs.

Ça devenait un peu trop. Il voulait que je dise à ces gens d'évacuer Faar... d'abandonner leur ville, leurs demeures. Cette cité qui, depuis des siècles, avait fait face à tout ce que l'homme et la nature lui avaient balancé. Mais à présent, ils affrontaient une menace bien plus dangereuse qu'une poignée d'affamés ou la montée des eaux. C'était le Mal incarné qui les attaquait. Alors même que nous parlions, les explosions se rapprochaient. L'oncle Press avait raison. Il fallait évacuer Faar.

Je suis parti en courant, mais...

— Bobby ! m'a crié l'oncle Press. Prends d'abord ton globe respiratoire !

Tout d'abord, je n'ai pas vu pourquoi il me disait ça. Puis j'ai compris. Nous étions pris au piège, tout autant que les Faariens. Si nous devions abandonner le navire, nous n'avions pas de combinaison d'hommes poissons avec respirateurs incorporés. Il nous fallait nos globes si nous voulions survivre... Et nous voulions survivre, pas de doute.

— Et vous ? ai-je demandé.

— Nous allons faire ce que nous avons à faire ici, puis nous te retrouverons au tunnel par lequel nous sommes arrivés. Compris ?

J'ai opiné. Spader m'a décoché un sourire timide.

— On est dans un sacré tourne-boule, Pendragon.

— Tu peux le dire. Ne traînez pas, d'accord ?

Ils sont repartis vers le hangar des traceurs, et moi vers le tube de l'aérovateur. Je n'aimais pas trop monter dans cet engin. J'imagine qu'en cas d'urgence, comme un incendie ou un tremblement de terre, il vaut mieux éviter de prendre l'ascenseur, mais je n'avais pas le temps d'escalader les sentiers de montagne. Et d'ailleurs, je me serais perdu en route. Je n'avais donc pas le choix.

J'ai dû tourner autour du tube pour trouver une cabine libre. Quand je m'y suis précipité, j'ai réalisé que je ne savais pas comment fonctionnait cet engin. J'avais vu faire Kalaloo, c'est tout. Eh bien, je n'avais qu'à l'imiter. J'ai agrippé le levier, je l'ai tiré vers moi et – ouah ! Je suis parti si vite que mes genoux ont cédé. L'ascenseur a bondi avec une violence telle qu'elle a bien failli me clouer au sol ! Je craignais que la cabine ne jaillisse de la montagne comme un missile. J'ai donc sauté sur le levier et l'ai poussé pour ralentir. Ouf !

Maintenant, il me restait à décider à quel étage je devais m'arrêter. Je devais récupérer mon globe respiratoire, puis retourner au Cercle du Conseil.

Après être monté ainsi pendant quelques minutes, sur un coup de tête, j'ai arrêté l'ascenseur à l'un des étages. Lorsque j'ai jailli de la cabine, j'ai dépassé plusieurs Faariens à l'air ébahi. Des femmes rassemblaient leurs enfants et se pressaient contre les parois de la montagne. D'autres couraient en passant leurs combinaisons vertes. J'imagine qu'ils avaient compris qu'ils seraient plus en sécurité au-dehors, eux aussi. Mais la plupart restaient plantés là, épouvantés, l'air effaré. J'ai pensé leur crier : « Dehors ! Dehors ! Il faut abandonner la ville ! », mais ils m'auraient pris pour un cinglé. Non, si un ordre d'évacuation officiel devait être donné, il devrait émaner du Conseil.

Quand je suis sorti du couloir, j'ai vu que je n'étais qu'à un niveau en dessous de l'entrée rocheuse du tunnel par lequel nous étions passés. J'avais vu juste ! Je me suis donc précipité vers le sentier sinueux menant à l'entrée.

C'est alors qu'une monstrueuse explosion a secoué Faar. Cette fois, c'était passé très, très près, et l'onde de choc a bien failli me renverser. Quelques Faariens ont poussé des cris de terreur. Ils n'avaient jamais rien vécu de tel. Et, moi non plus, en fait, mais au moins, je savais l'origine du phénomène, si l'on veut. Je ne sais pas ce qui était le pire : ne rien comprendre à la situation ou savoir qu'une force incroyablement maléfique voulait provoquer la destruction de Faar.

Dans le hangar à sous-marins, l'oncle Press et Spader faisaient de leur mieux pour aider Kalaloo et les Faariens à lancer les traceurs. Je n'ai pas été témoin des faits que je vais relater. On m'a tout raconté par la suite.

Les sous-mariniers faariens sont montés à bord de leurs appareils. Tous ont passé leur combinaison verte et sont descendus dans leurs cockpits transparents, deux par appareil. Pendant toute l'opération, les explosions n'ont cessé de secouer le hangar, mais ils ne pouvaient accélérer le processus de peur d'endommager un traceur.

Finalement, le premier a été prêt à partir. La porte du sas s'est ouverte derrière lui, et le petit engin s'y est glissé. Une fois de l'autre côté de la porte, le compartiment extérieur s'est rempli d'eau et le traceur a pu se lancer dans l'Océan.

Le premier vaisseau était parti, et comme les autres, il emportait dans ses flancs la survie de Cloral.

Tandis que je courais vers le tunnel où nous avions laissé nos équipements, les explosions se sont succédé à intervalles de plus en plus rapproché, comme si Saint Dane avait repéré sa cible et s'acharnait dessus. Je ne sais pas de quelle arme il disposait, mais elle était assez puissante. Pourvu que les Faariens des temps révolus aient construit un dôme assez solide pour supporter ses assauts !

J'ai trouvé nos affaires là où nous les avions laissées, et j'ai pris mon globe respiratoire. Un instant, je me suis demandé si je ne devais pas descendre les deux autres pour Spader et l'oncle Press, mais ce n'était pas le but de ma mission. Je devais atteindre le Cercle du Conseil et les convaincre d'évacuer Faar. C'était ce qui était prévu, et il fallait que je m'y tienne.

Je suis retourné à l'air libre et j'ai brièvement réfléchi au meilleur moyen de retrouver le Conseil. Devais-je emprunter l'aérovateur ou y aller en courant ? J'ai opté pour la seconde solution : cet appareil me faisait peur, et j'étais déjà passé par les chemins menant à la plate-forme. Ça n'a pas été pas une partie de plaisir. À chaque fois qu'une explosion secouait la ville, je manquais de perdre l'équilibre. Une fois, j'ai même titubé hors du chemin et j'aurais dévalé la montagne si un Faarien ne m'avait pas retenu. Il m'a sauvé la vie, mais j'ai juste pris le temps de marmonner « merci » avant de repartir. Je devais trouver le Conseil.

J'ai refait la route que nous avions parcouru et, en un rien de temps, j'ai gravi les marches menant à la plate-forme et au Conseil de Faar. En arrivant au sommet, j'ai constaté qu'ils étaient tous là, assis sur les bancs. Apparemment, ils étaient en plein débat, passablement animé. Je n'avais aucune envie de m'immiscer dans la conversation, mais je n'avais pas le choix. Il fallait les convaincre d'annoncer aux gens de Faar qu'ils devaient évacuer la ville.

En bas, dans le hangar à sous-marins, le deuxième traceur était prêt à partir. Sa cale était remplie du précieux composant chimique et les sous-mariniers étaient à leur poste. La porte arrière de leur alvéole s'est ouverte lentement. Dans quelques instants, ils seraient en route, et les dix-huit autres ne tarderaient pas à suivre le même chemin. C'était plutôt encourageant…

… Mais une nouvelle explosion a retenti. Une grosse. Elle a frappé de plein fouet la porte du sas du traceur prêt à partir, et l'onde de choc l'a ébranlé. Les sous-mariniers ont été secoués comme s'ils étaient prisonniers d'une machine à laver. Pire encore, la porte à demi ouverte du sas s'est immobilisée. Plusieurs Faariens ont manipulé désespérément les instruments pour la faire repartir, mais en vain. Elle était coincée.

C'est alors qu'ils ont découvert quelque chose de bien plus inquiétant : les portes des autres sas refusaient elles aussi de s'ouvrir ! L'explosion avait provoqué de graves dégâts. S'ils ne parvenaient pas à les réparer, les traceurs seraient pris au piège dans leurs logements.

Pendant que les Faariens tentaient de débloquer le mécanisme, l'oncle Press a enjoint Spader d'aller chercher leurs globes respiratoires, mais l'aquanier a refusé : il ne voulait pas l'abandonner. Press a insisté. Il lui a rappelé que les combinaisons des Faariens étaient équipées d'appareils respiratoires. S'ils devaient évacuer Faar, ils ne couraient aucun risque. En revanche, Spader et lui… et bien, pour deux Voyageurs, ils ne voyageraient pas bien loin.

Spader a compris que Press avait raison. Il n'avait pas le choix. À contrecœur, il a quitté le hangar pour partir vers le couloir où l'attendaient les deux derniers globes respiratoires.

Je me suis approché du Conseil et j'ai entendu quelques-uns des arguments qui fusaient :

— Nous devons protéger Faar à tout prix ! a hurlé une femme. Cloral ne pourra jamais survivre sans notre savoir et notre soutien !

— C'est parce que nous n'avons pas respecté les consignes de sécurité ! a ajouté un homme. Nous n'aurions jamais dû laisser des gens de l'extérieur entrer dans Faar !

— Réveille-toi un peu ! lui a rétorqué une autre femme. Notre secret n'en est plus un. Ils savent où nous sommes.

— Nous pouvons nous en remettre ! a argumenté un autre. Il n'y a qu'à boucler toutes les issues. La ville est inviolable !

Ils partaient dans toutes les directions, mais n'allaient nulle part. En plus, ils n'avaient pas vu l'essentiel : qu'à ce moment même, Faar était en danger mortel. J'allais entrer dans le cercle lorsqu'une main s'est posée sur mon épaule. Je me suis retourné pour me retrouver face au vieil homme que tous avaient écouté auparavant.

— Que se passe-t-il en bas ? a-t-il demandé.

— Ils s'apprêtent à lancer les traceurs.

— Ce... démon qui attaque Faar. Quel est son but exactement ?

— Difficile de le dire avec précision, ai-je répondu honnête-ment. Mais pour l'instant, il veut plonger Cloral dans le chaos. C'est pour ça qu'il a empoisonné les récoltes. Faar est tout ce qui l'empêche de parvenir à ses fins.

— Quel genre d'homme peut bien vouloir la destruction d'une ville pour ensuite ravager un monde ? a-t-il demandé d'une voix crispée par la douleur.

— Vous avez répondu vous-même à cette question. C'est un démon. Et croyez-moi, il est capable de faire pire encore.

Le vieil homme a fermé les yeux. J'imagine qu'il traitait les informations que je venais de lui donner. La simple existence d'un tel individu semblait le faire souffrir. Il avait beau détenir une infinie sagesse, il n'arrivait pas à concevoir une créature telle que Saint Dane, même maintenant qu'elle cognait à sa porte.

— Ça va vous paraître horrible, ai-je dit, mais vous devez évacuer Faar.

Il a ouvert brutalement les yeux et m'a regardé comme si je venais de le gifler.

— Je crois qu'il ne s'arrêtera pas tant qu'il n'aura pas réduit la ville en cendres, ai-je ajouté.

— Nous sommes ici chez nous, a-t-il répondu d'un ton de défi. Sur la terre de nos ancêtres. Nous ne l'abandonnerons pas.

Je savais très bien ce qu'on ressentait quand on vous demandait de quitter votre foyer, mais je ne voulais pas y penser.

— Je sais, c'est terrible, ai-je dit d'un ton qui se voulait raisonnable. Mais si votre peuple reste ici, il mourra.

— Et si l'attaque échoue ?

— Ils reviendront, encore et encore. C'est aussi simple que ça.

Deux autres explosions ont secoué le dôme. Le vieil homme a perdu l'équilibre, mais je l'ai pris par le bras et je l'ai retenu. Les membres du Conseil se sont tus. Cette fois-ci, ce n'était pas tombé loin.

— Je crains que nous n'ayons plus beaucoup de temps, ai-je dit.

Le vieil homme m'a dévisagé. J'ai lu la douleur dans ses yeux. Il avait pris sa décision. Il s'est redressé et s'est dirigé vers les autres membres du Conseil. Tous l'ont regardé. Personne n'a prononcé un mot. Il s'est dirigé tout droit au centre du Cercle pour parler à la foule.

— Il est temps d'agir.

Il s'est alors agenouillé sur le sol et a retiré un rectangle découpé dans la dalle. Il a plongé la main dans l'espace qu'il venait de découvrir et a dû appuyer sur un bouton ou tirer une manette ou quelque chose comme ça, parce que le sol s'est mis à bouger. Toute une section circulaire de plus de soixante centimètres de diamètre s'est élevée pour devenir un podium dressé devant le vieil homme.

Les membres du Conseil ont regardé la scène, stupéfaits et émerveillés. Certains ont murmuré entre eux, mais la plupart en sont resté bouche bée. Je n'avais pas la moindre idée de ce qui se passait.

Le podium ressemblait à une sorte de tableau de commande. Il y avait quatre morceaux de cristal posés l'un sur l'autre, chacun de la taille d'une balle de tennis. L'un était transparent, un autre vert, un troisième jaune et le dernier rougeâtre.

— Nous avions prévu qu'une telle catastrophe pourrait se produire, a annoncé le vieil homme au Conseil, et nous y sommes préparés. Nous ne pouvons ignorer l'inévitable.

– Non ! a crié un homme. Tu ne veux pas transmigrer !

Encore ce mot. Que signifiait transmigrer ? Était-ce une sorte de dernier recours ?

– Nous n'allons pas transmigrer, a répondu le vieil homme, du moins pas encore. Faar ne manque pas de ressources. Nous pouvons encore tenir. Mais je vais ordonner l'évacuation.

Sur ce, le vieil homme a posé la paume de sa main sur le cristal jaune et a appuyé dessus. Aussitôt, il s'est mis à pulser d'une lueur jaune, et un signal d'alarme s'est mis à hurler. Enfin, je pense que c'était un signal d'alarme. C'était une espèce de corne qui, j'en suis sûr, devait résonner dans tout Faar. Pour autant que je puisse en juger, c'était un signal qui indiquait qu'il était temps d'évacuer Faar.

Les membres du Conseil ont baissé la tête, vaincus.

– Allez-y, a dit le vieil homme avec compassion. Allez rejoindre vos familles. Veillez à ce qu'elles évacuent la ville. Si vous entendez le signal disant que le calme est rétabli, vous n'aurez qu'à revenir. Dans le cas contraire, tous mes vœux vous accompagnent.

Peu à peu, les membres du Conseil se sont levés et se sont éloignés un par un. Une femme s'est tournée vers le vieil homme :

– Viens avec nous. Nous nous occuperons de toi, moi et ma famille.

L'interpellé a secoué la tête.

– Ma place est ici. Il est toujours possible que nous soyons obligés de transmigrer.

Il resterait à son poste, quoi qu'il arrive. Son attitude évoquait la sinistre détermination d'un capitaine prêt à couler avec son navire. En un rien de temps, nous nous sommes retrouvés seuls, lui et moi.

– Comment vous appelez-vous ?

– Je suis Abador, a-t-il répondu fièrement. Doyen du Conseil de Faar.

Il s'est dirigé vers les bancs d'un pas traînant et s'est assis. Il avait l'air fatigué.

– Et transmigrer, ça veut dire quoi, exactement ?

Il m'a regardé avec un sourire rusé.

– Tu en as beaucoup appris sur notre monde, Pendragon, mais certains secrets doivent le rester. C'est mieux ainsi. Tout ce que je peux te dire, c'est que cette fabuleuse ville de Faar est un miracle en elle-même. Depuis que nous nous sommes cachés sous la surface des flots, nous n'avons jamais été attaqués, n'avons jamais cherché à étendre nos territoires, n'avons jamais eu d'autre désir que nous améliorer et sauvegarder Cloral. Je pense sincèrement que, si nous sommes parvenus à ce résultat, c'est grâce à notre réclusion. Nous n'avons pas subi les mêmes difficultés, ni les mêmes tentations qui dominent ceux de la surface. (Il a inspiré profondément avant de reprendre.) Nous nous sommes préparés. Nous savions qu'un jour, inévitablement, notre existence cesserait d'être un secret. Et maintenant que ce jour est venu, un dilemme se présente à moi. Devons-nous nous démasquer une bonne fois pour toute et rejoindre Cloral ? Devons-nous laisser les préoccupations insignifiantes des Cloriens infiltrer et corrompre notre monde parfait ? Ou vaut-il mieux chérir notre grandeur passée et garder notre rêve intact ?

– Je ne suis pas sûr de comprendre. D'après vous, vous avez le choix entre rejoindre la surface ou la destruction pure et simple ?

– C'est une façon simpliste de voir les choses.

– Alors, si vous voulez mon avis, c'est un faux problème. Pour vous, les gens de Cloral sont peut-être des primates abrutis, et ils sont loin d'être aussi avancés que vous, mais pour ce que j'ai pu en voir, c'est vraiment un monde super. Tout le monde vit en paix. Ils travaillent dur, ils s'amusent bien, ils se respectent et, comparé à mon habitat d'origine, ils ont tout compris.

Il y eut un chapelet d'explosions dans le lointain. Abador a levé les yeux.

– Et qu'est-ce que cet… assaut sur Faar ? a-t-il demandé. Est-ce là ce qui nous attend à la surface ?

– Non, ai-je répondu le plus fermement possible. C'est un autre ennemi. Comme je vous l'ai dit, cette attaque ne vise pas qu'à détruire Faar, mais aussi Cloral. Et si vous vous considérez comme ses gardiens, vous n'allez pas laisser faire une telle infamie. Si vous abandonnez la partie, vous trahirez toutes ces générations de Faariens qui ont aidé Cloral à devenir ce qu'elle est aujourd'hui.

Abador a plongé ses yeux dans les miens avec la même intensité que précédemment. Pourvu que je n'aie pas poussé le bouchon un peu trop loin ! Mais j'étais sincère. Pour lui, Faar était un univers protégé qui ne voulait pas faire partie de Cloral. Pourtant je pense qu'il sous-estimait ce monde formidable. Et maintenant que Cloral était menacée, ce n'était pas le moment de baisser les bras. Je ne savais pas ce qu'était la transmigration, mais pour moi, cela ressemblait fort à un système d'autodestruction. Ils préféraient détruire Faar plutôt que lui faire rejoindre Cloral. Et en cela, ils se trompaient.

— Tu dois partir, a dit Abador. Je vais réfléchir à ce que tu m'as dit.

— Mais… vous n'allez pas transmigrer sans crier gare, hein ?

Abador a regardé les quatre cristaux sur le podium. Le jaune, celui qui actionnait l'alarme, brillait toujours. Il a eu un petit rire et m'a regardé :

— Tu es bien sage pour quelqu'un d'aussi jeune. Mais ne commets pas l'erreur de croire que tu sais tout.

Que voulait-il dire par là ? Avant que j'aie pu lui poser la question, une autre explosion a secoué la ville. À côté, les autres n'étaient guère que des pétards de fête nationale. Elle était sonore, profonde et m'a fait tomber au sol. Les bancs de marbre ont vibré, projetant Abador hors de la plate-forme. Je me suis relevé et j'ai aidé le vieil homme à faire de même, mais il m'a repoussé et a crié :

— Vas-y !

— Vous ne pouvez pas rester là ! Je vais vous aider !

— Pendragon, je dois rester ! a-t-il répondu d'un ton sans réplique. Si le pire vient à se produire, si Faar court le risque d'être détruite, je dois être là pour enclencher la transmigration.

J'ai jeté un coup d'œil au podium. Maintenant, je comprenais, enfin à peu près. Ce podium était la solution de la dernière chance, et quelqu'un devait rester pour en actionner les commandes. Je redoutais toujours de savoir ce que « transmigrer » voulait dire, mais si tel était son destin, je n'allais pas m'interposer. Non, j'avais fait mon possible et, maintenant, je n'avais plus qu'à m'en aller.

– Bonne chance, Abador. Je sais que vous ferez votre devoir.

– Merci, Pendragon. Tu as aidé un vieil homme à y voir plus clair.

Il n'y avait rien d'autre à dire. J'ai tourné les talons et j'ai couru vers l'autre bout de la plate-forme. Une fois arrivé, j'ai regardé en bas pour voir si le signal d'alarme avait produit son effet. Des centaines de Faariens déferlaient sur les chemins et descendaient la montagne comme des fourmis fuyant leur fourmilière. Tous, hommes et femmes, endossaient leur combinaison verte pour tenter leur chance dans l'Océan. Certains aidaient les plus jeunes et les plus âgés à faire de même. Pas de panique, pas de bagarres. Je me suis demandé s'ils avaient déjà effectué des exercices en préparation d'une telle situation, comme les alertes à incendie dans notre école. En tout cas, ils allaient sortir d'ici en bon ordre, et c'était déjà ça.

J'ai quand même eu un avant-goût de la catastrophe à venir. Tout d'abord, je ne l'ai même pas remarqué. Mais peu après, la sinistre réalité m'a frappé comme un coup de poing. J'ai ressenti quelque chose au bras. D'abord, ça a juste été une simple démangeaison que j'ai gratté sans réfléchir. Mais en levant le bras, à mon grand désespoir, j'ai vu ce qu'il en était réellement.

Ce n'était qu'une goutte d'eau. Rien de plus. Mais aussitôt, une autre est tombée sur mon bras. Bon, ce n'était pas le bout du monde, non ? Eh bien si. J'ai levé les yeux et, horrifié, j'ai constaté que ces bêtes gouttes d'eau provenaient du dôme qui recouvrait la cité. Ce qui ne pouvait avoir qu'une seule signification.

Le dôme qui protégeait Faar depuis des centaines de générations se fissurait et ne tarderait pas à céder.

Journal n° 8
(suite)

CLORAL

Alors que je me tenais sur les marches de la plate-forme du Conseil, j'ai levé les yeux sur le dôme. On aurait dit une cascade luisant sous la lumière. Croyez-le ou non, c'était un spectacle magnifique, comme de voir des milliers de petits diamants tomber du ciel.

Mais ces gemmes scintillantes n'annonçaient rien de bon. Si le dôme cédait et laissait entrer l'eau, où le processus s'arrêterait-il ? Le bombardement auquel Saint Dane le soumettait pouvait-il affaiblir sa résistance ? Dans ce cas, la pression de milliards de mètres cubes d'eau risquait de la pulvériser comme une coquille d'œuf. Cette image était trop terrible pour que je m'y attarde. Je pouvais juste espérer que le signal d'alarme résonnerait assez tôt pour permettre aux Faariens d'évacuer la ville.

Et les explosions continuaient. Saint Dane ne nous laissait pas un instant de répit. Les ondes de choc faisaient trembler la montagne. Quelle arme pouvait bien détruire ce qui avait résisté pendant des siècles sans faiblir ?

Puis j'ai pensé à Spader et à l'oncle Press. Je n'étais pas encore au courant du désastre dans le garage à sous-marins. Je devais m'en tenir à ce qui était prévu. Alors, j'ai couru vers le couloir qui m'amènerait au point de rendez-vous convenu.

Ce n'était pas une partie de plaisir. Maintenant, l'eau échappée du dôme rendait les chemins glissants. Et comme la plupart de ceux-ci surplombaient d'immenses falaises, je devais faire attention : à la moindre chute, j'irais m'écraser en bas. Je me déplaçais vite, mais prudemment. Je n'ai pas tardé à rejoindre le flot des Faariens se dirigeant vers le tunnel qui les sauverait. Ils défilaient en bon ordre, mais les gens n'arrêtait pas de regarder l'eau qui s'écoulait du plafond, et il était facile de voir qu'ils étaient au bord de la panique. Pourtant, ils tenaient le coup et se dirigeaient vers l'entrée du tunnel.

Alors que j'allais y entrer moi-même, j'ai vu quelque chose qui m'a remonté le moral.

– Hé ! ai-je crié.

Spader sortait du tunnel, emportant les deux autres globes respiratoires. Il devait lutter contre la marée humaine qui se précipitait dans la direction opposée. Je me suis mis en bordure du chemin, à l'abri du flot, et je l'ai attendu. Quand il est enfin arrivé à ma hauteur, il était surexcité et à bout de souffle.

– Où est l'oncle Press ? ai-je demandé.

– C'est un vrai tourne-boule en bas ! a-t-il bafouillé. Ils ont pu lancer un traceur, mais une explosion a bloqué les portes. Ils n'arrivent pas à lancer les autres !

De mieux en mieux. Faar était sur le point de s'écrouler et les traceurs étaient coincés au port. Saint Dane allait l'emporter.

– Press est toujours là-bas, a-t-il dit. Il vaut mieux qu'on aille le chercher.

Nous avons levé les yeux, tous les deux. Le dôme laissait filtrer de plus en plus d'eau. Les fissures provoquées par l'explosion devaient s'agrandir sous l'effet de la pression.

– Allons-y, ai-je dit, et nous sommes repartis en direction de l'aérovateur.

Le problème, c'est que des centaines de Faariens se dirigeaient dans la direction opposée. Nous ne voulions pas nous montrer grossier, mais avons bien dû nous frayer un chemin. Ce n'était pas l'heure de faire des politesses. Quand nous sommes enfin arrivés à la montagne et au tube, nous avons remarqué un grand Faarien costaud qui gérait le trafic. Il s'assurait que, à l'arrivée de chaque cabine, tout le monde s'empressait de descendre pour se diriger vers le tunnel de sortie.

Un autre aérovateur est arrivé, et un nouveau flot de monde s'en est écoulé. À peine était-il vide que nous avons tenté de monter dans la cabine. Mais cette armoire à glace nous a pris par le col et nous a entraînés en arrière.

— Pas de passagers, a-t-il dit.

— Mais nous devons descendre au hangar des traceurs ! ai-je crié.

— Vous n'avez pas entendu le signal d'alarme ? C'est une situation d'urgence. Ces ascenseurs ne doivent servir qu'à évacuer la ville.

Ce gars était une vraie baraque et il ne plaisantait pas. Spader et moi ne pourrions jamais le repousser et nous engouffrer dans la cabine. Mais nous n'avions pas non plus le temps de dévaler la montagne en courant. Nous étions coincés. Je devais faire comprendre à ce type qu'il était important que nous descendions. Je lui ai pris le bras et l'ai forcé à me regarder. J'ai tenté de parler lentement et calmement.

— Écoutez, des hommes courent un grand danger en bas. Nous devons les retrouver. Il faut que nous prenions cet ascenseur. Laissez-nous passer.

Je n'étais ni surexcité, ni menaçant. J'ai juste tenté de lui faire comprendre l'importance de notre mission. J'ai cru d'abord qu'il allait me repousser, mais il s'est passé quelque chose d'étrange. Alors qu'il me regardait, j'ai senti qu'il se détendait. Ce mur de briques devenait doux comme un agneau. C'était vraiment bizarre. Il s'est écarté, nous laissant entrer dans l'ascenseur.

— Je comprends, a-t-il dit doucement. Bonne chance.

Spader et moi sommes passés devant lui sans trop comprendre ce qui venait d'arriver. Mais nous n'allions pas nous poser de questions. Nous sommes montés dans l'aérovateur, j'ai pris les commandes et nous sommes partis.

— Qu'est-ce qui s'est passé ? a demandé Spader. On aurait dit que tu l'avais hypnotisé !

— Je n'en sais rien.

J'étais tout autant surpris que lui. Mais je me suis rappelé que l'oncle Press avait fait de même avec Wu Yenza, sur Grallion. Elle allait nous jeter dehors, et il l'en avait dissuadée. Je commençais à croire que ce don pour franchir les défenses mentales était propre aux Voyageurs, comme le fait de comprendre toutes les langues. Il faudrait que je me renseigne sur ce point, pas de doute.

Pourtant ça devrait attendre, car nous étions presque arrivés à la base de la montagne.

— Nous devons les faire sortir de là le plus vite possible, ai-je dit. On ne tardera pas à avoir les pieds dans l'eau.

— Ils cherchent tous à ouvrir les portes des hangars, a dit Spader. Si ça se trouve, ils ne savent même pas ce qui se passe.

Nous n'avons pas attendu l'arrêt complet de l'aérovateur pour sauter de la cabine et courir vers la sortie du tunnel afin de rejoindre le hangar. J'ai tout de suite remarqué qu'il n'y avait plus un seul Faarien à ce niveau. Tant mieux. Ça voulait peut-être dire que la ville était presque vide. Je pouvais m'imaginer à quoi devait ressembler l'Océan autour de Faar, avec ces milliers d'hommes-poissons verts lâchés dans l'eau. Ils n'y risquaient rien, mais si le dôme cédait, ils n'auraient nulle part où aller.

C'était triste, cependant nous avions plus urgent à penser. Spader et moi avons jailli du tunnel pour découvrir qu'il pleuvait à torrents. L'eau s'écoulait à travers les fissures du dôme.

J'ai levé les yeux vers la montagne pour constater, à mon grand soulagement, que les sentiers étaient déserts. Ce qui signifiait que tout le monde était parti. Et juste à temps, semblait-il.

Nous avons continué de courir vers le hangar. Spader tenait les deux globes et moi le mien. Pourvu qu'ils aient réussi à réparer les portes et lancé les traceurs ! En ce cas, nous pourrions ficher le camp d'ici et nous occuper de Saint Dane. Ce qui n'avait rien de réjouissant en soi.

Nous étions à une vingtaine de mètres du hangar quand nous l'avons entendu.

On aurait dit un coup de tonnerre. C'était différent des explosions précédentes. Celles-ci étaient comme des grondements sourds, mais ce nouveau son évoquait la détonation sèche qui suit un éclair, sauf qu'elle n'en finissait pas. Malheureusement, le terme de « craquement » lui convenait parfaitement.

Spader et moi nous sommes arrêtés, nous avons levé les yeux. Et nous avons eu droit à une vision si terrifiante que j'ai du mal à la décrire. Le dôme commençait à céder. J'ai vu de grandes langues de lumière se développer telle une toile d'araignée sillonnant la surface recouverte de corail. Dans quelques secondes, elle volerait en éclats et l'eau envahirait Faar.

— Oncle Press ! ai-je crié en me mettant à courir vers le hangar.

– Non ! a hurlé Spader en me retenant.

Heureusement qu'il a eu cette présence d'esprit, parce qu'une seconde plus tard, une partie du dôme s'est effondrée. Pas le dôme tout entier, juste une section. Mais elle se trouvait juste au-dessus de nous. Si j'avais continué mon chemin, le torrent d'eau frappant le sol m'aurait écrabouillé.

– Il faut sortir d'ici ! a crié Spader.

Mais je ne pouvais pas bouger. J'ai regardé les fragments du dôme et le raz-de-marée qui se précipitait vers nous. Puis le hangar. Où se trouvait encore l'oncle Press.

– Viens, Pendragon !

Spader m'a entraîné vers la montagne. Il nous restait environ dix secondes avant que le mur d'eau ne touche le sol. Serait-ce suffisant pour que nous prenions l'aérovateur ? Nous sommes entrés dans le tunnel au pas de course. Nous n'étions pas en sécurité pour autant. Dès que la masse d'eau frapperait le sol, elle inonderait le tunnel. Ce serait le commencement de la fin de Faar.

Derrière nous, j'ai entendu un fracas assourdissant. Les fragments du dôme et le flot venaient de toucher terre. Aussitôt, l'eau s'est précipitée dans le tunnel, droit vers nous. Nous avons continué à courir pour échapper au courant qui menaçait de nous engloutir.

Nous sommes arrivés au tube. Notre cabine était toujours là. Heureusement, car sinon, nous étions morts. Nous nous sommes rués à l'intérieur, puis retournés pour voir le flot qui envahissait le tunnel. Je me suis emparé de la manette et je l'ai plaquée en avant. La cabine a jailli avec une telle violence que nous avons tous deux été projetés au sol. Mais je me suis cramponné au levier car ma vie en dépendait. Pas question d'arrêter. Restait le risque que la vague ne détruise le tube avant que nous n'ayons pu sortir. J'ai retenu mon souffle, m'attendant à ce que la cabine s'arrête brutalement. Nous avons continué. Un peu plus tard, nous sommes arrivés au niveau du tunnel d'évasion.

Le Faarien qui gardait le tube quelques instants plus tôt n'était plus là. Ni personne d'autre d'ailleurs. Spader et moi avons couru le long d'un couloir désert. Je redoutais ce que nous allions découvrir une fois sortis de là. Le dôme s'était-il complètement effondré ? Si c'était le cas, autant nous arrêter tout de suite, parce que c'était la fin des haricots. Le poids de l'eau était trop important : l'Océan écraserait la montagne tout entière.

Alors que nous nous approchions de l'extrémité du tunnel, le bruit du torrent s'est fait assourdissant. On aurait dit les chutes du Niagara. Curieusement, ça m'a redonné de l'espoir. Ça voulait dire que le dôme ne s'était pas encore écroulé, uniquement la section qui avait cédé sous nos yeux. Nous avions encore une chance de nous en sortir. Nous avons atteint la sortie et regardé de l'autre côté.

Ce que nous avons vu était à la fois terrifiant et merveilleux. Jusque-là, le dôme avait tenu bon. Mais il y avait un grand trou déchiqueté de plus de trente mètres de large foré dans sa surface. L'eau s'en écoulait avec une telle force qu'on aurait dit une lance à incendie. C'était impressionnant.

– Regarde, Pendragon, a dit Spader.

Il tendait le bras vers le bas. Ce que j'ai vu m'a coupé le souffle. Le niveau de l'eau montait et ne tarderait pas à engloutir la cité tout entière. Mais ce n'était pas ça qui m'a laissé pantois. Spader désignait le hangar à traceurs qui ne tarderait pas à être submergé. Et comme si ça ne suffisait pas pour me saper le moral, j'ai vu que, près de la porte où nous nous tenions il n'y avait pas quelques minutes, gisait un amas de débris. Ce devait être la portion du dôme qui s'était écroulée, et elle était tombée contre la porte, bloquant la sortie. J'avais espéré que l'oncle Press et les Faariens seraient en sécurité à l'intérieur du hangar. Ils n'auraient qu'à attendre que Faar soit entièrement submergée pour en sortir à la nage. L'oncle Press pourrait même partager le respirateur d'un des Faariens. Ils trouveraient bien un moyen.

Mais maintenant que l'entrée était bloquée par une tonne de débris, ils étaient pris au piège. Leur seul espoir était désormais de réparer les portes et de sortir par là.

– C'est grave, Pendragon, a dit Spader solennellement. S'ils n'ouvrent pas les portes des traceurs...

– Ouais, j'avais compris.

Nous sommes restés là, abasourdis. Il y avait de fortes chances que ce hangar serve de tombeau à ces braves Faariens et à mon oncle Press.

— Il faut qu'on y aille, a dit Spader.

J'ai regardé en direction du tunnel permettant de sortir de Faar et j'ai constaté que nous avions encore une chance. Le torrent qui s'écoulait de l'ouverture tombait tout droit, ce qui voulait dire qu'il n'avait pas recouvert les sentiers serpentant à flanc de montagne. Du coup, nous pouvions encore atteindre le tunnel donnant sur l'Océan. Des débris de dôme gisaient de-ci de-là, mais rien que nous ne puissions sauter ou contourner. Il fallait faire vite, car le niveau de l'eau continuait de monter.

Il ne restait plus un seul Faarien. Ils avaient tous réussi à s'en sortir. Nous avons gagné le tunnel, mais avant de plonger à l'intérieur, je me suis souvenu de quelque chose et je me suis arrêté. J'ai regardé dans la direction du Conseil, là où s'était tenu Abador. Je me suis demandé ce qu'il allait faire. Il était désormais évident que Faar était condamnée. Cela signifiait-il qu'il allait transmigrer – quoi que ça puisse vouloir dire ?

Au premier coup d'œil, j'ai su que ça ne serait pas le cas. Parce que le toit de marbre qui recouvrait le cercle n'était plus là. Il avait dû être renversé par les débris du dôme. Abador devait être mort. S'il était resté sur le podium, et je n'en doutais pas un instant, il avait été écrasé sous cette masse de marbre. Mon cœur a saigné pour ce vieil homme. Il aimait Faar et ce qu'elle représentait plus que sa vie. Il avait sauvé son peuple d'une fin horrible. S'il avait vu s'effondrer le dôme, il aurait certainement transmigré, mais il n'en a jamais eu le temps. J'étais triste pour cet homme qui n'avait pu empêcher la destruction de Faar et de la destinée que ses ancêtres lui avaient tracée avec soin.

— Hé, Pendragon, on peut y aller maintenant ?

Pour la dernière fois sans doute, je me suis détourné de Faar et j'ai suivi mon ami dans le tunnel. Nous sommes passés devant le vestiaire désert jusqu'à l'endroit précis où nous avions laissé nos affaires. Spader a posé le globe respiratoire de l'oncle Press à côté de son glisseur.

— On ne sait jamais, hein ?

Ouais. On ne sait jamais. Mais en général, on a sa petite idée. Je ne pensais pas que l'oncle Press ait encore besoin de son globe. Un instant, le temps s'est figé. Ce globe respiratoire était la goutte qui a fait déborder le vase, si j'ose dire. Peu m'importait que Faar s'écroule sur ma tête ou que Saint Dane soit sur le point de détruire Cloral. Je n'ai plus pensé qu'à cet oncle que je venais de perdre. Après avoir dit à qui voulait l'entendre qu'il fallait être fort, faire ce qui convenait et prendre des décisions pénibles, je n'étais plus bon qu'à rester planté là et à pleurer toutes les larmes de mon corps.

Spader a dû comprendre ce que je ressentais, parce qu'il a posé une main sur mon épaule :

– Tu auras tout le temps après, mon pote. Pour le moment, on doit sortir d'ici.

Il avait raison. Nous avons pris chacun notre glisseur et sommes repartis dans le tunnel. Nous avons vite atteint la surface de l'eau. Celle-ci s'est faite de plus en plus profonde, montant jusqu'à nos chevilles, nos genoux, nos hanches jusqu'à ce que nous n'ayons plus qu'à nager. Nous avons enfilé nos globes respiratoires, fait démarrer nos glisseurs et avons plongé dans les eaux du tunnel.

Heureusement, les lumières étaient restées allumées : nous aurions eu du mal à retrouver notre chemin dans le noir. Nous avons foncé sans dire un mot. Je ne peux dire à quoi pensait Spader, mais moi, je ruminais des idées noires. D'accord, nous avions survécu à la destruction de Faar, mais ce qui nous attendait n'était pas mieux. Parce que Saint Dane et ses pillards étaient certainement là, à la surface, à nous attendre de pied ferme. Ce n'est qu'à ce moment que j'ai réalisé que les explosions s'étaient arrêtées quand le dôme avait fini par céder. Saint Dane avait sans doute ordonné de cesser le feu. Il avait détruit Faar et empêché les traceurs de sauver les fermes sous-marines. Mission accomplie.

La triste vérité était que nous avions failli à Cloral tout entière. Le plan de Saint Dane, qui visait à plonger le territoire dans le chaos, allait réussir. Les provisions viendraient à manquer, les gens se battraient pour les derniers stocks sains, et des milliers de Cloriens mourraient de faim ou empoisonnés.

Et pourtant, nous devions affronter Saint Dane. Il était là, j'en étais sûr. Il nous attendait. Tout ce que nous pouvions espérer, c'est survivre pour continuer le combat.

Nous avons nagé jusqu'à la porte donnant sur le large. Elle était grande ouverte : cette fabuleuse cité n'était plus, alors pourquoi se donner la peine de la refermer ? Spader et moi avons foncé dans l'Océan sans trop savoir ce que nous allions y trouver.

— Il faut faire attention, mon pote, a dit Spader. Ce n'est pas le moment de se faire aspirer par ce trou dans le dôme.

Bien vu. Des millions de tonnes d'eau s'y engouffraient. C'était un véritable évier géant, et il serait facile de se faire happer par le tourbillon. J'ai espéré que les Faariens aient la même présence d'esprit et restent à bonne distance.

Alors que nous nous éloignions du tunnel et du dôme, j'ai senti une résistance, comme si nous remontions un puissant courant. C'était l'attraction de l'eau aspirée à l'intérieur du dôme. Heureusement, nous étions assez loin et nos glisseurs étaient assez puissants pour nous emmener en sécurité. En sécurité, ai-je dit ? Tu parles. J'ai regardé autour de nous et j'ai commencé à voir des silhouettes. D'abord, elles se confondaient avec l'Océan, mais plus nous nous sommes rapprochés, plus elles sont devenues distinctes. J'ai vite compris de qui il s'agissait.

C'était le peuple de Faar. Ils étaient des milliers à flotter entre deux eaux en regardant le dôme de corail qui avait protégé et caché leur ville. C'était à vous fendre le cœur. Maintenant, ces gens étaient des sans-abri perdus au beau milieu de l'Océan.

Et nous avec eux. Je me demandais comment nous pourrions gagner l'habitat le plus proche et prévenir les aquaniers pour qu'ils viennent sauver ces gens lorsque quelque chose a attiré mon attention.

D'abord, j'ai cru à une ombre. Mais c'était bien trop gros. On aurait dit l'ombre d'un nuage qui passe devant le soleil. C'était éloigné et brouillé par la distance, si bien que je n'ai pu l'identifier. En tout cas, une chose était sûre : ça se dirigeait vers nous.

— Tu as vu ? ai-je demandé à Spader en désignant l'ombre du doigt.

Spader s'est retourné.

— Jamais vu un poisson si gros, a-t-il commenté.

— C'est peut-être un banc, ou une baleine, ou…

Ma gorge s'est serrée. L'ombre s'est rapprochée, et j'ai su comment Saint Dane avait pu attaquer Faar – mais aussi pourquoi Spader n'avait rien vu quand il avait regagné la surface.

C'était un sous-marin. Un vaisseau long, noir, monstrueux, au fond plat et au corps rond. Il devait tirer des sortes de torpilles, comme le croiseur sur Grallion. Pas de doute, c'était une arme de guerre, et Saint Dane se trouvait à ses commandes.

— Enfin, vous voilà ! a fait une voix derrière nous.

Spader et moi avons virevolté tous les deux pour voir quatre pillards, chacun pourvu d'un glisseur et d'un fusil à harpon – tous braqués sur nous.

— On dirait bien que vous êtes les derniers, a déclaré l'un d'entre eux en riant. Je connais quelqu'un qui aimerait avoir un petit entretien avec vous.

Deux des pillards nous ont escortés, chacun d'un côté, tandis que les deux autres restaient derrière nous en nous menaçant de leurs armes. Ils nous ont fait signe de les suivre. Nous ne pouvions rien faire. Nous étions pris au piège. Bientôt, nous visiterions le sous-marin de Saint Dane.

SECONDE TERRE

Le téléphone se mit à sonner.

– Ne réponds pas ! ordonna Courtney

Elle s'était complètement immergée dans l'aventure de Bobby et ne voulait pas interrompre sa lecture, ne serait-ce qu'un instant.

– Il le faut, insista Mark.

Pourtant, il aurait préféré s'abstenir. Il ne savait que trop bien qui risquait de l'appeler. Il décrocha le combiné sur sa table de nuit.

– Allô ? fit-il d'une voix circonspecte.

– Mark Dimond ? tonna une voix masculine autant que familière.

– Oui, répondit-il, sans donner plus d'informations que nécessaire.

– Ici le capitaine Hirsch, du commissariat de Stony Brooks.

Le cœur de Mark se mit à battre la chamade. Ça devait arriver. C'était le coup de fil qu'il attendait.

– Bonjour, capitaine. Ça va ? demanda Mark d'un ton qui se voulait tout à fait naturel.

En entendant le mot « capitaine », Courtney leva la tête.

– Mark, tu sais qu'il y a une récompense prévue pour quiconque nous apportera des informations relatives à la disparition des Pendragon, n'est-ce pas ?

– Ouais. Vingt-cinq mille dollars.

– Exact. Sais-tu où se trouve Courtney Chetwynde ? J'ai appelé chez elle, mais ses parents m'ont dit qu'elle était sortie.

– Heu, oui. Elle est là, avec moi.

Courtney leva un sourcil comme pour dire : « On parle de moi ? »

– Parfait, reprit Hirsch. Si ça ne vous ennuie pas, pourriez-vous faire un saut au poste, tous les deux ? J'ai là quelque chose que je voudrais vous montrer.

Mark savait de quoi il s'agissait.

– Heuuu... oui, pourquoi pas. Mais pour l'instant, on est occupés.

– Mettons dans une heure ? répondit Hirsch. Une voiture viendra vous chercher.

– Dans une heure ? Heu... oui, je c-c-crois qu'on aura fini. Vous avez mon adresse ?

– Oui. Oh, Mark, tu ne connaîtrais pas un gaillard du nom d'Andy Mitchell ?

Et voilà... Andy Mitchell avait fauché les journaux de Bobby et les avait amenés à la police le jour même dans l'espoir d'empocher la récompense. La seule chose qui puisse encore étonner Mark, c'est que Mitchell ait fait si vite pour lire tout ça. Il aurait cru qu'une tâche si colossale lui prendrait bien une semaine.

– Mark ? Tu es toujours là ?

– Oui, je suis là.

– Tu connais Andy Mitchell ? C'est un ami à toi ?

Deux questions distinctes. Mark se demanda ce que Mitchell avait bien pu aller raconter aux policiers. Avait-il admis qu'il n'était qu'une brute épaisse qui avait fait chanter Mark pour qu'il lui montre les journaux, puis qu'il les avait volés dans l'espoir de toucher la récompense ? Non, il n'était sans doute pas entré dans ce genre de détails.

– Oui, je le connais, mais ce n'est pas vraiment un ami.

– D'accord. À dans une heure.

– Au revoir, fit Mark avant de raccrocher.

– C'était Hirsch ? demanda Courtney. Qu'est-ce qu'il nous veut ?

– Qu'on passe au commissariat. Il a quelque chose à nous montrer.

– Il a dit ce que c'était ?

– Non. Il nous envoie une voiture dans une heure. J'imagine que d'ici là, nous aurons fini notre lecture.

L'esprit de Mark battait la campagne. Cette histoire avec Andy Mitchell allait se terminer dans une heure. D'une façon ou d'une autre. Mais s'il bouillonnait d'impatience, cet épisode n'avait rien de comparable à l'histoire que racontait Bobby.

– Je préfère ne pas penser à Hirsch pour l'instant, déclara Courtney. Je n'ai pas l'esprit à ça. Je préfère qu'on termine notre lecture d'abord. Okay ?

Oh, ça lui convenait parfaitement. Il n'avait pas l'esprit à ça, lui non plus. Il ne voulait pas parler d'Andy Mitchell ou des journaux disparus ou du fait qu'il s'était laissé prendre au piège comme un crétin. Pas avant qu'ils ne finissent de découvrir ce qui était arrivé à Bobby, à Spader et à l'oncle Press.

– Oui, répondit-il. Lisons.

Et il retourna sur le lit. Courtney et lui s'allongèrent côte à côte, sur le ventre, le journal étalé devant eux, prêts à découvrir ce qui s'était passé sur Cloral en ces heures sombres.

Journal n° 8
(suite)

CLORAL

À priori, la situation ne pouvait être pire : Faar était détruite, sa population flottait dans l'Océan sans nulle part où aller, tous les traceurs sauf un étaient bloqués par les débris et ne pouvaient pas sauver les fermes sous-marines de Cloral, et l'oncle Press, Kalaloo et plusieurs Faariens étaient coincés là dessous, eux aussi. S'ils n'étaient pas déjà morts, ils ne tarderaient pas à l'être.

Et maintenant, Spader et moi étions entraînés vers un inquiétant sous-marin rempli de pirates aux ordres de Saint Dane.

Alors que les pillards nous emmenaient vers le vaisseau, j'ai dit à Spader :

— Je ne savais pas qu'on trouvait ce genre d'engin sur Cloral.

— Tout comme les croiseurs, a-t-il répondu. Il y a bien longtemps, on a construit des navires de guerre en cas de conflit territorial entre les habitats. Mais ils n'ont jamais servi, et les pillards se sont emparé de certains d'entre eux.

— Silence ! a crié un de nos gardes.

À présent, je comprenais tout. Saint Dane avait les moyens de lancer des missiles souterrains sur Faar. Il n'avait eu qu'à continuer jusqu'à ce que le dôme finisse par céder.

Maintenant, nous étions juste en dessous de cette machine de guerre. Je ne savais pas trop où nous allions, mais j'ai vu coulisser une grande porte tout au fond de la coque. Celle-ci menait à un sas assez grand pour y faire passer un camion. Les pillards nous on fait signe de nous engager dans l'ouverture. J'ai regardé cette cellule noire au-dessus de moi et je me suis arrêté net : je ne voulais pas aborder ce vaisseau du Diable. Mais l'un des pillards m'a donné un coup de la pointe de son harpon. Je n'avais pas le choix. J'ai donc suivi Spader à l'intérieur du sous-marin qui venait de détruire une cité.

Nous avons flotté dans le noir le plus complet jusqu'à ce que le sas se referme. Un sifflement pneumatique m'a donné à penser qu'ils aspiraient l'eau de la salle. Ça n'a pas pris longtemps : nous nous sommes vite tenus debout sur la trappe de la cale, celle-là même qui venait de se refermer. Le niveau a continué de baisser. C'est alors que la lumière s'est allumée, et j'ai vu quelque chose qui a réduit à néant mes derniers espoirs.

À côté de nous se trouvait le seul traceur qui avait pu partir de Faar. Saint Dane devait l'avoir intercepté au passage. C'était une catastrophe. Désormais, les fermes souterraines n'avaient plus une seule chance. Saint Dane avait remporté une victoire totale. Il avait tout prévu.

Je me suis tourné vers Spader, qui avait l'air aussi décontenancé que moi.

– Débarrassez-vous de vos équipements ! a ordonné l'un des pillards.

Nous avons retiré nos globes et laissé nos glisseurs.

– Allons-y. Il vous attend.

Les autres nous ont aiguillonnés de la pointe de leurs lance-harpons. Spader et moi sommes sortis de la chambre pour nous enfoncer dans les entrailles du sous-marin. Nous avions rendez-vous avec Saint Dane.

Même chez nous, je n'avais jamais mis les pieds dans un sous-marin. Je m'étais contenté des films et des photos. Mais en comparaison des engins high-tech de notre Seconde Terre, celui-ci semblait assez simple. Je m'attendais à voir des tubes et des tuyaux partout, mais non. L'endroit était un cauchemar de claustrophobe et comme on s'en doute, les passerelles étaient très étroites, mais il n'y avait pas la moindre trace des mécanismes qui le faisaient fonctionner. C'était logique, en un sens. En termes de technologie aquatique, les Cloriens en connaissaient un rayon.

Soudain, le sous-marin a eu un soubresaut qui a bien failli nous faire perdre l'équilibre.

— Qu'est-ce qui se passe ? ai-je demandé.

— Nous faisons surface, a répondu l'un des pillards. Allez, marche !

Nous sommes arrivés à une échelle de fer menant au niveau supérieur. Deux pillards sont passés devant, suivis de nous deux, puis des deux autres. Ils ne prenaient pas de risques inutiles. Pourtant, que pouvaient-ils redouter ? Une tentative d'évasion ? Pour aller où ?

L'échelle nous a menés à une pièce qui devait être la salle de contrôle. Une fois de plus, elle ne ressemblait pas à un sous-marin de chez nous, avec ses cadrans et tout ça. À l'avant, deux pillards étaient assis devant un tableau de commandes. Trois autres s'affairaient à leur poste de travail. Je suis sûr que l'un d'entre eux dirigeait le canon qui avait détruit Faar. Il y avait encore une personne dans la salle, et je n'ai pas besoin de vous dire de qui il s'agissait.

C'était Roder, le chef des pirates. Bien sûr, vous et moi savons qu'il s'agissait en réalité de Saint Dane. Il se tenait entre les deux pilotes en regardant le paysage marin par un petit hublot.

— On n'en a trouvé que deux, a déclaré l'un des pillards.

Saint Dane s'est tourné vers nous.

— Bienvenue à bord, mes amis, a-t-il lancé avec un sourire chaleureux. J'adore Cloral, pas vous ? On y trouve des jouets fabuleux.

Nous n'avons pas répondu. À quoi bon ? J'ai jeté un coup d'œil à Spader et j'ai vu qu'il grinçait des dents de rage. Sa haine l'aveuglait à nouveau. Pourvu qu'il ne fasse pas de bêtise.

— Et où est mon ami Press ? a demandé Saint Dane. J'espère qu'il n'est pas resté sur Faar.

Je n'ai toujours pas répondu. Il a marché vers moi et m'a regardé droit dans les yeux. Comme je ne voulais pas qu'il croie que j'avais peur de lui, je lui ai rendu son regard. On aurait dit qu'il sondait mon cerveau. Au bout de quelques secondes, il a lentement secoué la tête.

— Je lis dans tes yeux comme dans un livre, Pendragon. Press est mort. Je le déplore. C'était un adversaire de grande valeur, mais, comme je te l'ai dit, personne ne peut me vaincre. C'était écrit.

C'était plus que je ne pouvais en supporter.

– Non, ai-je rétorqué. Cloral n'est pas encore à vous.

Saint Dane a gloussé de rire comme si je n'étais qu'un gamin qui ignorait à qui il parlait. Ce qui m'a rendu furax. Sans doute parce qu'il avait raison.

– Tu crois, vraiment ? a-t-il dit. En ce cas, j'ai quelque chose à te montrer.

Il a tendu un doigt vers le hublot. Il y avait de la lumière de l'autre côté du verre. Nous étions à la surface.

– C'est bon, a annoncé un des pillards qui s'occupaient des instruments de contrôle.

L'un des gardes est allé à l'arrière de la salle pour se diriger vers une porte ronde dans le mur. Celle-ci était munie d'une roue pour débloquer le mécanisme de fermeture. Quand il l'a ouverte, la lumière a illuminé l'intérieur du sous-marin.

– Je vous en prie, a dit Saint Dane en nous faisant signe de sortir.

J'ai passé la porte, suivi de Spader.

La salle de contrôle était surélevée par rapport à la coque, ce qui fait que nous sommes descendus tout droit sur le pont. Cet engin était grand. Sans doute une cinquantaine de mètres de la proue à la poupe. La tour de contrôle se situait aux deux tiers vers l'avant. J'ai aussi remarqué une série de canons saillant de cette même tour. Ils n'étaient pas aussi gros que ceux du croiseur, mais tout aussi dangereux.

Saint Dane s'est dirigé vers la poupe.

– Venez, a-t-il ordonné.

Spader et moi n'avions pas le choix. Saint Dane est allé jusqu'au bout de la coque, et nous sommes restés là, tous les trois.

– Vous avez vu ? a-t-il demandé.

Nous avons regardé droit devant nous. Tout d'abord, nous n'avons rien distingué, mais lorsque nos yeux se sont accoutumés, nous avons pu apercevoir de quoi il parlait. C'était un immense tourbillon géant. Et j'ai bien dit : immense. Quant à son origine, elle était évidente. Il se trouvait juste au-dessus de l'emplacement du dôme brisé de Faar. L'eau cascadait dans la cité, créant ce maelström monstrueux. Saint Dane est resté là, les bras croisés, tout sourire, à admirer son œuvre.

– Où sont… a commencé Spader, mais Saint Dane a levé la main pour le faire taire.

– Je t'en prie, attends encore un instant.

Nous nous sommes tournés vers le tourbillon pour voir qu'il avait raison. Il n'a pas tardé à rétrécir jusqu'à disparaître. Un instant, les flots se sont apaisés, puis une gigantesque bulle d'air a crevé la surface.

– C'est fini, a murmuré Spader. Adieu, Faar.

Un vrai crève-cœur. Cette bulle était le dernier souffle de Faar. À présent, la ville était complètement immergée. La surface de l'Océan était redevenue lisse.

Saint Dane s'est tourné vers nous :

– Que disais-tu ? a-t-il très poliment demandé à Spader.

– Où sont les pilotes des traceurs ?

Saint Dane a agité la main comme s'il s'agissait d'un détail sans importance.

– Nous les avons rejetés à la mer. Deux petits poissons sans importance. Mais ils nous ont bien servi.

– Comment ? ai-je demandé.

– À peine les avons-nous vus jaillir de Faar que nous avons su précisément où envoyer nos missiles pour décimer leur flotte. Et il n'est pas sorti d'autre bateau-bulle, a-t-il ajouté en riant. Donc, j'en déduis que nous avons réussi.

– Une douzaine d'hommes sont restés là dessous ! a craché Spader furieux. Ils sont pris au piège !

– Et j'ai détruit le cœur et l'âme de Cloral, a renchéri Saint Dane avec le plus grand calme. Ça fait une après-midi bien remplie, non ?

J'ai senti Spader se crisper. Il brûlait de haine et était tout près à sauter à la gorge de Saint Dane. Mais ç'aurait été une grave erreur. J'ai donc posé une main sur son épaule. Il a fait un bond. Il avait vraiment les nerfs en pelote.

– Calme-toi, ai-je murmuré le plus doucement possible.

Il s'est forcé à inspirer profondément et à se maîtriser.

— Je suis impressionné, Pendragon, a dit Saint Dane. Tu t'es amélioré depuis notre échauffourée sur Denduron.

— Vous voulez dire ma victoire sur Denduron, ai-je rétorqué.

— Parce que tu crois m'avoir vaincu ? Franchement, n'importe quel territoire peut devenir mon premier domino, et peu importe lequel. Cloral fera aussi bien l'affaire que Denduron. Comme je te l'ai dit, une fois qu'un premier sera tombé, les autres suivront.

— Cloral n'est pas encore tombée, a craché Spader.

— Ça viendra, a répondu Saint Dane d'un air suffisant. Ils finiront bien par trouver un moyen de décontaminer les récoltes, mais pas avant que des milliers de Cloriens ne succombent et que les survivants ne partent en guerre. Cette planète reposait sur un équilibre fragile, avec tous ces habitats forcés de cohabiter. Maintenant que Faar n'est plus, cet équilibre est rompu.

Saint Dane s'est alors penché vers moi pour que nos yeux soient au même niveau. Il était si près que je pouvais sentir son haleine – fétide, c'était à prévoir. Mais pas question de me reculer, ça non.

— Tout se passe exactement comme je l'ai prévu, a-t-il dit doucement. Même si tu avais réussi à contrecarrer mes plans, je n'aurais eu qu'à partir recommencer sur un autre territoire. Tu n'as pas idée de ce qui t'attend, Pendragon. Si tu continues de me mettre des bâtons dans les roues, tu finiras comme tous ces autres pitoyables Voyageurs qui se sont mis sur mon chemin. Est-ce ce que tu veux ? Mourir pour rien, comme le père de Spader ? Ou Osa ? Ou Press ?

Ce dernier nom m'a blessé, mais pas question de le montrer.

— Tu peux encore me rejoindre, Pendragon, a-t-il repris avec un sourire tentateur. Quand Halla sera à moi, ceux qui m'auront assisté seront généreusement récompensés. Tu as l'air d'aimer patauger dans les eaux de Cloral. Je te la donne. Fais-en ce que tu veux. Restaure les fermes, nomme Spader amiral, deviens leur héros bien-aimé. Tout ce que tu voudras. Ce sera facile et le combat sera terminé. Qu'en dis-tu ?

C'est dur à expliquer, mais à ce moment, quelque chose a changé en moi. Oui, j'avais toujours peur de Saint Dane. Je n'en savais toujours pas plus sur ce qu'était un Voyageur ou pourquoi j'avais été choisi pour le devenir. J'avais énormément à apprendre, mais au moins, une chose est devenue très claire, et cette découverte m'a rempli d'un sentiment de confiance tel que je n'en avais pas ressenti depuis que je dominais le cours de basket à Stony Brook.

– Vous voulez savoir ce que j'en pense ? ai-je demandé à Saint Dane. Je crois que si vous saviez vraiment ce qui allait se passer, si vous pensiez vraiment que votre plan ne peut échouer, eh bien vous ne me demanderiez pas de me joindre à vous.

Quelque chose a changé dans l'œil de Saint Dane. Rien de bien spectaculaire. Il n'a pas crié ou froncé les sourcils ou quoi que ce soit, mais j'ai surpris son regard : pas de doute, il avait peur de moi. J'en aurait mis ma main au feu.

Nous sommes restés plantés là un moment sans trop savoir qui devait faire le premier geste. C'est alors que j'ai entendu un son lointain, difficile à percevoir, mais qui m'était familier. Un sifflement faible. Qui se rapprochait très vite. Où l'avais-je déjà entendu ? Il m'a fallu deux secondes montre en main pour m'en souvenir.

Je me suis tourné vers Spader et ai crié :

– Obus !

Je lui ai bondi dessus, et nous nous sommes étalés sur le pont. Un instant plus tard, une explosion secouait le sous-marin. La tour de contrôle – ce qu'on appelle la « baignoire » chez nous – venait d'être atteinte de plein fouet par un missile aquatique semblable à ceux que Saint Dane avait lancé sur Grallion. C'était ça que j'avais entendu.

Boum ! boum ! Deux autres missiles ont frappé la baignoire, faisant tanguer le sous-marin. Mais d'où venaient-ils ?

– Regarde ! a crié Spader en tendant le bras vers bâbord.

Ce que j'ai vu était si merveilleux qu'un instant, j'ai cru rêver. Mais non : c'était bien une flotte de hors-bords remplis d'aquaniers, et ils passaient à l'assaut !

– Hobie, Pendragon ! s'est écrié Spader en riant. C'est Yenza ! Elle avait une longueur d'avance sur nous !

Il devait avoir raison. Quand elle avait constaté que nous ne remontions pas, Wu Yenza devait être partie chercher du secours.

Et ils arrivaient en force. Certains des hors-bords ressemblaient à des cuirassés bardés de canons. Ils n'étaient pas aussi grands que le croiseur des pillards, mais n'auraient aucun mal à arraisonner le sous-marin.

Le pont de celui-ci bourdonnait d'activité.

– Plongez ! s'égosillait Saint Dane. Immersion !

– Impossible, capitaine ! a répondu un pillard.

Il a désigné la baignoire. Les premiers missiles y avaient foré un énorme trou. S'ils tentaient de plonger, ils couleraient à pic. Saint Dane a regardé les dégâts, puis a virevolté vers la flotte ennemie. Il avait l'air furieux. Cela me plaisait bien. S'il se mettait en colère, c'est que les choses ne se passaient pas comme il le désirait, ce qui était plutôt rare.

– Aux canons ! a-t-il ordonné. Repoussons-les !

Il est parti en courant le long du quai et s'est enfermé dans la tour de contrôle, nous laissant à plat ventre sur le pont, Spader et moi. Il ne se souciait plus de nous. Normal : nous étions des cibles, nous aussi.

– C'est le moment de filer, mon vieux, a dit Spader. Glissons-nous dans l'eau et tentons notre chance.

Trois autres missiles se sont abattus près du sous-marin, nous aspergeant d'eau. Les pillards commençaient à rendre les coups. La bataille s'annonçait rude – un vrai tourne-boule, comme aurait dit Spader – et je ne voulais pas me retrouver coincé entre deux feux, à patauger dans l'Océan.

– J'ai une meilleure idée, ai-je dit.

Je me suis relevé et j'ai couru vers la baignoire. Deux autres missiles ont frappé la coque, secouant le sous-marin et manquant de me faire tomber. Mais Spader m'a rattrapé et entraîné.

– On n'a nulle part où aller, Pendragon, a-t-il dit.

– Oh que si !

Et je suis rentré dans la tour, Spader sur mes talons.

Nous avons dû nous frayer un chemin au milieu d'un groupe de pillards qui se précipitaient vers leur poste de combat. Ils ne se souciaient plus de nous, eux non plus. Ce n'était que des pirates, et ils ignoraient le grand dessein de Saint Dane. Tout ce qu'ils voyaient, c'est la menace présente.

Même Saint Dane voulait en découdre. Il se tenait à son poste, aboyant des ordres, faisant pivoter le sous-marin pour qu'il se présente de face et constitue une cible moins importante. C'était le moment de filer d'ici.

Spader et moi avons refait en sens inverse le chemin que nous avions parcouru jusqu'au sas où nous étions entrés dans le sous-marin. Nous devions prendre le traceur capturé. C'était encore le meilleur moyen d'en sortir vivants.

Tout en traversant le vaisseau, nous avons encaissé l'impact des missiles frappant la coque. Yenza s'en donnait à cœur joie. Ça me convenait, du moment que Spader et moi pouvions quitter le navire avant qu'elle ne l'envoie par le fond, comme le croiseur.

Heureusement, il est assez difficile de se perdre dans un sous-marin : nous avons retrouvé le sas sans trop de mal. Quand j'ai ouvert la porte, Spader a souri en voyant le traceur.

– Pourquoi n'y ai-je pas pensé ? a-t-il dit en riant.

– Tu sais le conduire ?

– Pendragon, je sais piloter tout ce qui se déplace dans l'Océan.

– D'accord, mais peux-tu nous sortir d'ici ?

Spader m'a jeté un regard signifiant que c'était le prototype de la question idiote et s'est précipité vers le traceur.

– Ramasse nos affaires et va vers ces leviers.

Tandis qu'il se laissait descendre dans le cockpit, j'ai couru récupérer nos globes et nos glisseurs. Je les ai ensuite jetés à Spader, à demi engagé dans la trappe.

– Et maintenant ?

– Quatre leviers. Le premier inonde la salle, un autre la vide, le troisième ouvre la trappe, le quatrième la referme. Inutile d'inonder le sas, puisque nous sommes déjà au dessus de l'eau. La pression l'empêche d'entrer. Il suffit d'ouvrir la trappe et nous voilà partis.

– D'accord. Quel levier ouvre la trappe ?

– Hobie, Pendragon, je ne peux pas tout savoir !

Sur ce, il s'est glissé dans le cockpit et a démarré les moteurs. J'avais à nouveau affaire au Spader d'avant la mort de son père. C'était bien agréable.

Je suis allé voir les quatre leviers. Ils ne comportaient aucune indication. Je ne voyais qu'un moyen de trouver le bon. Je devrais en appeler à mon expérience et à mes pouvoirs de Voyageur. Et surtout, utiliser la formule magique :

— Am stram gram, pic et pic et colé... gram !

À « gram », j'ai tiré un levier. Il y a eu un grincement d'outre-tombe. La trappe s'ouvrait ! Bien joué ! Malheureusement, elle a déclenché un signal d'alarme, une sirène suraiguë signifiant « Tentative d'évasion ! ». Il y aurait bien un pillard pour venir voir ce qui se passait.

— Tu ferais mieux de monter, a crié Spader.

J'ai couru sur le sol pour bondir dans le cockpit. J'allais me laisser tomber par la trappe lorsque Spader a dit :

— Pas si vite, mon vieux. Il faut d'abord larguer les amarres.

C'était vrai. Maintenant, la trappe était grande ouverte, mais le traceur restait au-dessus de l'eau, suspendu à deux crochets.

— Comment le libère-t-on ? ai-je demandé.

— D'après moi, il suffit de tirer ce levier, là-bas.

Il était juste au-dessus de ma tête. Je m'en suis emparé, je l'ai tiré vers moi et – ouah ! le traceur est tombé droit dans l'eau. J'ai perdu l'équilibre et me suis ramassé sur les genoux de Spader.

— C'est ce qu'on appelle tomber à pic, a-t-il dit. Tu fermes la trappe ?

Ce que j'ai fait, scellant le cockpit avant de m'installer sur le siège à côté de Spader. Nous étions prêts.

C'est alors que la porte s'est ouverte et que deux pillards en armes sont apparus.

— On plonge, s'il te plaît ? ai-je dit.

— C'est parti !

Spader a appuyé sur quatre manettes, un jet de bulles s'est élevé autour de nous et nous sommes lentement descendus dans l'eau. Les pillards ont levé leurs fusils. Pourvu que la bulle soit assez solide pour supporter une décharge ! Mais je ne me suis pas posé la question longtemps, car ils ont ouvert le feu. Je me suis penché au cas où la bulle vole en éclats. Elle a tenu bon. Leurs projectiles se sont écrasés sur le cockpit sans laisser une égratignure. Encore un bon point pour le peuple de Faar.

Maintenant, nous étions presque entièrement submergés. Les pillards avaient cessé le feu et nous regardaient partir, impuissants. Puis, alors que l'eau se refermait sur nous, quelqu'un d'autre est entré. C'était Saint Dane. Un instant, j'ai vraiment cru lire de l'inquiétude sur son visage. Mais c'est la dernière image que j'ai emporté de lui, car nous avons plongé.

Spader a piloté le véhicule comme s'il avait fait ça toute sa vie. Nous sommes descendus loin en dessous du sous-marin, puis avons mis pleins gaz et laissé la silhouette sombre derrière nous.

– Et les canons qu'ils ont tiré sur Faar ? ai-je demandé. Peut-il s'en servir contre les bateaux de Yenza ?

– Ils le pourraient, mais ils ne le feront pas. Pour ça, il faut qu'ils soient sous l'eau. Yenza sait ce qu'elle fait : elle a visé cette tour de contrôle pour qu'il ne puisse pas plonger. Saint Dane a commis une grave erreur. À la surface, il ne peut pas faire face à mes gars. Il ne reste qu'un problème.

– Lequel ?

– Le combat sera trop rapide. Je veux joindre la fête et filer le coup de grâce à Saint Dane avant que le tourne-boule ne soit terminé.

Je me suis retourné pour voir le sous-marin. Si Spader disait vrai, la bataille était déjà gagnée. Yenza se chargerait des pillards et, avec un peu de chance, Saint Dane coulerait avec son navire. Je n'avais plus à m'inquiéter de ce qui se passerait là-haut. Mais j'avais autre chose en tête. J'ai donc tendu la main et coupé le moteur.

– Hobie, mon vieux, tu joues à quoi ?

– Tu sais vraiment piloter ce machin ? Et épargne-moi ta frime d'aquanier. Dis-moi la vérité.

– C'est un beau brin de mécanique, a-t-il répondu en regardant ailleurs. Beaucoup plus avancé que tout ce que j'ai jamais vu. Mais il n'en est que plus facile à piloter. Toute modestie mise à part, je peux conduire ce bijou au travers d'un champ de varech sans casser une seule feuille.

Mon esprit tournait à toute allure, examinant toutes les possibilités.

– Qu'est-ce que tu as en tête, Pendragon ? Crois-tu que nous devrions aller balancer sa cargaison sur quelques fermes ?

– Ce serait une bonne idée, mais on pourra s'en occuper plus tard. Pour l'instant, il y a autre chose.

– Quoi ?

– Je veux aller chercher l'oncle Press.

Spader a ouvert de grands yeux. Il ne s'attendait pas à ça.

– Hobie ! a-t-il dit avec révérence. Ce serait sacrément dangereux ! Il faudrait descendre jusqu'à cette ville submergée et nous frayer un chemin au milieu des débris… on finirait coincés quelque part. Et si, par Dieu sait quel hasard, nous réussissons à atteindre le fond, nous devrons fouiller les décombres du dôme avec un bras mécanique que nous n'avons encore jamais utilisé et qui, pour autant qu'on sache, est incapable de soulever des poids importants. Et tout ça avec une chance sur des millions que Press et les autres soient encore vivants. Tu saisis à quel point c'est absurde ?

– Euh… oui, c'est un bon résumé.

– Tu es cinglé.

Au bout d'un moment, il a souri et ajouté : c'est pour ça que je t'aime bien.

– Alors qu'est-ce qu'on attend ?

Spader a redémarré les moteurs, a viré brutalement vers la droite, a plongé et nous sommes partis vers le récif de corail pour rendre une dernière visite à Faar.

Journal n° 8
(suite)

CLORAL

Ce n'était pas vraiment un plongeon dans l'inconnu. Nous venions à peine de sortir de Faar. Mais les choses avaient changé depuis. Nous avions une idée de sa géographie, et maintenant ce serait comme de traverser l'épave d'un immense navire coulé, avec toutes sortes de débris flottant sur notre chemin.

Pourtant, nous n'avions pas le choix. Il pouvait y avoir une douzaine de survivants, parmi lesquels l'oncle Press. Nous devions tenter le coup.

Spader nous a amené au-dessus du récif qui dissimulait Faar. Il effectuait sans arrêt des petites manœuvres afin de s'habituer aux commandes. Bien vu : mieux valait faire ça ici plutôt que dans ces profondeurs glauques.

Alors que nous nous approchions, j'ai cherché le trou que Saint Dane avait foré. Ce serait notre porte d'entrée et elle n'était pas difficile à trouver. Le corail était sillonné de fissures profondes, sans doute provoquées par la pression de l'eau qui s'engouffrait dans le trou. Mieux qu'une carte routière. Nous n'avions qu'à la suivre.

Un peu plus tard, nous avons vu le trou, comme une cicatrice noire sur le récif. Il semblait encore plus énorme vu du dehors. Spader a arrêté le traceur juste au-dessus, et nous sommes restés là, à contempler silencieusement le carnage. Un peu plus tard, quelque chose a surgi des profondeurs. C'était une tunique blanche comme en portaient les Faariens. Le vêtement se tordait au gré des courants, tel un spectre solitaire quittant à tout jamais la ville morte.

— Pendragon, je veux les sortir de là tout autant que toi, a dit Spader. Mais nous devons faire attention. C'est un sacré coup que nous allons tenter.

— Je comprends.

Spader a alors fait progresser le petit sous-marin jusqu'à ce que nous soyons juste au-dessus du trou. Il m'a regardé. J'ai acquiescé.

— Tentons le coup, a-t-il dit.

Il a abaissé une manette et nous avons coulé vers la cité engloutie. Nous avons passé les rebords déchiquetés du trou pour nous enfoncer dans les ténèbres glauques de ce tombeau sous-marin. D'abord, nous avons traversé un champ de débris composés de vêtements, de livres et de souvenirs. Tout ce qui n'était pas fixé au sol flottait librement. Nous n'avons pas arrêté de percuter ces saletés dans un concert de coups et de raclements contre la coque. Enfin, je ne devrais pas parler de saletés, car il n'y avait pas si longtemps, c'était les biens les plus précieux des Faariens. Nous avons dépassé des amas de vêtements et de vaisselle, même une poupée d'enfant. Là, ça a été dur à avaler. Elle m'a fait penser à Shannon, ma petite sœur.

Bientôt, les ténèbres se sont refermées sur nous, et j'ai perdu tout sens de l'orientation. Je ne pouvais plus distinguer le haut du bas ou même si nous bougions ou si nous étions immobiles.

— Il doit bien y avoir des phares sur cet engin, a dit Spader.

Nous devions parcourir une certaine distance avant d'atteindre le sommet de la montagne de Faar, et sans lumière, nous nous écraserions contre ses parois. Spader a examiné le tableau de bord.

— Essayons celui-là.

Il a appuyé sur un bouton et aussitôt, sous la bulle, une rampe de phares s'est allumée. Enfin, il s'agissait plutôt de feux de position, mais on y voyait à quelques mètres dans toutes les directions. Au moins, on ne risquait plus de heurter quelque chose. J'ai regardé sur ma droite et…

— Ahhh ! ai-je hurlé, et j'ai bien failli sauter sur les genoux de Spader.

C'était un des portraits du couloir menant au Cercle du Conseil de Faar. J'étais face à un type à la mine sévère qui me rendait mon regard d'un air pas content du tout.

– J'ai l'impression de plonger dans une décharge sous-marine, a dit Spader.

– Ou un cimetière.

Le portrait s'en est allé et j'ai repris mon sang-froid. Spader a tenté un autre bouton, allumant une autre lumière. Celle-ci était accrochée de mon côté de la bulle. C'était le phare à longue portée que nous recherchions. Excellent.

– Essaie cette manette, m'a dit Spader.

À côté de mon bras droit, il y avait deux commandes évoquant des joysticks. J'ai pris la plus petite des deux et je l'ai manipulée. Le phare a suivi mes mouvements. Nous avions trouvé nos yeux !

– Bon, voyons par où nous allons passer, a dit Spader.

Bien sûr, nous ne distinguions que ce qui se trouvait dans le halo. Tout le reste était plongé dans les ténèbres. J'ai dirigé le phare droit devant nous, et nous avons pu voir la montagne de Faar. Dans le lointain, ce n'était qu'une silhouette fantomatique. Heureusement, l'eau était plutôt claire. Il n'y avait pas tant de sable en suspension que je ne l'aurais cru. De plus, il semblait y avoir moins de débris. Tout ce qui pouvait flotter était parti vers la surface. Nous étions passés au-dessous du halo de débris.

– Allons-y, a dit Spader, et nous avons continué notre grande descente.

L'avantage d'avoir de la lumière, c'est que nous pouvions naviguer correctement. Spader a baissé le nez du traceur afin que nous n'avancions plus en aveugle. Il s'agissait de descendre en cercles, comme un tire-bouchon, pour ne pas couler à pic.

– Je voudrais voir quelque chose, ai-je dit en tendant le doigt vers la gauche.

Spader a suivi ma direction et, peu après, notre phare a balayé la plate-forme où se tenait le Cercle du Conseil. Comme je l'ai déjà dit, le toit de marbre s'était abattu quand l'eau s'était écoulée dans le dôme. À présent, il était de côté, cachant la moitié de la plate-forme. Le symbole circulaire de Faar avait été brisé et les deux morceaux gisaient plus bas. Bonjour le symbole. La plupart des piliers de marbre étaient toujours là, mais ils n'avaient plus rien à soutenir. D'autres s'étaient effondré les uns sur les autres.

– Plus près, ai-je demandé, et Spader a obéi.

Nous n'étions qu'à quelques mètres de la plate-forme. J'ai fouillé sa surface avec le phare jusqu'à ce que je trouve exactement ce que j'espérais ne pas trouver. Le podium qui retenait les quatre cristaux avait été renversé, mais il devait encore fonctionner, car le jaune clignotait encore. Même maintenant, il sonnait l'ordre d'évacuation. Mais ce n'était pas ce que je cherchais.

— Oh, non, a fait Spader doucement.

Lui aussi l'avait vu.

Un bras dépassait de sous le toit effondré. Pas de doute possible : ce ne pouvait être qu'Abador. Il était resté à son poste jusqu'au bout et s'était fait tuer lorsque le toit s'était effondré. Au dernier moment, il avait dû tendre la main vers les cristaux pour transmigrer. En vain. Sa fin était déjà tragique en soi, mais je n'aimais pas penser qu'il était mort en croyant qu'il avait échoué. J'ai espéré que, d'une façon ou d'une autre, il avait pu constater que Faar avait été évacuée et que tout le monde était en sécurité.

— Allons-y, a dit Spader avec un profond respect.

J'ai acquiescé. Nous avons continué notre grande descente vers Faar. J'ai gardé le phare braqué vers l'avant pour repérer tout éventuel danger. Nous avons remarqué quelques endroits familiers. Les chemins que nous avions parcourus, les ouvertures du tunnel de sortie et les autres, plus petites, qui plongeaient au cœur de la montagne. Jusque-là, la pression de l'eau ne semblait pas avoir sérieusement endommagé la ville. Les bâtiments avaient l'air intact et les chemins n'étaient pas effacés. Tant mieux, car si ces immenses bâtiments de marbre s'étaient effondrés sur le hangar, notre mission de sauvetage aurait été finie avant même d'avoir commencé.

Un instant, j'ai eu l'impression d'être dans un de ces globes que l'on secoue pour faire tomber la neige. Je me suis demandé au bout de combien de temps l'érosion laisserait ses marques. La cité finirait inévitablement par tomber en sable, mais pour l'instant elle était intacte. Difficile de croire que, il n'y avait pas si longtemps, c'était une ville grouillante de vie.

— Nous y voila ! a annoncé Spader.

Nous étions tout près du hangar. J'ai constaté avec joie qu'il semblait intact. Le bâtiment ne s'était pas effondré sous le poids de l'eau et, à part la pile de débris provenant du dôme, rien d'autre ne lui était tombé dessus pour nous bloquer la voie. Restait à savoir si le bras mécanique pouvait tout déblayer.

Spader a guidé le traceur sur le même chemin que nous avions emprunté précédemment. Nous avons atterri en douceur en soulevant un tout petit nuage de sable.

— Tente le coup, mon vieux, a dit Spader.

Il parlait du bras mécanique. J'ai saisi le joystick sur ma droite et je l'ai tiré. Un bourdonnement m'a confirmé qu'il fonctionnait. Ce long bras blanc avait quatre articulations, si bien qu'il pouvait aller dans toute les directions. Tout au bout, il y avait une grande main mécanique avec trois doigts et un pouce, comme celle de Fred Pierrafeu. Il était assez facile à manipuler : trente secondes m'ont suffi pour en voir le bout. Je n'avais qu'à appuyer sur la détente pour que la main se referme. Je l'ai ramené vers nous, face à Spader, j'ai déployé les doigts et je lui ai fait un petit signe.

Il a éclaté de rire.

— Je vois que tu as compris !

J'étais prêt à passer aux choses sérieuses.

Spader a soulevé le traceur et nous a positionnés face au tas de débris qui bloquait l'accès au hangar.

— Va doucement, a-t-il dit. Dès que tu auras accroché quelque chose, je reculerai. Mais prends bien garde à ne pas soulever de sable, sinon, nous ne verrons plus rien.

Je me suis frotté les mains et j'ai fait mon premier essai. J'ai trouvé un petit bout de débris. Ce n'était qu'un test. J'ai positionné la main au-dessus du morceau, appuyé sur la détente, et rejeté le tout sur le côté.

— C'était fastoche, a remarqué Spader comme s'il s'attendait à ce que ce soit plus difficile.

— Essayons quelque chose d'un peu plus gros.

J'ai repéré un morceau de corail qui ressortait de la pile. Il m'avait l'air parfait. Spader n'a même pas eu besoin de faire bouger le traceur. J'ai tendu le bras et je l'ai saisi sans peine. Mais quand j'ai voulu la ramener, j'ai rencontré une certaine résistance.

— C'est coincé, ai-je dit.

— On va voir s'il résiste au traceur.

Il a fait reculer notre engin, mais en vain. Il a eu beau faire vrombir les moteurs, le bloc n'a rien voulu savoir.

— Tu devrais peut-être essayer quelque chose de plus…

Soudain, le morceau s'est détaché. Mais apparemment, la moitié de l'amas reposait sur ce petit bout de corail, car quand nous l'avons extrait, tout s'est écroulé comme un château de cartes. D'énormes morceaux de dôme se sont précipités vers nous et ont heurté la bulle du traceur. L'impact nous a déséquilibrés et nous sommes partis sur le côté. Puis un autre fragment nous a percutés et renvoyés de l'autre côté. Il y avait du sable partout, si bien qu'on n'y voyait plus rien. Puis nous avons heurté le fond et d'autres débris nous sont tombés dessus. Nous ne pouvions rien faire, sinon retenir notre souffle et espérer que la bulle tienne bon. Nous avons fini sur le flanc, cloués au sol par un bon bout de dôme.

— Ce n'était pas un bon choix, a remarqué Spader.

— Comme tu dis.

Pendant un moment, nous sommes restés immobiles jusqu'à ce que le sable retombe. J'étais sûr que nous étions pris au piège et je prévoyais déjà de passer nos globes respiratoires et d'abandonner le vaisseau lorsque Spader a mis peu à peu les gaz. En fait, nous pouvions encore bouger. Il nous a fait reculer et sortir de l'amas de débris qui s'est écroulé devant nous. Spader nous a stabilisés et ramenés devant le tas principal.

— Bon, procédons de façon un peu plus scientifique cette fois-ci, d'accord ? a-t-il suggéré.

Je lui ai jeté un regard torve, puis j'ai examiné l'amas pour choisir ma prochaine victime. De toute évidence, l'opération de déblayage prendrait un certain temps. Nous allions devoir commencer au sommet et ne remuer que les morceaux dégagés pour ne pas provoquer un nouvel éboulement.

Nous nous sommes attelés à cette tâche ingrate. Bien sûr, nous n'avions aucun mal à déplacer les petits fragments. Les plus costauds demandaient davantage d'énergie. Heureusement, comme nous étions sous l'eau, ils étaient beaucoup plus légers que si nous étions sur la terre ferme. La plupart étaient des morceaux de corail massif qui avait supporté la pression de l'eau durant des siècles. Certains étaient plus gros qu'une voiture. J'avais peur qu'ils ne soient trop lourds, mais le petit traceur s'est avéré tout à fait à la hauteur.

Je ne sais combien de temps nous avons creusé ainsi. Des heures, peut-être. J'ai essayé de me concentrer sur ma tâche sans penser au pire : nous risquions d'arriver trop tard.

Finalement, après un dernier morceau de dôme massif, nous avons aperçu l'entrée du hangar.

– Ouais ! me suis-je écrié.

– Hobie ! a renchéri Spader.

Je n'arrivais pas à croire que nous étions arrivés jusque-là. Mais notre victoire a été de courte durée, car nous avons aussitôt embrayé sur l'étape suivante. Qu'allions-nous découvrir derrière cette porte ? Nous n'en avions aucune idée.

– Aïe ! a fait Spader.

Je déteste ce mot. Il ne peut rien annoncer de bon.

Il m'a montré une entaille dans le mur, sans doute déchirée par un débris du dôme. Elle traversait le mur, ce qui voulait dire qu'une fois que le niveau de l'eau l'avait atteint, elle s'était écoulée à l'intérieur. Il ne restait qu'à espérer que les Faariens avaient leurs combinaisons à portée de la main et qu'ils partageraient leurs respirateurs avec l'oncle Press. Sinon, ce hangar n'était plus qu'un tombeau.

Spader a effleuré les commandes, et le traceur s'est rapproché de la porte, que j'ai éclairée avec le phare. Le panneau était tordu. Pourvu qu'il ne soit pas coincé !

J'ai pris le joystick commandant le bras mécanique et j'allais chercher la poignée quand quelque chose a attiré mon attention. Un léger mouvement. Il provenait de la fissure. Quelqu'un s'y déplaçait !

– Ne t'arrête pas ! a fait Spader, surexcité.

Lui aussi l'avait vu. Nous étions trop près de la réussite pour tout gâcher. J'ai donc déplacé le bras mécanique jusqu'à ce que la main se referme sur la poignée. J'ai tiré dessus en utilisant juste la force du bras, mais c'était peine perdue.

– Recule, ai-je dit à Spader.

Les moteurs de l'appareil ont gémi, sans plus. Spader a augmenté la puissance. Les moteurs ont continué de patiner sans résultat.

– Je vais essayer de mettre pleins gaz, a-t-il dit. Si la porte cède, lâche-la tout de suite, ou…

Crac !

La porte s'est effondrée. Aussitôt, j'ai retiré ma main, et nous sommes partis en arrière. Spader a actionné les freins avant que nous ne percutions quelque chose derrière nous.

– Reviens, reviens ! ai-je crié.

Il a inversé les moteurs et nous a ramenés vers la porte ouverte. J'ai examiné l'intérieur à l'aide du phare dans l'espoir que ceux qui se trouvaient encore là-dedans le suivraient vers la sortie. Nous sommes restés là, immobiles.

– Allez, ai-je marmonné. Allez !

– On a bien vu bouger quelque chose, hein ?

– Oui, j'ai cru… Regarde !

Quelque chose venait d'apparaître dans l'embrasure de la porte ! J'ai retenu mon souffle. Y avait-il des survivants ou n'était-ce qu'un cadavre flottant entre deux eaux ?

Un Faarien en combinaison verte a passé la tête par la porte. Il était vivant ! Il a levé la main pour protéger ses yeux de la lumière du phare et a contemplé avec étonnement la cité engloutie. Puis il nous a fait un signe et, d'un battement de pied, il est parti vers la surface.

Je souriais comme un idiot. Nous avions sauvé au moins un naufragé, mais y en avait-il d'autres ? Et l'oncle Press ?

Un par un, d'autres Faariens ont passé la porte pour nager vers la surface. C'était un spectacle plutôt étrange : on aurait dit un ballet de spectres s'échappant de leur tombeau immergé. Mais ce bâtiment n'avait rien d'un tombeau : au contraire, il leur avait empêché de finir noyés ou écrasés – ou noyés *et* écrasés. C'était plutôt un canot de sauvetage.

J'espérais toujours voir apparaître l'oncle Press. Comme il n'avait pas son globe, je m'attendais à ce qu'il sorte en compagnie d'un Faarien avec qui il partagerait son appareil respiratoire. Mais j'ai compté quatorze nageurs, et toujours pas d'oncle Press.

Mon angoisse est revenue en force. Était-il possible que les Faariens aient survécu grâce à leurs combinaisons tandis que lui se serait noyé ? Ce n'aurait pas été juste. Et pourtant, toujours personne ! J'étais tout disposé à passer mon globe respiratoire et trouver un moyen de sortir de ce rafiot pour partir à sa recherche quand on a frappé contre la bulle. Je me suis retourné... Et j'ai fait un bond. Un Faarien me regardait depuis l'autre côté du cockpit.

Comme la combinaison couvrait son visage, il était assez effrayant à voir. Imaginez Spiderman sous les traits d'une grenouille et vous y êtes.

Celui-là restait accroché au cockpit et montrait quelque chose du doigt.

– Qu'est-ce qu'il veut ? a demandé Spader.

– Il essaie de nous dire quelque chose.

Il désignait un point derrière ma tête. Je me suis retourné pour voir deux paires de casques à écouteurs. J'ai désigné les casques et j'ai regardé le Faarien. Il a acquiescé.

Spader et moi avons haussé les épaules et chaussé les écouteurs. Quand nous nous sommes tournés vers le Faarien, nous avons entendu une voix familière :

– Pourquoi avez-vous mis si longtemps ?

C'était l'oncle Press !

– Super ! Hobie-ho ! avons-nous crié en chœur.

Spader et moi étions fous de joie. Les Faariens devaient avoir une combinaison de rechange.

– Comment avez-vous récupéré ce traceur ? a demandé l'oncle Press.

– C'est une longue histoire, ai-je répondu.

– C'est grave ?

– Faar est submergée. Saint Dane a foré un trou dans le dôme. Mais la ville a été évacuée. Pour autant qu'on sache, il n'y a eu qu'une seule victime – le vieil homme du Conseil de Faar. Et les autres traceurs ? Vous avez pu les lancer ?

– Non, a répondu l'oncle Press, ils sont toujours là. Les portes extérieures sont bloquées par les débris.

Ça, c'était la catastrophe. Pas moyen de sauver les fermes de Cloral. Saint Dane allait l'emporter, malgré tout.

– On devrait partir d'ici, les gars, a dit Spader. Accroche-toi, Press. Tu viens avec nous.

Il ne pouvait rentrer : le cockpit était étanche. Il faudrait le tirer. Il a trouvé un point d'appui derrière la bulle et s'y est agrippé.

– Fais gaffe, ai-je remarqué. Il y a toute sorte de débris qui flottent dans le coin.

Spader a mis les gaz, levé le nez de l'appareil, et nous sommes remontés vers la surface. Nous allions lentement pour que l'oncle Press ne lâche pas prise. Comme nous n'étions pas vraiment pressés, j'ai pu lui raconter tout ce qui s'était passé entre-temps. Au total, nous avions échoué dans les grandes largeurs. Les fermes continuaient de produire des récoltes empoisonnées, Faar avait disparu et Cloral était au bord du chaos. Même si Yenza l'emportait sur Saint Dane, ça ne changerait rien. Le mal était fait.

Nous sommes restés silencieux pendant le reste du voyage. Je voulais voir une dernière fois la cité qui avait voulu sauver Cloral et n'avait provoqué que sa propre destruction. L'histoire de la mythique Faar se terminait de façon bien tragique. Et la fin d'Abador, ancien du Conseil mort pour avoir voulu faire son devoir jusqu'au bout, l'était plus encore. Quoi qu'ait pu être cette histoire de transmigration, elle n'aurait jamais lieu. Ce serait un mystère de plus à l'intérieur du mythe.

C'est alors qu'une idée m'a frappé.

– Stop ! ai-je ordonné.

– Quoi ?

– Arrête cet engin tout de suite !

Spader a obéit, et nous sommes restés là, à flotter entre deux eaux.

– Qu'y a-t-il, Bobby ?

– Faar est morte. Nous ne pouvons plus rien y changer. Et nous ne pouvons rien faire pour les traceurs qui devaient sauver les récoltes, d'accord ?

– Oui, c'est à peu près ça, a répondu Spader. Une journée bien remplie. Où veux-tu en venir ?

– Que nous n'avons plus rien à perdre.

– Tu deviens philosophe, ou tu as une idée derrière la tête ? a demandé Press depuis son perchoir.

– Je crois que nous devons aller jusqu'au bout. Compléter la destinée de Faar.

– C'est-à-dire ?

– Transmigrer, ai-je conclu sèchement. Finir ce qu'Abador n'a pas pu accomplir.

– Mais nous ne savons même pas ce que c'est ! a dit Press. C'est peut-être un mécanisme d'auto-destruction ! Tu l'as dis toi-même !

– Et alors ? ai-je rétorqué. Si c'est ce que voulaient les Faariens, ils méritent qu'on exauce leur vœu. Abador a dit qu'ils s'y préparaient depuis des générations. Qui sommes-nous pour leur refuser ce droit ?

J'ai regardé Spader pour avoir son opinion. Il a haussé les épaules.

– Pourquoi pas ?

J'ai regardé l'oncle Press de l'autre côté de la bulle, mais il était impossible de lire la moindre expression sur son visage recouvert d'un masque.

– Tu sais comment on fait ? a-t-il demandé.

– Je crois.

– Bon, alors tu as raison. Nous n'avons rien à perdre. Allons-y.

– Retournons au Cercle du Conseil, ai-je demandé à Spader.

Quelques secondes plus tard, nous étions tout près de la plate-forme et regardions la main d'Abador. Il s'en était fallu de quelques dizaine de centimètres…

– D'où tu es, vieil homme, je ne sais si tu peux m'entendre, ai-je dit au défunt. Mais nous allons finir ce que tu as commencé.

– Que dois-je faire ? a demandé l'oncle Press.

– Tu vois la lumière clignotante jaune ?

– Oui.

– Il y a trois autres cristaux. L'un d'entre eux doit actionner la transmigration.

– Lequel ?

– J'en sais rien. Sinon, tu connais la formule magique : *Am stram gram, pic et pic et colegram.*

– Super, a grogné l'oncle Press en nageant vers le panneau.

Il a fixé les trois autres commandes : vert, rouge et blanc. D'abord, il a failli appuyer sur le vert, mais soudain, celui-ci s'est mis à luire tandis que le jaune s'éteignait.

– Il doit servir à éteindre le signal d'évacuation, ai-je remarqué.

Il ne restait plus que deux solutions. De là où j'étais, il me semblait qu'on avait déjà abaissé le blanc.

– Je pense que le blanc sert à faire monter et descendre le podium, ai-je dit. Il ne reste que le rouge.

– Alors allons-y, a répondu l'oncle Press.

Il a touché le cristal rouge et m'a regardé. J'ai acquiescé ; il l'a poussé.

Et c'est là que tout a commencé pour de bon.

D'abord, le cristal s'est mis à jeter des éclairs. Ça, je m'y attendais. Et tout d'un coup, un mur de son nous a entourés. Ça a commencé par un gémissement, puis ça n'a pas arrêter de s'enfler. On aurait dit qu'on avait fait démarrer de gigantesques turbines. La montagne s'est mise à gronder. Elle a généré des ondes de choc qui ont secoué le traceur.

L'oncle Press a filé vers nous pour s'accrocher à l'appareil.

– Je crois qu'il est temps d'aller voir ailleurs si on y est, a-t-il dit.

– Tiens bon ! a crié Spader.

Il a redémarré et nous nous sommes élevés à nouveau. Le monstrueux bruit augmentait toujours, et les vagues secouaient le traceur si fort que j'en claquais des dents.

– Ça va, Press ? a crié Spader.

– Tire-nous de là ! a-t-il répondu.

Puis j'ai entendu quelque chose d'inédit. Une sorte de craquement, mais beaucoup plus intense.

– Aïe ! a dit Spader.

Encore ? J'ai vraiment horreur d'entendre « aïe » !

Spader a levé les yeux. J'ai fait de même pour constater que nous nous approchions du trou dans le mur. Mais ce n'était pas ça qui avait provoqué son cri du cœur. Le problème, c'est que le reste du dôme était en train de s'écrouler ! La montagne envoyait des ondes de choc si puissantes qu'elles secouaient ce qui en restait. Des fissures sillonnaient la surface du corail. Maintenant, c'était tout le dôme qui allait s'effondrer !

— Ça va casser ! a crié à Spader.

— Passe sous le trou !

Selon mon raisonnement, si tout s'effondrait d'un bloc, c'était notre seule chance de ne pas nous ramasser le dôme sur le crâne.

— Je dois prendre de la vitesse ! a-t-il répondu.

— Vas-y ! a répondu l'oncle Press. Je me cramponne !

Spader y est donc allé. Nous devions absolument franchir ce trou avant que tout ne s'effondre autour de nous – sur nous.

— Allez, file ! a fait Spader en martelant les instruments, comme pour pousser le traceur à aller de l'avant.

J'ai éteint les phares : nous n'en avions plus besoin, et le moindre atome de puissance était bon à prendre. Puis nous sommes rentrés dans le nuage de débris en suspension. Je craignais surtout que l'un d'entre eux frappe l'oncle Press.

— On y est ! a crié Spader.

L'instant d'après, nous passions le trou et nous retrouvions en plein Océan. Incroyable mais vrai, le dôme avait tenu bon. Pourtant, nous n'étions pas encore sauvés. Une fois en dehors du dôme, le bruit de turbines était encore plus fort. L'eau ne cessait de vibrer et, à présent, un nouveau phénomène venait d'apparaître. Tout autour de nous, d'énormes jets de bulles faisaient bouillonner l'Océan.

— Continue ! a crié l'oncle Press.

Spader a accéléré. Peu importe où nous allions, du moment que c'était loin d'ici. Les jets de bulle nous ont environnés de toute part, comme si des fissures ne cessaient de s'ouvrir en contrebas ; nous ne pouvions les éviter. Et ça secouait ! J'avais l'impression d'être dans une machine à laver.

— Press ? a crié Spader.

— Tais-toi et fonce ! a-t-il répondu.

Finalement, Spader a réussi à nous stabiliser. Au-delà des jets d'air comprimé, l'eau était calme. En quelques secondes, nous sommes passés d'un vrai tourbillon à l'œil du cyclone. C'était bizarre, mais je n'allais pas m'en plaindre.

– Ça, c'était un tourne-boule ! a dit Spader.

Mais ce n'était pas fini. Le rugissement des moteurs, si c'en était, continuait de s'amplifier, même maintenant que nous étions hors de la zone de turbulence. Les jets de bulles avaient stoppé, mais pas le bruit.

Puis il y a eu un nouveau craquement.

– Le dôme s'effondre ! a crié Spader.

Nous avons regardé le corail, mais il n'a pas implosé. Au contraire, il est parti vers le haut, comme une éruption volcanique.

– J'y crois pas, a murmuré Spader.

Il le faudrait bien.

Un peu plus tard, nous avons constaté qu'en fait, quelque chose poussait le dôme vers le haut. C'était le sommet de la montagne de Faar ! En cet incroyable instant, j'ai compris ce que transmigrer signifiait. Lorsque Abador et le conseil débattaient s'ils devaient se révéler à Cloral ou rester cachés, ils ne parlaient pas d'autodestruction, mais de rejoindre leur monde, au sens littéral du terme ! Le rituel qu'ils perfectionnaient depuis des siècles visait à ramener la cité perdue de Faar à l'air libre !

Sous nos yeux ébahis, le sommet de la montagne de Faar a traversé le dôme affaibli et continué de s'élever vers la surface.

Heureusement, l'un d'entre nous a eu la présence d'esprit de faire travailler ses neurones.

– Faar est grand, mes amis, a dit l'oncle Press. Et nous sommes au mauvais endroit.

Bien vu. Il valait mieux ne pas rester ici.

– On file ! a renchéri Spader avant de mettre pleins gaz.

Alors que nous foncions, j'ai regardé le spectacle. La montagne a continué son impossible montée à travers le dôme fracassé. Dans quelques instants, le pic jaillirait à la surface des flots… C'était extraordinaire, mais nous n'étions pas encore sauvés.

– Y a un os, a dit Spader.

– Quoi ?

– On n'avance pas.

Quelle que soit la force qui entraînait la cité, elle s'était emparée de nous. C'était comme de combattre un courant particulièrement fort.

– Accélère ! ai-je crié à Spader.

– J'essaie ! Mais on est tirés en arrière !

Spader a tout essayé, sans résultat : nous étions aspirés vers la montagne. Puis, soudain, tout s'est inversé. Je ne sais pas si la force de la montagne était supérieure à celle des moteurs qui la propulsaient, mais tout à coup nous avons été poussés en avant comme par un raz de marée. Notre traceur s'est mis à foncer à une vitesse supérieure à celle pour laquelle il avait été conçu.

Cette vague a bien duré une minute. Finalement, Spader a réussi à reprendre le contrôle de l'appareil et à nous faire ralentir.

– Je nous ramène, a-t-il dit.

Peu après, nous avons rejoint la surface. Je me suis empressé d'ouvrir la trappe et d'aller retrouver l'oncle Press. Il était crevé, mais indemne. Il a retiré le masque qui recouvrait sa tête et m'a regardé.

– Tu es sûr que c'était bien le bouton rouge ? a-t-il dit en souriant.

Je n'ai pu m'empêcher de rire. Bon sang, ce type était vraiment trop cool !

Nous avons entendu un bruit évoquant une baleine faisant surface. Ce n'était pas un cétacé, bien sûr, mais la montagne de Faar. Spader nous a rejoints sur la bulle et nous avons regardé le spectacle, émerveillés.

La montagne s'est élevée lentement, majestueusement. C'était incroyable, et pourtant vrai. Nous étions assez loin pour ne courir aucun risque, mais assez près pour distinguer tous les détails. Peu à peu, les bâtiments de marbre sont apparus, ainsi que les chemins qui serpentaient le long des pentes. Cette ville immergée depuis des siècles voyait à nouveau le soleil.

– Regardez ! s'est écrié Spader.

Tout autour de nous, des têtes vertes sont apparues. Les Faariens venaient assister à la renaissance de leur cité. Il y en avait des centaines. Tous ont retiré leur masque afin de mieux contempler ce miracle.

La ville a continué de s'élever. Et bien sûr, elle est devenue de plus en plus large. Je me suis dit que nous étions peut-être un peu trop près, tout compte fait. Si elle continuait de croître, elle nous soulèverait. La montagne nous dominait déjà de toute sa taille. J'ai vu émerger le hangar qui avait sauvé Press et les Faariens.

Soudain, une idée m'a traversé l'esprit. Si la cité réapparaissait, les traceurs aussi. Il était encore possible de les tirer du hangar pour qu'ils remplissent leur mission. C'était incroyable ! Nous avions encore une chance de sauver les fermes souterraines !

La montagne a eu un ultime soubresaut avant de s'immobiliser. Une dernière vague nous a soulevés, puis le calme est revenu. Nous sommes restés là, éblouis, à contempler une immense île montagneuse.

Tout autour de nous, les Faariens ont poussé des cris de joie. Ils ont ri, pleuré et se sont embrassés. Eux qui croyaient avoir tout perdu pouvaient commencer une nouvelle vie sur Cloral… C'était leur destinée, et ils l'accueillaient par des vivats.

Je n'ai pu m'empêcher de penser à Abador. J'ai espéré que, d'une façon ou d'une autre, il puisse voir ce qui se passait. Ce n'était pas sa main qui avait fait renaître Faar, mais certainement son esprit.

Et ce n'était pas tout. Ce que nous regardions était en fait la seule terre immergée de tout Cloral. Comme nous l'avait dit Saint Dane : « Voilà une après-midi bien remplie ! »

Journal n° 8
(suite)

CLORAL

À présent, la mer était calme. Nous sommes restés bouche bée, à contempler la ville. Il n'y a pas de mots qui puisse rendre justice à ce que nous avons vu. Enfin, un, peut-être.

– C'est... cool, ai-je dit, tout en sachant comme ce terme était dérisoire.

Nous nous sommes regardés et nous sommes mis à rire. C'était un grand moment. Nous avions aidé Faar a accomplir sa destinée et, probablement, sauvé Cloral en cours de route. Ça signifie, j'imagine, qu'il ne faut jamais perdre espoir. Nous avions abandonné. Jeté l'éponge. Nous nous étions dégonflés. Saint Dane célébrait déjà sa victoire. Mais nous nous étions repris en main et avions inversé la vapeur. Incroyable. Rire était le seul moyen de montrer notre incrédulité. C'était bien agréable.

Nous avons vu les Faariens nager vers leur ville et monter sur le rivage. Un par un, ils se sont rassemblés pour la contempler. C'était la première fois depuis des siècles que le soleil illuminait ces bâtiments. L'eau s'écoulait de la fourmilière de tunnels en haut de la montagne. La transmigration était complète.

Nous avons entendu le bruit des vagues frappant une coque. Nous nous sommes retournés tous les trois pour voir le sous-marin noir se diriger vers nous. Ma première idée a été de sauter dans le traceur et de filer d'ici, mais à la réflexion, nous n'avions rien à craindre. Le pont était rempli d'aquaniers qui, tous, contemplaient la renaissance de Faar. Comme Spader l'avait prédit, ses gars avaient remporté la victoire. Ils s'étaient emparés du sous-marin des pillards.

Wu Yenza est sortie de la tour de contrôle. Elle s'est plantée là, les mains sur les hanches, confiante, alors qu'ils se rapprochaient de nous. Elle semblait maîtriser parfaitement la situation.

– Elle sait ce qu'elle fait, a remarqué Press.

– Et plus encore, ai-je ajouté. Sans elle…

Je n'ai pas eu besoin de finir ma phrase. Si elle n'était pas allée chercher de l'aide, nous savions tous comment aurait fini cette histoire. Je me suis tourné vers Spader :

– Qui sait ? Après ça, tu recevras peut-être une promotion.

Alors là, il s'est passé quelque chose de bizarre. Spader n'a pas souri en lançant une de ses répliques du tac au tac. Il s'est contenté de regarder attentivement le sous-marin qui s'approchait. Il avait l'esprit ailleurs. Contre toute attente, nous avions remporté la victoire, et pourtant il fronçait les sourcils d'un air soucieux. Sans un mot, il s'est laissé glisser dans le cockpit et a démarré les moteurs pour partir à la rencontre du sous-marin. J'ai regardé l'oncle Press, qui s'est contenté de hausser les épaules.

Pendant que l'oncle Press retirait sa combinaison, Spader nous a rapprochés du sous-marin. Un aquanier nous a tendu une corde pour que nous puissions nous amarrer. Spader m'a tendu les deux globes respiratoires et les glisseurs, que j'ai lancé à l'aquanier. Nous sommes tous montés à bord pour retrouver Yenza.

– Je présume que vous avez déniché Faar, a-t-elle dit avec un sourire rusé.

– Qu'est-ce qui vous a poussée à partir ? a demandé Press.

– Un pressentiment. Quand j'ai vu que vous ne reveniez pas, j'en ai déduit que vous aviez trouvé la ville. Et si Zy Roder était à nos trousses, je n'allais pas l'affronter seule. Je suis douée, mais pas à ce point.

– Où est-il ? a demandé Spader d'une voix dépourvue de toute émotion.

Maintenant, je comprenais ce qu'il avait en tête. La vision du sous-marin lui avait rappelé Saint Dane. J'avais peur qu'il soit toujours assoiffé de vengeance.

– Il est en bas, dans le brick, a répondu Yenza. Pas question de le laisser filer.

Spader est entré dans la tour de contrôle.

– Laisse tomber ! lui ai-je crié.

Mais il a continué son chemin. Qu'allait-il faire ? L'oncle Press et moi l'avons suivi.

Spader a demandé à un des aquaniers :

– Où est le brick ?

– En bas, à mi-chemin vers la proue, a répondu l'aquanier, un rien intimidé.

Spader l'a repoussé et a couru vers l'échelle.

– Arrête, Spader ! a crié l'oncle Press.

Il ne l'a pas écouté. Il s'est laissé glisser le long d'une échelle, et nous l'avons suivi. À peine avons-nous pris pied sur le pont que nous avons entendu un hurlement en provenance de l'arrière du sous-marin. C'était un cri horrible, vibrant de douleur. Sans un mot, nous nous sommes mis à courir dans cette direction. Spader nous devançait de quelques mètres et, au passage, regardait derrière chaque porte pour trouver l'origine de ce hurlement. Finalement, il a vu quelque chose et est entré dans une pièce. Nous l'avons suivi.

C'était la bonne porte. La salle était séparée en deux, et nous venions d'entrer dans la première moitié. La seconde était scellée par des barreaux, comme une prison. Devant nous, un aquanier gisait sur le sol. Un autre se tenait derrière les barreaux. Saint Dane n'était pas là.

– Il l'a tué ! s'est écrié l'aquanier emprisonné.

Il était surexcité et à bout de souffle. Aussitôt, l'oncle Press est allé vers l'aquanier à terre.

– Qui a fait ça ? a demandé Spader.

– Zy Roder ! Nous allions l'enfermer dans la cellule lorsque tout d'un coup il s'est retourné contre nous. Ce type est vraiment costaud ! Il m'a poussé là-dedans et a refermé la porte, puis il s'est emparé de mon collègue et l'a étranglé et… Je crois qu'il est mort.

Le pauvre bougre semblait paniqué. L'oncle Press a pris le pouls de l'aquanier à terre.

– Il n'est pas mort, a-t-il conclu, mais il a besoin d'un docteur. Je vais chercher Yenza.

Il est retourné aussitôt vers la salle des commandes.

– Où est Roder ? a demandé Spader.

– Je ne sais pas ! Il est parti en courant. Faites-moi sortir de là. Nous devons le retrouver !

J'ai tiré un trousseau de clés de la ceinture de l'aquanier mort et je l'ai jeté à Spader. Il a ouvert la porte de la cellule. L'aquanier en a jailli comme un diable d'une boîte :

— Je dois faire mon rapport à Yenza ! s'est-il écrié avant de filer et de tourner à droite.

— Aide-moi, ai-je demandé à Spader.

À nous deux, nous avons redressé l'aquanier dans une position plus confortable. Il a ouvert lentement les yeux et m'a regardé.

— Ça va ? ai-je demandé.

— Roder… a hoqueté la victime. Je me suis approché trop près de la cellule. Il m'a attrapé.

— On sait, ai-je répondu. Votre collègue nous a tout dit.

L'aquanier m'a regardé en plissant les yeux et a dit :

— Quel collègue ?

— Après vous avoir attaqué, Roder a enfermé l'autre aquanier dans la cellule.

L'aquanier a secoué la tête.

— Roder était déjà dans la cellule. Il s'est emparé de moi. Il n'y avait personne d'autre.

Spader m'a regardé d'un air intrigué, mais j'avais déjà compris ce qui s'était passé : Saint Dane s'était métamorphosé, une fois de plus. L'aquanier dans la cellule n'était autre que lui, et nous venions de le libérer.

— Il est parti vers la droite, ai-je dit. La salle des commandes est sur la gauche.

— Il se dirige vers le sas ! s'est écrié Spader.

— Je t'en prie, ai-je supplié, laisse-le partir !

Mais Spader ne m'écoutait pas. Il s'est aussitôt lancé à sa poursuite.

— Vous n'avez rien ? ai-je demandé à l'aquanier.

Il a acquiescé et fait signe d'y aller.

— Spader ! ai-je crié. Attends !

J'ai cherché à le rattraper, mais rien ne pouvait plus l'arrêter.

Un peu plus tard, nous nous sommes immobilisés tous les deux devant l'entrée du grand sas, là où nous avions trouvé le traceur. Spader a poussé la porte, mais elle était bloquée de l'intérieur. Il a insisté, et le battant a fini par céder. Quelqu'un avait fait rouler un tonneau devant. Nous nous sommes précipités dans le sas juste à temps pour constater que Saint Dane était sur le point de s'enfuir.

Il avait repris son apparence normale. En nous voyant faire irruption dans la pièce, ses yeux bleus ont jeté des éclairs. Il chevauchait un skimmer semblable à ceux que nous avions utilisés pour saboter son croiseur. Nous avons vu son visage un instant avant qu'il ne disparaisse sous les flots. Ses longs cheveux gris rayonnaient tout autour de lui comme une toile d'araignée. Les rôles s'inversaient. Il n'y a pas si longtemps, Saint Dane était entré juste à temps pour nous voir filer sur le traceur.

Il nous a jeté un regard brûlant d'une haine si intense que j'ai cru qu'elle allait me consumer sur place. Puis il a disparu sous la surface. Spader est parti comme pour plonger derrière lui, mais je l'ai retenu :

— Tu auras bien d'autres occasions.

Il m'a repoussé pour partir vers le couloir. Je l'ai suivi à grand-peine, parce qu'il cavalait ferme.

Il est arrivé à l'échelle, est monté dans la tour, puis a sauté sur le pont. Tout en le suivant, je n'ai cessé de crier :

— Arrêtez-le ! Que quelqu'un arrête Spader !

Tout est arrivé si vite que personne n'a eu le temps de réagir. Spader a couru tout droit vers le traceur. Il a largué les amarres, a sauté dessus et s'est glissé dans le cockpit.

L'oncle Press et Yenza sont accourus.

— Que fait-il ? a demandé Yenza.

— Saint Dane… je veux dire Roder s'est échappé, ai-je répondu. Il a un skimmer.

Spader plongeait déjà. L'oncle Press l'a regardé disparaître, et je peux dire que son cerveau carburait. Puis il a parcouru des yeux le pont, a pris un globe respiratoire et me l'a jeté. Nous allions le suivre.

— Je sais où il va, a-t-il dit.

— Où ? Comment ? a balbutié Yenza.

J'aurais bien posé les mêmes questions, mais l'oncle Press me brieferait certainement en cours de route. Il a pris un autre globe et un glisseur. J'en ai récupéré un, moi aussi.

— Je vous envoie une équipe d'aquaniers, a déclaré Yenza.

— Non, a répondu aussitôt l'oncle Press. Nous nous en sortirons.

À la façon très sèche dont il a parlé, j'ai su où nous allions. J'aurais dû y penser. La porte. Saint Dane allait tenter de s'échapper par le flume. C'était sa dernière chance. Et nous allions l'en empêcher. Nous pouvions nous passer des aquaniers : c'était une affaire entre Voyageurs.

– Paré ? m'a demandé l'oncle Press.

– À peu près, ai-je répondu.

Nous avons plongé.

– Tu connais le chemin ? ai-je demandé.

Il a regardé autour de lui.

– Par là ! s'est-il écrié.

En effet, j'ai vu le mince sillage de bulles laissé par le traceur. Nous avons démarré nos glisseurs et l'avons suivi.

– On peut en avoir pour des heures, ai-je dit à l'oncle Press en cours de route.

– Possible. Ou Saint Dane connaît une autre porte.

Je n'avais pas pensé à ça. Sur Denduron, il y en avait deux : pourquoi Cloral n'en aurait-elle qu'une ? Mais comme nous n'en étions sûrs ni l'un ni l'autre, nous ne pouvions que suivre le sillage.

– Bobby, Spader va devenir un de tes meilleurs alliés, a déclaré l'oncle Press. Mais il doit apprendre à se maîtriser.

– Ça, c'est sûr.

– Tuer Saint Dane n'est pas une solution. J'aimerais que ce soit si simple, mais ça ne l'est pas.

– Tu veux dire… qu'il est immortel ?

– Son corps peut mourir. Mais il se contenterait de revenir sous une autre forme.

– Qu'est-il exactement ? Une sorte de… fantôme ?

– Pas de la façon dont tu le conçois. Bobby, son esprit est voué au mal. On peut tuer son corps, mais ça ne l'empêchera pas de poursuivre sa quête.

– Qu'est-ce qui pourrait l'en empêcher ?

Tout d'abord, l'oncle Press n'a pas répondu. Impossible de dire s'il ignorait la réponse ou s'il ne voulait pas me la donner.

– Rien, a-t-il fini par dire. Ça ne pourra se terminer que lorsqu'il croira avoir remporté la victoire. C'est alors qu'il échouera.

Ben voyons. Je n'y comprenais que dalle. Mais je m'y étais habitué. À vrai dire, tout me semblait un peu plus clair… d'une certaine façon. En tout cas, j'étais sacrément avancé par rapport au gamin ignorant qui avait emprunté le flume pour la première fois. Cependant j'avais encore un long chemin à parcourir et bien des choses à apprendre. Je devais l'accepter. C'est pour ça que je n'ai pas insisté.

Nous avons cheminé lentement et mes bras commençaient à fatiguer à force de tenir le glisseur. Je faisais toutes sortes d'acrobaties pour les soulager un peu. Si nous devions retourner au flume près de Grallion, je ne tiendrais certainement pas jusqu'au bout. Ça prendrait des heures.

C'est alors que mon anneau s'est mis à tressaillir. Comme nous étions encore loin du récif, j'en ai conclu qu'il devait bien y avoir une autre porte.

Le sillage de bulles a descendu vers le fond. Il faisait plus sombre et plus froid. Droit devant, j'ai vu s'élever une formation rocheuse. On aurait dit une de ces mesas qu'on voit dans les westerns, sauf qu'elle était immergée, bien sûr. Le sommet était plat et les falaises escarpées. D'après mon anneau, la seconde porte devait être quelque part par là.

Mais un autre détail m'a donné à penser que nous étions presque arrivés. De derrière la formation, j'ai vu jaillir un gros jet de bulles bouillonnant vers la surface. Impossible de voir l'origine de ce jet : c'était caché de l'autre côté du rocher. Ça pouvait être le traceur de Spader, mais pourquoi aurait-il dégagé autant d'air ? L'oncle Press et moi sommes partis dans cette direction. Dès que nous sommes passés de l'autre côté du plateau, nous avons vu ce qu'il en était.

C'était bien le traceur, mais Spader n'était plus là. La trappe était ouverte et le cockpit était rempli d'eau. Des jets de bulles s'en échappaient encore. Et ce n'était pas le plus terrible. Spader avait eu un accident. Enfin, ce n'est peut-être pas le bon terme, puisqu'il semblait l'avoir fait exprès.

C'était incroyable. Là, coincé entre la bulle du traceur et la paroi rocheuse, il y avait un quig mort. Il n'était pas aussi gros que les autres, mais avait l'air tout aussi dangereux. Comme

Spader n'avait pas d'armes, il avait foncé dessus. Le requin s'était affalé sur une corniche et le traceur l'avait écrasé.

– Bien joué, a commenté l'oncle Press.

La queue du quig a tressailli. Il n'était peut-être pas tout à fait mort. Mieux valait garder ses distances.

– Alors, où est la porte ? ai-je demandé.

Nous étions forcément au bon endroit. Non seulement mon anneau était en plein délire, mais la présence du quig était une preuve. La porte ne devait pas être bien loin : Spader n'avait pas de globe respiratoire. Une fois sorti du traceur, il avait dû retenir sa respiration. Nous avons examiné la paroi rocheuse sans apercevoir la moindre ouverture.

Et puis, j'ai vu quelque chose du coin de l'œil. C'était une bulle pas plus grosse qu'une balle de golf qui s'élevait d'une partie du mur, tout près de nous.

– C'est là ! ai-je annoncé tout en pointant mon glisseur dans cette direction.

En nous rapprochant, nous avons vu que cette paroi était recouverte d'un rideau de varech rougeâtre. J'ai cherché l'endroit précis d'où j'avais vu jaillir la bulle, et nous avons fouillé la paroi derrière le rideau – en vain : il n'y avait que de la roche. Pas d'ouverture, pas de tunnel, pas de porte. Tout en m'affairant, j'ai à peine quitté des yeux le quig empalé par le traceur. S'il se ranimait soudain, je ficherais le camp à toute allure.

Finalement, j'ai repoussé une poignée de varech pour découvrir une étoile gravée dans la pierre.

– J'ai trouvé !

L'oncle Press m'a rejoint, et nous avons farfouillé dans les plantes jusqu'à trouver une petite ouverture. Elle était à peine assez large pour laisser passer un corps humain, mais c'était forcément la porte. Dieu sait pourquoi je me sentais plein de bravoure tout d'un coup, mais je m'y suis engagé en premier. Je me suis propulsé en m'accrochant aux parois. Au bout de quelques secondes, pas plus, j'ai vu un faisceau de lumière striant l'eau droit devant moi. Un peu plus tard, je faisais surface dans une autre caverne sous-marine. L'oncle Press a jailli juste derrière moi, et nous avons retiré nos globes.

Je ne savais pas trop à quoi m'attendre. J'espérais y trouver Spader sain et sauf et pas de Saint Dane.

La caverne était beaucoup plus petite que celle près de Grallion. En fait, le bassin était à peine assez grand pour nous deux. Le flume était juste au-dessus de nos têtes. Pas de doute, nous étions au bon endroit. Le plus étonnant, c'est qu'il y avait deux personnes dans cette même caverne.

L'une d'entre elles était Spader. Il était assis sur le sol rocailleux et pleurait toutes les larmes de son corps. Et la raison de son désespoir était évidente. Car l'autre personne présente était… son père. Je ne l'avais vu qu'une fois, et il était déjà mort, mais je me souvenais de lui. En général, les cadavres me font une forte impression. Mais comment pouvait-il être ici, et surtout, bien vivant ?

Lorsque l'oncle Press et moi avons retiré nos globes, le père de Spader s'est tourné vers nous :

– Regarde, tes amis sont arrivés !

À les voir, on aurait dit qu'ils avaient une de ces conversations importantes, de père à fils et d'homme à homme. J'imagine que des centaines d'émotions contradictoires devaient s'affronter dans l'esprit de Spader.

Il nous a regardés à travers ses larmes et s'est écrié :

– Hobie, Pendragon ! Il est en vie ! Saint Dane le gardait prisonnier ici ! Incroyable, non ?

C'était bien le mot. Et en fait, je n'y croyais pas. Mais à ce stade, mon esprit était ailleurs. L'oncle Press, lui, avait gardé la tête froide. Il s'est chargé de lui annoncer la mauvaise nouvelle :

– Spader, ce n'est pas lui. Ton père est mort. Tu l'as vu sur Magorran. Il a été empoisonné.

Spader lui a jeté un regard décontenancé. S'il avait eu tous ses esprits, il aurait compris tout de suite. Mais en voyant son père en vie, il avait débloqué. Moi aussi d'ailleurs, mais j'ai vite repris le dessus. Je n'en ai haï Saint Dane que davantage, si toutefois c'était possible. Il fallait vraiment être le Mal incarné pour jouer un tour pareil à Spader.

– Oh, Press, a dit le faux père, tu es vraiment un rabat-joie. Et moi qui te croyais mort.

Il s'est tourné vers Spader et a ajouté avec un soupir :

– Ton père est mort, Spader. Et tu vas bientôt l'être si tu ne recules pas.

Spader y comprenait que dalle. Son cerveau n'enregistrait plus rien. Sous ses yeux écarquillés, son père s'est levé, a marché vers l'entrée du flume et a crié :

– Veelox !

Aussitôt, le flume s'est animé avec son et lumière habituel. Puis le père de Spader s'est tourné vers lui et a dit :

– Qui sait ? Peut-être tomberai-je sur ta mère en cours de route. Et je la tuerai aussi.

Spader est retombé contre le mur comme s'il avait reçu un direct dans l'estomac. En un éclair, son père est redevenu Saint Dane. Il s'est alors tourné vers moi et m'a jeté un regard si perçant qu'il semblait voir à l'intérieur de mon cerveau. J'aurais volontiers plongé dans le bassin pour y échapper.

– À la prochaine fois…, a-t-il lancé avec un sourire démoniaque.

Il a salué, puis la lumière l'a enveloppé et aspiré dans le flume. J'ai regardé Spader. Il ouvrait de très, très grands yeux. Il commençait à peine à comprendre ce qui s'était passé.

L'oncle Press et moi sommes sortis de l'eau pour aller nous asseoir à côté de lui :

– Il peut t'atteindre de bien des façons, a dit l'oncle Press. Il joue à te manipuler de cette façon cruelle. Ça l'amuse autant que de détruire un territoire ou d'assassiner des centaines de personnes. Pour lui, c'est du pareil au même.

J'ai senti monter la colère en Spader. Son regard n'avait plus rien d'égaré. Il brûlait de rage.

– Je le tuerai a-t-il craché avant de partir vers le flume.

L'oncle Press l'a retenu :

– Non, a-t-il dit fermement. Ce n'est pas ta vendetta personnelle. Il s'agit de protéger les territoires, et Halla.

Spader a repoussé l'oncle Press avec une telle force que celui-ci a frappé la roche et s'est affalé au sol.

– Je me fiche pas mal de ces territoires, ou de Halla, ou de ce pour quoi je suis censé combattre. Il a tué mon père, et pour ça, il mérite la mort.

Il a marché vers le flume. C'est alors que j'ai entendu les notes musicales qui revenaient de Dieu sait où.

– Veelox ! a crié Spader.

Les lumières se sont remises à briller et les notes ont monté de volume. Mais quelque chose ne collait pas. Je les avais entendues venir avant qu'il ne crie « Veelox ». Le flume était déjà activé. Quelque chose se dirigeait vers nous.

Aïe. J'ai repensé au tunnel sur Denduron, quand Saint Dane nous avait envoyé un requin géant via le flume. Cette bestiole avait bien failli nous dévorer, Loor et moi. Spader est resté là, face à l'entrée du flume, attendant qu'il l'emporte, ignorant le danger. Les notes et la lumière se sont amplifiées.

– Non ! ai-je crié. Quelque chose vient vers nous !

Je suis parti vers Spader, mais l'oncle Press m'a retenu et traîné en arrière si fort que j'ai trébuché et suis tombé assis.

– Va-t'en, Spader ! a-t-il crié en se précipitant vers le flume.

Cependant ce dernier n'a pas bougé. Il ne pensait qu'à sa vengeance. Je me suis relevé à temps pour voir l'oncle Press bondir vers Spader. La lumière était à présent si forte que la chose qui se dirigeait vers nous ne tarderait pas à sortir. Et Spader restait planté à l'entrée du flume.

Ce qui s'est passé ensuite n'a pris que quelques secondes, mais elles ont été les plus longues de toute ma vie. Elles sont gravées dans mon cerveau pour l'éternité. L'oncle Press a sauté sur Spader pour l'écarter du chemin. Il est allé s'écraser contre le mur, loin du flume et des lumières et de ce qui venait vers nous. Du coup, l'oncle Press était exposé. Il avait sauvé Spader, mais ce qui arrivait allait lui dégringoler dessus.

J'ai entendu un sifflement, puis un cri et, à ce moment-là, le mur face au tunnel a volé en éclats. D'abord, j'ai cru à une bombe quelconque, mais il n'y avait pas eu d'explosion, plutôt une série de petite détonations. Des fragments de pierre arrachée à la roche me sont tombées dessus en cascade. Pas de doute, c'était des balles. On aurait dit que quelqu'un avait tiré à la mitrailleuse dans le flume et que la rafale avaient voyagé jusqu'ici.

Une seconde plus tard, tout était fini. La lumière s'est éteinte, les notes se sont tues, et la fusillade a cessé.

– Oncle Press !

Il gisait au sol devant l'entrée du flume. J'ai couru vers lui pour voir s'il était touché, mais je soupçonnais déjà le pire. Il était impossible qu'une telle rafale l'air raté. Il aurait fallu un miracle. Cela dit, comme depuis peu ma vie était devenue une succession de miracles, je pouvais toujours espérer.

Quand je me suis agenouillé à ses côtés, j'ai constaté que j'étais à court de miracles. L'oncle Press avait été touché. Plus d'une fois. Ses yeux, assez vitreux, brûlaient pourtant d'une étincelle de vie. J'ai jeté un coup d'œil à Spader, agenouillé dans le coin où il était tombé. Lui aussi fixait Press. Il ne comprenait rien à ce qui venait de se passer.

– Va chercher le traceur ! lui ai-je crié. Nous devons le ramener sur Grallion !

– Non, Bobby, a dit l'oncle Press en me prenant le bras.

– Tu ne va pas mourir !

Mon oncle gisait devant moi, blessé à mort. Mon oncle invincible. L'homme que j'aimais et qui m'avait fait vivre bien plus d'aventures que je n'en méritais… Et ça avant même que je ne devienne un Voyageur.

– Écoute, Bobby… a-t-il repris d'une voix faible.

– Non ! Tu ne vas pas me dire que c'était écrit. Pas maintenant. Pas comme ça.

Spader s'est approché pour mieux écouter. Il souffrait encore plus qu'avant. Je comprenais ce qu'il devait ressentir. L'oncle Press allait mourir pour lui avoir sauvé la vie, comme Osa s'était sacrifiée pour moi.

– Tu m'as posé bien des questions, a dit l'oncle Press, mais il y en a une que tu as oublié.

– Laquelle ? ai-je fait alors que mes joues étaient inondées de larmes.

– Je t'ai dit qu'il y avait un Voyageur par territoire. Tu ne m'as jamais demandé pourquoi la Seconde Terre en comptait deux.

C'est vrai. Dieu sait pourquoi, je n'y avais jamais pensé. C'était pourtant évident, mais cette idée ne m'avait jamais traversé l'esprit. Ou peut-être préférais-je ne pas y penser.

– Et tu vas me le dire ?

– En fait, il ne peut pas y avoir deux Voyageurs pour la Seconde Terre. Je savais qu'il ne me restait plus beaucoup de temps. C'est pour ça que je t'ai entraîné dans cette histoire. Il était temps que tu reprennes le flambeau. Tout comme Loor et Spader. Vous êtes la nouvelle génération de Voyageurs.

Mon esprit a rejeté en bloc tout ce qu'il disait. Je me fichais pas mal des règles des Voyageurs, de Halla, de Saint Dane et de tout le reste. Mon oncle était en train de mourir, et rien d'autre n'avait d'importance.

– J'ai encore une chose à te dire, a-t-il repris. Vous êtes les derniers. Tout ce qui s'est passé jusque-là n'était qu'un prélude. Ce combat est le vôtre, et vous allez le mener jusqu'au bout. Vous êtes les ultimes Voyageurs.

Il ne cessait de s'affaiblir. Il a regardé Spader :

– Je sais que c'est difficile à croire, mais tu reverras ton père, et ta mère aussi.

Il a alors glissé ses doigts le long de mon bras et m'a pris la main :

– Quant à toi, Bobby Pendragon, je te fais la même promesse. Tu retrouveras ta famille. Et à ce moment, je serai là. Ne l'oublie pas et ne sois pas triste… parce que c'était écrit.

Il a fermé les yeux. Tout était fini.

Journal n° 8
(suite)

CLORAL

La cérémonie a été telle qu'elle devait l'être.

Le Cercle du Conseil était bondé. Le Conseil de Faar au grand complet était assis sur les bancs de marbre. À côté se trouvait un groupe d'aquaniers en uniforme complet. Parmi eux, Quinnick, le pilote de Grallion, et Wu Yenza, l'aquanière en chef.

Le reste de l'assemblée était assez hétéroclite. Il y avait des gens de Faar, mais aussi des membres de l'Institut d'agronomie venus de Panger. Au milieu d'eux, j'ai aperçu Ty Manoo, l'ingénieur agronome de Grallion. Il y avait aussi des dignitaires des autres habitats. La nouvelle de la réapparition de Faar s'était vite propagée. Il n'y avait que deux jours que la cité avait émergé des flots, mais on avait extrait les traceurs de leur hangar pour les envoyer aux quatre coins du territoire décontaminer les fermes.

Cloral avait connu son moment de vérité – et y avait survécu.

Bien sûr, parmi tous les gens qui se tenaient là, personne n'en était conscient. Ils ne savaient pas que Cloral n'était qu'un territoire parmi tant d'autres, tous ceux que Saint Dane tentait d'entraîner sur une pente fatale. Pour eux, ils avaient évité un désastre écologique sans précédent. Ni plus, ni moins. Et en cours de route, ils avaient redécouvert une partie de leurs racines. La renaissance de Faar était un événement majeur. Chez nous, ce serait comme si l'Atlantide venait de refaire surface. Et pour l'instant, le peuple de Cloral pensait surtout à cette découverte. Ils ne savaient rien de l'être maléfique qui avait failli détruire leur monde.

Moi si. Tout comme Spader.

Après ce qui était arrivé à l'oncle Press, je ne savais que penser de Spader. Ce n'était pas sa faute, bien sûr. S'il avait su qu'en fonçant bille en tête, il risquait la vie de l'oncle Press, il aurait laissé tomber. Je n'en doute pas un seul instant. Et pourtant, je ne pouvais pas m'empêcher de penser… S'il avait bien voulu nous écouter ? Dans ce cas, l'oncle Press serait peut-être encore en vie. Spader devait apprendre à se maîtriser. À ce stade, lui et moi en étions à peu près au même point. Je ressentais la même culpabilité envers Osa, qui s'était sacrifiée pour me sauver. Maintenant, je savais ce que c'était de perdre quelqu'un qui vous est cher. Si Spader et moi devions œuvrer en tant que Voyageurs, il nous faudrait surmonter tout ça. Mais à ce moment, alors que j'attendais que commence la cérémonie, je n'étais pas sûr que ce soit possible. Je ne pourrais jamais oublier que Spader avait ignoré nos avertissements et qu'en conséquence, l'oncle Press avait trouvé la mort.

Depuis notre retour de Faar, je n'avais pas revu Spader. C'était peut-être mieux. Ça nous laissait le temps de respirer et de nous remettre la tête à l'endroit. Mais je commençais à me faire du souci. Il aurait dû être là pour la cérémonie. Désormais, c'était lui le Voyageur de Cloral. Pourvu qu'il ne se soit pas dégonflé !

Je me tenais seul en bordure de la plate-forme, en dehors du Cercle du Conseil. Le plafond de marbre avait été réparé et remis sur ses piliers. Le symbole de Faar avait retrouvé sa position dominante. Le reste de la ville n'était pas beau à voir, mais je pense qu'il était important de restaurer le Cercle du Conseil, car il représentait le cœur même de Faar. C'est là que seraient prises les décisions importantes pour l'avenir de Cloral.

Le soleil se couchait sur l'Océan. Un coucher de soleil est toujours beau, et celui-ci ne faisait pas exception. Quelques nuages allongés traînaient à l'horizon, éclairés par les derniers rougeoiements du crépuscule. La lumière ambrée se répandait sur les bâtiments de marbre, si bien que la ville ressemblait à un tableau. En regardant la pente de la montagne, j'ai vu que des centaines de personnes disséminées sur les chemins regardaient le spectacle. Pour eux, ce devait être extraordinaire. Faar n'avait pas connu un seul coucher de soleil en plusieurs siècles.

Kalaloo m'avait expliqué comment la transmigration avait été préparée depuis des générations. Les scientifiques de Faar avaient conçu un ingénieux mécanisme qui, une fois actionné, pomperait de l'air dans les vastes salles sous la ville. La pression accumulée soulèverait le sous-sol, assez pour que l'eau s'y précipite et ajoute sa propre pression. La réaction en chaîne continuerait jusqu'à ce que le fonds marin s'écroule dans les salles pour créer une base. C'était une sorte de tremblement de terre contrôlé dont toute la puissance serait canalisée vers le haut.

Peut-être était-ce des calculs physiques qui avaient ramené Faar à la surface, mais pour moi, c'était de la magie pure et simple. Surtout maintenant, en voyant le peuple de Faar profiter du coucher de soleil. Je me sentais mal à en crever ; pourtant, il était sorti quelque chose de positif de tout ça.

— Pendragon ?

Je me suis retourné. Spader était là, dans son costume d'aquanier, le même que le jour où il croyait retrouver son père. Quel soulagement ! Il serait dur de surmonter notre différend, mais au moins il avait compris que sa place était ici.

— Longtemps, je me suis demandé ce que j'allais te dire, a-t-il commencé, mais il n'y a pas de mots pour exprimer à quel point je regrette ce qui s'est passé.

— Pourquoi pas : « Je suis désolé de ce qui s'est passé » ?

Il a baissé la tête.

— J'aimerais pouvoir revenir en arrière et réagir autrement.

Je me suis contenté d'acquiescer et de dire :

— Si je te conseillais de ne pas te tourmenter pour ça et si j'affirmais qu'il n'y a pas de problème, ce serait un mensonge. En tout cas, maintenant, je sais ce que tu as ressenti à la mort de ton père. Saint Dane a tué mon oncle Press. À présent, plus que jamais, je veux l'empêcher de nuire. Mais il y a une chose que tu dois comprendre : la vengeance n'est pas une solution. Si tu l'admets, parfait. Sinon, je vais devoir continuer seul.

— Il l'a compris, Pendragon, a fait une voix familière.

C'était Loor, et elle se dirigeait vers nous. J'en restai baba. Là, sur Faar, elle était complètement hors contexte. Elle portait une tenue clorienne vert clair qui soulignait son corps d'athlète. Elle était plus belle que jamais. J'ai eu envie de la prendre dans mes bras et la serrer contre mon cœur, mais ce n'était pas son genre. Elle m'a posé la main sur l'épaule. C'était sans doute la plus grande démonstration d'affection dont elle était capable.

– Spader est venu me chercher, a-t-elle expliqué. Il était perdu et n'osait pas aller te trouver.

Ça, je pouvais le comprendre. S'il avait besoin d'aide, il pouvait difficilement se tourner vers celui qui le tenait responsable de la mort de son oncle.

– Nous avons tous perdus ceux qui nous étaient les plus chers, a-t-elle continué. Press nous a toujours dit que c'était écrit, et je le crois. Spader n'est pas plus responsable de la mort de ton oncle que tu ne l'es de celle de ma mère. Quand elle a été tuée, Pendragon, je t'ai haï de toutes mes forces. Mais j'ai fini par comprendre que c'était la voie que nous devions emprunter. C'est un destin tragique, certes, mais conforme à ce grand dessein dont nous sommes les jouets. Je le comprends, et je crois que Spader aussi.

J'ai regardé Spader qui a fait de même, attendant ma réaction. J'ai pu constater que sa douleur était bien réelle.

Nos regards se sont croisés. Longuement. Il espérait que je dise quelque chose qui le soulage de son fardeau.

Tout d'abord, je suis resté silencieux. Parce que j'avais quelque chose à faire. J'y avais longuement réfléchi et, après tout ce qui était arrivé, je ne savais si je devais vraiment aller jusqu'au bout. Mais à présent, avec l'aide de Loor, j'ai compris que c'était exactement ce qu'il fallait faire. J'ai donc fouillé ma poche pour en tirer ce que je conservais depuis des semaines.

– Spader, tu es un Voyageur. Ceci appartenait à ton père, et maintenant, il est à toi.

C'était l'anneau que l'oncle Press avait pris au Voyageur mort. Il m'avait dit que, le moment venu, je saurais qu'il serait temps de le donner à Spader. Le moment était venu. Je l'ai laissé tombé dans sa main tendue.

Il a contemplé le gros anneau. J'ai bien vu qu'il retenait ses larmes. Alors j'ai souri et dit :

– Bien sûr, comme tu t'en doutes, ce sera un vrai tourne-boule.

– Hobie-ho, a répondu Spader en souriant.

Et nous nous sommes étreints. Notre amitié avait survécu à cette épreuve, comme elle le devait. J'ai regardé Loor, qui m'a fait un clin d'œil. J'avais toujours cru que je l'appellerais à la rescousse en cas de bataille. Quand on a besoin d'une guerrière pour se tirer d'un mauvais pas, c'est Loor qu'on appelle. Et pourtant, la première fois où elle venait m'assister, c'était pour résoudre une crise émotionnelle. Drôles d'affaires, ces histoires de Voyageurs.

Kalaloo s'est dirigé vers nous et a dit doucement :

– Nous sommes prêts.

J'ai vu qu'il y avait deux petits groupes debout au bord de la plate-forme. L'un se composait de six Faariens, l'autre de six aquaniers. Chacun portait sur ses épaules un long container jaune. Les cercueils d'Abador et de l'oncle Press. Enfin, chez nous, on les aurait appelés cercueils, même s'ils ne ressemblaient à rien de ce que j'ai vu sur la Seconde Terre. On aurait plutôt dit des tubes ovales de plastique jaune. Sur celui que portaient les Faariens était inscrite la mention « Ti Abador » en lettres noires à une extrémité. Sur l'autre, le nom de mon oncle, « Press Tilton » (vous ai-je jamais dit que son nom de famille était Tilton ?).

Les deux groupes sont restés immobiles, les cercueils sur leurs épaules. Ils sont partis vers le Cercle du Conseil. La dépouille d'Abador est passée en premier, suivie de Kalaloo. Puis est venue celle de l'oncle Press, accompagnée de Spader, Loor et moi. Tout le monde s'est levé. Une douce musique planait dans l'air. Elle n'était pas triste comme celle qu'on diffuse lors des enterrements. Ça m'a plutôt fait penser à ces airs New Age dont je vous ai déjà parlé, sauf que là, elle m'a semblé de circonstance.

Les porteurs ont déposé les deux cercueils côte à côte sur des piédestaux au centre du Cercle. Kalaloo est resté à leurs côtés pendant que nous trois allions prendre place sur les bancs de marbre. Une fois installés, Kalaloo a levé la main, arrêtant la musique. Tout le monde s'est alors assis.

– Aujourd'hui, nous vivons un jour de gloire et de tristesse, a commencé Kalaloo en s'adressant au groupe. Là, au milieu des splendeurs de Faar, notre cité qui vient de renaître, nous devons aussi faire face à l'inéluctabilité de la mort.

Il a alors fait un discours élogieux en mémoire d'Abador, qui avait voué son existence tout entière au service de Faar et de son peuple. Souvent, il représentait la voix de la raison quand il semblait ne pas y avoir de solution. Et finalement, par sa bravoure et sa détermination, il avait sauvé Faar de la destruction. Kalaloo a conclu en disant que non seulement Faar renaissait de ses cendres, mais que, pour les générations à venir, Abador serait considéré comme le père de la nouvelle Cloral.

Quand il a eut terminé, il s'est tourné et m'a fait signe de le rejoindre. C'était à moi de dire quelques mots sur l'oncle Press. Ce ne serait pas facile. Je n'avais encore jamais rien fait de tel. Oh, j'avais des choses à dire, c'est sûr. L'ennui, c'est que je redoutais de ne pouvoir en venir à bout sans fondre en larmes. L'oncle Press méritait mieux.

Kalaloo a fait un pas en arrière pour me permettre de m'approcher du cercueil. Je suis resté là, à parcourir le groupe des yeux. Peu d'entre eux connaissaient l'oncle Press. La plupart avaient juste entendu parler de lui et de la façon dont il avait contribué à sauver Faar et Cloral. Pour eux, il était un héros sans visage. Mais je voulais leur faire comprendre qu'il était bien plus que ça.

– Certains ont dit que mon oncle était un brave, ai-je commencé, et il l'était. Mais ce qualificatif peut s'appliquer à bien des gens. Ceux qui sont parmi vous aujourd'hui ont démontré une bravoure extraordinaire. Non, ce n'est pas ça qui différenciait Press Tilton du commun des mortels. Il se souciait des autres. Là où la plupart des gens sont incapables de voir plus loin que leurs problèmes personnels, il regardait bien au-delà. Il a aidé tant de personnes à se sortir de situations difficiles, et par des moyens que vous ne pouvez concevoir. Moi-même, je n'en connais qu'une partie, et c'est ce qu'il voulait. Il a fait tout ça, et plus encore, mais pas pour la gloire ou pour l'argent, ou encore pour être honoré lors d'une cérémonie telle que celle-ci. Seulement par pure générosité. C'est ce qui a sauvé Faar et Cloral, et c'est pourquoi il n'est pas avec nous aujourd'hui. Enfin, ce n'est pas tout à fait vrai. Il est avec nous. Je sais qu'il est avec moi. Et je sais que tant que sa vision lui survivra, il ne disparaîtra jamais vraiment. En lui faisant mes adieux, j'espère une chose par dessus tout.

J'espère que, quand je le reverrai, il sera moitié aussi fier de moi que, en ce jour, je suis fier de lui.

C'était tout. Je ne pouvais plus rien ajouter. J'ai touché son cercueil et j'ai regagné ma place. Tout le monde s'est levé sur mon passage. Il était temps pour eux de rendre leurs derniers hommages. Je me suis tenu entre Loor et Spader en essayant d'être courageux. Loor m'a même pris la main.

La musique s'est remise à jouer, douce et rassurante, mais je me suis senti très triste. Les deux groupes de porteurs sont revenus soulever les cercueils tandis que les piédestaux s'abaissaient. Ils les ont emmenés vers une autre section de la plate-forme, et les ont posés délicatement sur le sol. Puis ils se sont écartés. Un instant plus tard, les cercueils se sont mis à descendre. Apparemment, il y avait des sortes de panneaux amovibles sur cette partie de la plate-forme.

Le jour d'avant, Kalaloo m'avait convoqué pour me demander si je leur ferais l'honneur de les autoriser à enterrer l'oncle Press dans le Grand Mausolée de Faar. C'était là que reposaient les citoyens les plus estimés de l'histoire de la cité. Le mausolée se trouvait juste en dessous de la plate-forme aux mosaïques sur laquelle nous nous tenions. Bien sûr, Abador y serait enterré, lui aussi. Y mettre la dépouille de l'oncle Press était un témoignage de la gratitude des Faariens.

C'était un grand honneur, pourtant, je me suis aussitôt dit qu'il devait être enseveli chez nous, sur la Seconde Terre. Mais là-bas, il se retrouverait seul. Ma famille avait disparu. Il n'y aurait personne pour aller se recueillir sur sa tombe ou même pour se souvenir de qui il était. Sur Faar, il était un héros. Je me suis rappelé ce qu'il m'avait dit juste après avoir plongé dans le bassin au dessous du flume : c'était son territoire préféré. Alors, n'était-ce pas l'endroit rêvé pour qu'il repose à jamais ?

J'ai donc accepté l'offre de Kalaloo avec toute l'humilité nécessaire. L'oncle Press resterait sur Faar. Là, il serait considéré comme un héros, même si personne n'avait idée du chic type qu'il était vraiment.

Peu après la cérémonie, nous sommes retournés sur Grallion. Loor est venue avec nous, et nous lui avons fait visiter ces incroyables fermes et leurs habitats. Nous sommes même allés chez Grolo, où nous avons levé nos sniggers à la mémoire de l'oncle Press.

J'étais heureux de savoir Cloral hors de danger. Nous avions fait notre boulot. Mais je me sentais encore comme engourdi. Surtout à cause de l'oncle Press, bien sûr. Ça faisait drôle de ne pas l'avoir à mes côtés. Il me manquait terriblement et son absence était comme un poids sur ma poitrine, mais ce n'était pas tout. Cette tristesse était surtout rétrospective. En le perdant, je disais adieu à mon dernier lien avec ma famille et mon existence sur la Seconde Terre.

Quand je pensais à l'avenir, il me semblait bien sombre. L'oncle Press m'avait servi de guide. D'accord, je ne pétais plus un câble toutes les cinq minutes, mais au fond, je n'en savais pas plus qu'au départ. Jusque-là, si quelque chose m'intriguait, je pouvais toujours compter sur lui. Il ne me répondait pas toujours de façon claire, mais au moins, il me montrait la direction à suivre, et je savais que c'était la bonne.

À présent, j'étais seul. Et une question restait sans réponse : et maintenant ? Je me suis vraiment demandé si je n'aurais pas mieux fait de retourner sur la Seconde Terre pour me cacher sous ton lit, Mark. Tu m'aurais refilé des restes de Big Mac et de fromage, personne d'autre n'aurait su où j'étais, et je n'aurais plus eu à me préoccuper d'un certain Saint Dane, plus jamais.

Mais ce n'était qu'un rêve. La véritable question était plutôt : étais-je assez aguerri pour pourchasser Saint Dane sur Veelox ? C'était le territoire où il s'était enfui. Je ne savais pas si c'était une bonne idée, mais en tout cas, si je devais partir, je ne serais pas seul. Après avoir passé quelques jours sur Grallion, Loor était repartie pour Zadaa. Là-bas, les tensions s'exacerbaient encore, et selon elle, tout pouvait exploser d'une minute à l'autre. Elle voulait être présente si le pire se produisait, ce qui se comprenait aisément.

Il restait donc Spader. Il ferait un excellent coéquipier. Nous étions devenus amis avant que tout ne tourne mal, et nous nous étions retrouvés par la suite, une fois les esprits calmés. Je savais qu'il me suivrait sans l'ombre d'une hésitation, mais que ferait-il s'il se retrouvait une fois de plus face à Saint Dane ? Je ne voulais pas qu'il débloque encore une fois. Je me suis dit que j'avais tout intérêt à jouer cartes sur table. Donc, un soir, après le dîner, Spader et moi sommes allés faire un tour du côté des fermes.

— Je dois partir. Cloral a passé son moment de vérité. Je n'ai plus de raison d'être là.

— Même pour pêcher ? a répondu Spader en riant.

Il plaisantait, je le savais.

— Où vas-tu aller ?

— Sur Veelox, je pense. C'est là que Saint Dane s'est enfui.

— Tu y es déjà allé ? a demandé Spader.

— Non. Je n'ai pas la moindre idée de ce à quoi ça ressemble. L'oncle Press m'a toujours servi de guide, mais maintenant…

Je n'ai pas eu besoin de finir ma phrase. Un moment, nous avons marché en silence. Je ne savais comment lui demander de venir avec moi. Et surtout s'il allait foncer dans le tas et nous faire tuer tous les deux.

— Je veux venir avec toi, a dit Spader, ce qui résolvait la question. Je suis un Voyageur, non ? C'est notre boulot. Si Cloral ne risque plus rien, je n'ai plus aucune raison d'y rester, moi non plus.

— Spader, je…

— Ne t'en fais pas, Pendragon, a-t-il affirmé sincèrement. Je suis le programme. Je ne plaisante pas. Je sais que l'essentiel n'est pas de se venger de Saint Dane, mais de l'empêcher de plonger les autres territoires dans le chaos. Écoute, j'ai eu une dure période. Je n'arrivais pas à réfléchir sainement. Mais maintenant, je m'en suis sorti, et je veux aller avec toi.

Voilà qui répondait à toutes les questions que je n'osais pas lui poser. C'était facile. Étais-je prêt à le croire pour autant ?

— Tu as besoin de moi, Pendragon, a-t-il ajouté.

Ce qui me ramène à l'endroit où je me trouve en ce moment, dans mes quartiers de Grallion, où je rédige ce journal. Demain, Spader et moi allons partir. Notre destination : Veelox. Autant dire l'inconnu.

J'ai eu du mal à écrire tout ça, mais sincèrement, je me sens mieux. En revoyant les événements qui ont débouché sur le sauvetage de Cloral, je comprends toute l'importance de notre mission. L'oncle Press n'avait pas arrêté de me le répéter, pourtant il fallait que je le voie par moi-même pour que ça s'imprime dans mon esprit. Je n'ai pas la moindre idée de ce que nous découvrirons sur Veelox ou de la façon dont nous pourrons retrouver la piste de Saint Dane. Je me doute bien qu'il ne va pas se balader avec une pancarte « Salut, Bobby ! C'est moi ! ». Il va certainement endosser un déguisement quelconque pour tisser sa toile comme il l'avait fait sur Denduron et Cloral. La différence, c'est que je ne pourrai plus compter sur l'oncle Press. Bienvenue dans l'univers des Voyageurs…

Alors que je finis de rédiger ce journal, je dois préciser que les derniers mots de l'oncle Press m'aident à garder la tête froide. Il m'a dit – non, promis – qu'un jour nous serions réunis. Je ne sais pas comment ce sera possible, à part si nous nous retrouvons au ciel. Mais je ne crois pas que ce soit ce qu'il voulait dire. Plus j'y réfléchis, plus je crois qu'il parlait d'une rencontre en chair et en os. Dans cette vie-là.

Bien sûr, ce point soulève la plus grande des questions : où pourrons-nous bien nous rencontrer ? Et d'ailleurs, qu'est-ce que « maintenant » ? Tout dépend du territoire sur lequel on se trouve. Pour la première fois, j'ai entrevu toutes les possibilités qui s'ouvraient à moi. Combien peut-il y avoir d'autres territoires ? Ressemblent-ils tous à ceux que j'ai vus jusque-là, où peut-on être envoyé dans un plan d'existence totalement différent ? Il y a là de telles perspectives que j'en ai mal à la tête rien que d'y penser.

C'est là que je vais mettre le point final, les gars. Je vais vous envoyer ce journal, puis dormir un peu. Sachez que vous me manquez tout les deux. J'espère pouvoir bientôt revenir vous voir. Encore merci de bien vouloir lire mes carnets et de les conserver. Vous êtes le phare de la réalité dans la nuit qu'est devenue ma nouvelle existence.

Hobie-ho.

Bobby.

Fin du journal n° 8

SECONDE TERRE

Mark et Courtney étaient assis sur la banquette arrière d'une voiture de police en route vers le commissariat de Stony Brook. Un agent du nom de Wilson les avait pris chez Mark. Lorsqu'il était apparu, Mark s'attendait presque à ce qu'il dise « Vous êtes en état d'arrestation ! » et leur passe les menottes. Mais non : il se montra plutôt sympathique et, en chemin, leur proposa même de mettre la sirène s'ils le désiraient. Mark eut envie de dire « Oui, allez-y ! », comme le soufflait le gamin qui était en lui, mais cette histoire était très sérieuse et ce n'était pas le moment de jouer. En outre, Courtney lui décocha un regard qui disait clairement : « Si tu dis oui, fais gaffe à toi », ce qui l'aida à y renoncer.

Ils étaient un peu choqués, tous les deux. Ils avaient fini de lire le dernier journal et venaient d'apprendre la mort de Press. Ils l'avaient rencontré à quelques reprises et avaient appris à le connaître par le biais des journaux de Bobby. L'annonce de sa mort soudaine les avait laissés sans voix. Bien sûr, le fait que Bobby avait rétabli la situation sur Cloral était une consolation. Ils avaient déjà hâte de lire ce qui l'attendait sur le territoire de Veelox.

Mais pour l'instant, ils se concentraient surtout sur ce qui les attendait eux, ici et maintenant, dans leur propre monde.

Mark se doutait de la raison pour laquelle le capitaine Hirsch voulait les voir : il y avait forcément un rapport avec les journaux qu'Andy Mitchell avait dérobés. Il était sûr que Mitchell les avait remis à la police pour toucher la récompense. Sinon, pourquoi Hirsch les aurait-il convoqués ?

Mais Mark et Courtney ne révéleraient jamais ce qu'ils savaient. C'était trop incroyable. Ils craignaient qu'on les enferme dans un asile psychiatrique ou qu'on les suspecte de la disparition de la famille Pendragon, sur laquelle Hirsch enquêtait. Pire, si les gens apprenaient la vérité, les Voyageurs auraient peut-être plus de mal à remplir leur mission – surtout lorsqu'elle les amènerait sur la Seconde Terre. Ainsi, après avoir beaucoup réfléchi et longuement débattu la question, Mark et Courtney avaient décidé de garder le secret.

Mais à présent qu'Andy Mitchell avait apporté les journaux à la police, toute l'histoire allait leur exploser à la figure.

Ce sont ces préoccupations qui traversaient l'esprit de Mark alors que l'agent Wilson se garait dans le parking du commissariat. Courtney et lui tentèrent d'avoir l'air naturel, comme si tout était normal. Ils devaient faire très attention à ce qu'ils allaient dire à la police, où ils pouvaient s'attirer de très, très gros ennuis.

L'agent Wilson leur fit traverser le bâtiment pour les faire attendre dans la même salle de conférence où ils avaient rencontré le capitaine Hirsch pour la première fois.

La salle était déserte, à part deux gros classeurs posés tout au bout de la longue table. Mark et Courtney avaient une petite idée de leur contenu. C'était la raison de leur présence ici. Ils échangèrent un regard silencieux. Peut-être qu'on les épiait et qu'on les écoutait derrière le miroir sans tain qui occupait toute la longueur du mur. Mark se demanda ce que pensait Courtney. Elle avait l'air calme. Tant mieux. Il faudrait qu'elle le soit pour deux, parce que lui avait envie de grimper aux rideaux.

– Salut les enfants, fit Hirsch en entrant dans la pièce. Merci d'être venu. Asseyez-vous, je vous en prie.

Mark et Courtney prirent chacun un siège côte à côte à un bout de la table. Le capitaine Hirsch s'installa tout au bout, devant les deux classeurs. Il portait son traditionnel costume gris et sa cravate était desserrée. Mark se demanda s'il avait dormi dedans. Hirsch regarda Mark, puis Courtney, comme s'il attendait qu'ils disent quelque chose. En vain.

– Alors vous connaissez Andy Mitchell ?

– Oui, répondirent-ils en chœur.

– Que pensez-vous de lui ?

Mark aurait volontiers dit que Mitchell était un imbécile heureux doublé d'une brute épaisse, mais il ne voulait pas que Hirsch le trouve trop négatif.

– C'est un imbécile heureux doublé d'une brute épaisse, affirma Courtney.

Apparemment, elle se fichait d'être taxé d'avoir mauvais esprit.

Hirsch acquiesça, puis tendit la main vers les dossiers. Il en tira quelque chose et le leva pour qu'ils le voient :

– Ça vous dit quelque chose ?

Un peu. C'était la première page du premier journal de Bobby. Courtney jeta un coup d'œil à Mark qui fit de son mieux pour rester impassible. Mitchell avait porté les journaux à la police. Mark les avait conservés de la façon dont Bobby les avait envoyés : roulés et retenus par un bout de corde. Mitchell devait les avoir aplatis pour qu'ils rentrent dans un classeur. En constatant ce manque de respect, Mark se mit à haïr Andy Mitchell de toutes ses forces.

– Oui, ça me dit quelque chose, répondit-il en tentant de dissimuler sa colère.

– En effet, renchérit Courtney.

Le capitaine Hirsch remit les pages dans le classeur.

– Andy Mitchell nous les a apportés il n'y a pas une heure, dit-il. Il est encore là. J'aimerais qu'il se joigne à nous.

– Il est là ? fit Mark surpris. En ce moment ?

– Oui. Ça vous gêne ?

– Mais non, répondit Courtney. Faites donc entrer ce gros blaireau.

Le capitaine Hirsch hocha la tête en direction du miroir, ce qui voulait dire qu'on les surveillait. Bonjour l'angoisse. Quelques secondes plus tard, la porte s'ouvrit et Andy Mitchell entra avec la mine réjouie du gars qui vient de gagner le gros lot. Il avait l'air bravache et un sourire satisfait était tartiné sur sa face de rat – sourire qu'il perdit en voyant Mark et Courtney. Mais il reprit aussitôt ses esprits.

– Z'avez fait vite, dit-il avec un rictus. (Il se tourna vers Mark et Courtney.) Alors, on est sur le gril ?

Il se racla la gorge et eut un rire particulièrement odieux.

– Asseyez-vous, Andy, dit Hirsch.

Mitchell passa une jambe par dessus une chaise et s'installa à l'autre bout de la table. Mark s'attendait à le voir cracher par terre pour parfaire le tableau.

– Pourquoi est-ce que ça prend si longtemps ? râla Andy. Vous allez m'inviter à déjeuner ou quoi ?

Hirsch ne répondit pas. Il se tourna vers Mark et Courtney.

– Andy nous a apporté ces carnets comme pièces à conviction. Il y voit la preuve de ce qui est arrivé à Bobby Pendragon. Si c'est vrai, il recevra une récompense assez coquette.

– Un peu ! grasseya Mitchell. Vingt-cinq plaques.

Mark vit Courtney serrer les poings. Il savait qu'elle résistait mal à l'envie de sauter par-dessus la table et d'étrangler cet abruti. Ou peut-être était-ce Mark qu'elle voulait écharper. Impossible de savoir.

– Andy, fit Hirsch avec un bon sourire, pouvez-vous nous dire comment vous êtes entré en possession de ces documents ?

– Je vous l'ai dit, répondit Andy en désignant Mark. C'est lui qui les avait ! Ces deux-là les planquaient pour que personne ne sache ce qui se passait vraiment. Je me suis dit qu'en les donnant à la police, je ne ferais que mon devoir de citoyen.

Mark ferma les yeux. Quelle torture. Son devoir de citoyen, rien que ça.

– Ce n'est pas ce que je vous ai demandé, Mitchell, reprit Hirsch. Je voulais savoir comment vous êtes entré en possession de ces documents.

– Vous voulez dire… comment j'les ai eus ? demanda Mitchell.

« Entré en possession » était trop compliqué pour lui. Quel boulet !

– Oui, répondit patiemment Hirsch.

Mitchell se tortilla sur sa chaise. Plusieurs fois, il partit pour répondre, puis se ravisa comme s'il ne savait que dire. Finalement, il bafouilla :

– Bon, j'les ai pris, d'accord ? J'les ai piqués, si on veut. Mais z'auriez fait pareil, non ? Des trucs comme ça doivent pas rester secrets ! Il faut informer le public !

– Donc, continua Hirsch avec un calme olympien, vous déclarez les avoir volés à Mark Dimond ici présent ?

De toute évidence, Mitchell ne voyait pas où il voulait en venir.

– Ouais, j'les ai piqués. Mais c'est pas ça qui compte !

Hirsch hocha la tête, puis tendit la main vers le second classeur. Mark et Courtney le regardèrent faire sans un mot et sans témoigner la moindre émotion. Il l'ouvrit pour dévoiler une épaisse liasse de papier blanc imprimé, bien espacé d'une marge à l'autre.

– Je vais vous lire un texte, Mitchell. Vous allez me dire si ça vous rappelle quelque chose.

– Ouais, si ça peut vous faire plaisir, répondit Mitchell.

Le capitaine regarda le haut de la première page et se mit à lire à voix haute :

– *J'espère que tu pourras lire ceci, Mark. Hé, j'espère que quelqu'un pourra me lire, parce que pour l'instant la seule chose qui m'empêche de péter les plombs, c'est de coucher tout cela sur le papier dans l'espoir qu'un jour…*

– C't'un extrait du journal, dit Mitchell d'un air intrigué. Le premier. C'est le tout début. Pourquoi vous me lisez ça ?

Hirsch tendit l'épaisse liasse de papier imprimé pour que Mitchell puisse la voir.

– Mark et Courtney m'ont apporté ce texte la semaine dernière.

– Quoi ? bafouilla Mitchell stupéfait. J'comprends pas.

Hirsch reposa les pages et eut un petit rire.

– Oui, c'est assez évident.

– Qu'est-ce qui se passe ici ?

– C'est une histoire qu'ils ont écrite, fit Hirsch en retenant un sourire. Une histoire. De la fiction. Vous savez ce que ça signifie ? Ils ont tout inventé.

Mitchell jeta un regard stupéfait à Mark et à Courtney, qui restaient là, l'image même de l'innocence.

— Non, cria soudain Mitchell. C'est faux ! C'est Pendragon qui l'a écrit ! Tout est vrai !

Courtney secoua la tête et s'adressa à Hirsch :

— Comme je vous l'ai dit, aussi puéril que ça puisse paraître, ça nous a aidés à surmonter la disparition de Bobby.

— Oui, s'empressa d'ajouter Mark. J'ai même imité son écriture sur ces feuilles brunes pour que ça fasse plus vrai.

— Mais nous l'avons aussi tapé sur l'ordinateur pour pouvoir travailler dessus plus facilement, ajouta Courtney. Ce n'est qu'un effet de notre imagination. Ça nous plaisait de faire comme si Bobby s'était embarqué dans une grande aventure au lieu de... de ce qui lui est réellement arrivé. Maintenant qu'on en parle devant vous, c'est assez... gênant.

— Ne vous inquiétez pas, fit gentiment Hirsch. Chacun a sa façon de surmonter la perte d'un être cher. Vous deux avez été plus créatifs que la moyenne.

— Vous vous payez ma tête ! hurla Mitchell en se levant d'un bond. Ils mentent ! C'est n'importe quoi ! J'ai vu de mes yeux apparaître une liasse venue de nulle part et un grand éclair de lumière dans... Dans son anneau. Regardez son anneau !

Mark haussa les épaules et leva la main. Il ne portait pas la moindre bague.

Mitchell était complètement paniqué. Mark put voir que lui, qui croyait que les 25 000 dollars étaient déjà dans sa poche, comprenait qu'on le faisait passer pour un voleur et un idiot. Il tenta de retourner la situation :

— Bon, d'accord, bafouilla-t-il. Alors dites moi : pourquoi vous ont-il apporté ces feuilles imprimées ? Hein ? Eh bien je vais vous le dire : ils voulaient me gagner de vitesse et se retrouver à l'abri des soupçons ! Voilà !

— Non, rétorqua patiemment Hirsch. Ils sont venus déclarer le vol de leur manuscrit. Ils m'ont amené une version imprimée pour prouver qu'il leur appartenait bel et bien. Franchement, je ne croyais pas que nous retrouverions le manuscrit jusqu'à ce que vous sortiez de nulle part pour nous l'apporter. Voilà qui est bien pratique !

— Non ! cria Mitchell.

Il n'était pas bon perdant. Hirsch regarda Mark et Courtney :

– Voulez-vous porter plainte contre Andy Mitchell ?

Mark et Courtney se regardèrent, puis elle déclara :

– Non. Nous nous contenterons de récupérer ces carnets.

– Oui, reprit Mark d'une voix pleine de compassion ; d'une certaine façon, nous avons pitié de Mitchell. Nous n'aurions jamais cru que quelqu'un prendrait nos délires au sérieux !

– Franchement ! ajouta Courtney avec un petit rire.

– Mais c'est la vérité ! s'écria Mitchell au bord des larmes. N'est-ce pas ?

– Vous pouvez partir, Mitchell, dit Hirsch. Mais d'abord, vous allez présenter vos excuses à ces deux honnêtes citoyens.

Mitchell jeta à Mark un regard brûlant de haine et de colère, si intense qu'il en retomba sur sa chaise. Courtney ne sembla pas s'en formaliser. Mitchell ne lui faisait pas peur. Il devint tout rouge, comme s'il souffrait atrocement, puis il couina faiblement :

– Je... m'excuse.

– Ce n'est rien, Andy, répondit Courtney. Oublions ce qui s'est passé.

– Oui, ajouta Mark.

– Très bien, Mitchell. Maintenant, allez-vous-en, ordonna Hirsch.

Mitchell resta planté là une seconde, cherchant désespérément un moyen de retourner la situation. Mais il n'était pas assez malin pour ça. Il regarda Courtney, qui lui décocha un petit sourire et un clin d'œil. C'est la goutte d'eau qui fit déborder le vase. Mitchell n'y tint plus.

– Ahhhhh ! brama-t-il avant de sortir en coup de vent de la salle.

– Vous aviez raison, remarqua Hirsch. C'est un imbécile heureux doublé d'une brute épaisse.

– Merci, capitaine, dit Courtney avec un luxe de politesse. Je savais que vous nous aideriez.

– Pas de problème. C'est mon travail. Par contre, j'ai un service à vous demander.

– Tout ce que vous voudrez.

– Est-ce que vous me laisseriez lire la suite de votre histoire ? C'est plutôt intéressant.

Mark et Courtney échangèrent un regard, puis Mark prit la parole :

– Bien sûr, mais ça ne vous ennuie pas de vous contenter des pages imprimées ? On aimerait récupérer le manuscrit.

Hirsch s'empressa de faire glisser le classeur contenant les journaux de Bobby vers Mark.

– Bien sûr, voilà. Ce Mitchell est un beau spécimen. Il a vraiment cru cette histoire à dormir debout ?

Mark et Courtney acquiescèrent d'un air innocent.

Un peu plus tard, Mark et Courtney se retrouvèrent sur l'Ave. Le premier journal de Bobby était en sécurité dans le sac de Mark. Ils avaient poliment refusé la proposition de l'agent Wilson de les ramener chez eux, prétextant qu'ils avaient envie de marcher : toute cette histoire était assez stressante, arguèrent-ils, et ils voulaient reprendre leurs esprits.

Ils allèrent tout droit au Garden Poultry, où ils achetèrent deux cornets de frites avec des Coca. Ils amenèrent le tout au minuscule parc qui s'étendait derrière le snack et s'assirent sur un banc. Depuis leur départ du commissariat, ils n'avaient pas échangé un mot. Ils avaient dérivé vers le Garden Poultry sans avoir besoin de se concerter.

Enfin, après avoir achevé sa dernière frite dorée et craquante, Mark prit la parole :

– Je suis désolé, Courtney.

Celle-ci avala sa dernière gorgée de Coca avant de répondre :

– C'est par accident que tu as perdu la première page du journal. C'était ma faute autant que la tienne. Mais tu ne m'as pas dit tout de suite que Mitchell l'avait trouvée, et ça... c'est grave.

– Je sais, je sais. Je croyais pouvoir m'en sortir. Je... n'osais pas te dire que j'avais tout foiré. Mais quand il a exigé de lire tous les carnets et s'est mis à délirer sur la gloire qui serait la nôtre quand nous montrerions ces textes au monde entier... Je n'ai pas su comment réagir.

— Tu aurais dû m'en parler avant que ça ne dégénère à ce point, dit Courtney.

À son ton, Mark comprit qu'elle était en colère.

— C'est vrai, fit Mark d'un air coupable. Mais ton plan était extraordinaire.

Il revint au moment où il avait enfin eu le courage de lui dire ce qui se passait. C'était juste après que Mitchell ne demande à lire l'intégrale des journaux. Courtney ne s'était même pas mise en colère. Au contraire, c'est elle qui avait eu l'idée de se retourner contre Mitchell. Elle se doutait qu'il remettrait les journaux à la police dans l'espoir de toucher la récompense. D'ailleurs, il ne fallait pas être grand clerc pour le deviner. Mais ils s'étaient dit qu'ils pouvaient le battre au finish en prétendant avoir écrit tout ça eux-mêmes. Courtney avait tapé sans relâche pendant trois nuits pour retranscrire les premiers journaux de Bobby sur son ordinateur. Puis ils avaient imprimé le tout et l'avaient amené au capitaine Hirsch. C'est là qu'ils avaient prétendu qu'on leur avait volé le manuscrit. L'essentiel était d'en présenter une version à la police avant Mitchell. Ni l'un, ni l'autre n'aimait mentir, mais ils n'avaient pas eu le choix. Il fallait empêcher Mitchell de dévoiler au monde entier l'histoire de Bobby.

En fait, c'était devenu un demi-mensonge lorsque Mitchell était venu chez Mark et avait bel et bien fini par dérober les journaux. S'il s'était contenté de les lire et de les rendre, ce ne serait pas allé plus loin. Mais ils savaient que Mitchell ne s'en contenterait pas. Il était trop avide pour ça. Ils savaient qu'il emmènerait ces journaux à la police – et tomberait tête baissée dans leur piège. Lequel avait fonctionné à la perfection. Ils avaient récupéré les journaux de Bobby, et Mitchell n'avait plus de moyen de pression pour exiger de les lire : s'il allait trouver la police, ils lui riraient au nez.

Tout s'était bien passé, et pourtant Mark regrettait toujours de ne pas avoir dit toute la vérité à Courtney.

– Tu m'as entraînée dans cette histoire quand tu m'as montré le premier journal, dit-elle. Si tu veux que je suive le mouvement, tu dois me promettre de ne plus jamais me mentir, même par omission.

– Je te le promets, gémit Mark.

Tous deux se turent un bref instant. Puis Courtney eut un sourire torve :

– Bon sang, c'était bon de voir Mitchell dans ses petits souliers !

Mark se mit à rire, et ils se claquèrent les paumes. Puis Mark passa ses mains derrière son cou et détacha la chaîne retenant la clé de son tiroir secret – mais aussi son anneau. Il le retira et le remit à sa place, à son doigt.

Ils n'avaient plus qu'à rentrer chez eux. Ils firent le chemin ensemble jusqu'à ce que Courtney atteigne sa rue.

– Alors tu vas m'appeler ? demanda-t-elle.

– Dès qu'arrivera le prochain journal, l'assura Mark, comme à chaque fois.

Ils se firent la bise, puis partirent chacun de leur côté.

En fait, ils ne se retrouveraient pas avant cinq mois.

Tous deux reprirent leur vie normale, chez eux ainsi qu'à l'école. Comme leur amitié pour Bobby était leur seul point commun, ils ne se voyaient pas souvent. Parfois, ils se croisaient dans les couloirs. Courtney le regardait comme pour dire : « Alors ? », et Mark secouait la tête. Toujours rien.

Courtney jouait au basket pour l'équipe de Stony Brook. Ce printemps-là, grâce à elle, l'équipe pulvérisa tous ses adversaires.

Mark avait un grand projet : construire un robot de combat pour une foire scientifique locale. Il était vraiment doué pour la mécanique et la physique. Son robot était une machine à tuer. Il lamina ses adversaires grâce à une combinaison de crochets, de scies à métaux et de marteau-piqueur incorporés dans sa structure. Avec lui, Mark remporta le premier prix et commença à étudier les meilleures façons de passer à la télévision avec son robot champion.

Le 6 mars, Courtney fêta son quinzième anniversaire. Mark lui envoya une carte avec écrit au dos : « Bon anniversaire, hobie-ho ! »

Tous deux finirent par se retrouver le 11 mars, pour l'anniversaire de Bobby. Ils se rendirent au Garden Poultry, commandèrent des frites et burent un Coca à la santé de Bobby. Ils se demandèrent si Bobby était en train de fêter ses quinze ans.

Ils ne se revirent plus jusqu'à la fête de fin d'année de Stony Brook, en juin. Comme Mark terminait son premier cycle avec les félicitations du jury, il était censé faire un discours. Mais il était trop nerveux et laissa son concurrent monter au podium. Néanmoins, ayant fini premier de sa classe, il gagna un énorme dictionnaire. Pour Mark comme pour Courtney, le prochain rendez-vous serait le lycée – un changement toujours un peu effrayant. Ils ne tarderaient pas à se retrouver à Davis Gregory High, le lycée de Stony Brooks. Nul ne savait qui était Davis Gregory, mais ce devait être quelqu'un d'important. Mark se demanda si, un jour, il y aurait une école au nom de Bobby Pendragon.

L'été s'écoula paresseusement. Courtney continua de s'entraîner au base-ball et passa son brevet de secouriste en mer. Mark travailla au perfectionnement de son robot en attendant le concours national. Il avait reçu une invitation et tout ce qui allait avec. Il commençait même à se faire une réputation.

Il portait toujours son anneau dans l'attente du jour où le prochain journal arriverait. À vrai dire, Mark et Courtney essayaient de ne pas trop penser à Bobby : plus le temps passait, plus ils redoutaient qu'il lui soit arrivé quelque chose. Et ils préféraient ne pas l'envisager.

C'est alors qu'en ce jour du 21 août, il se produisit deux choses. D'abord, Mark fêta son quinzième anniversaire de sa façon habituelle : en recevant de nouveaux vêtements assez moches, cadeau de sa mère ; son père opta sagement pour un bon d'achat qu'il pourrait employer à bon escient à la boutique d'électronique du coin.

La seconde, c'est que Mark reçut un coup de fil assez étrange. Lorsqu'il décrocha, une voix de femme demanda d'un ton très sérieux :

– Puis-je parler à Monsieur Mark Dimond, je vous prie ?

– C'est moi.

– Ici Mademoiselle Jane Jansen, vice-présidente de la Banque nationale de Stony Brook. Vous connaissez notre établissement ?

Sa voix évoquait une institutrice vieillissante.

– Euh, oui... Vous êtes sur l'Ave... euh... Stony Brook Avenue.

– Exact, répondit-elle. Connaissez-vous une certaine Courtney Chetwynde ?

– Oui, c'est à quel sujet ?

– Monsieur Dimond, pourriez-vous venir nous voir, Mlle Chetwynde et vous, le plus vite possible ? Avec une carte d'identité ? Je crois que c'est assez important.

Mark en resta pantois. Il n'avait même pas de compte en banque. Que pouvait-on leur vouloir ? Il allait dire à cette dame qu'il préférait consulter ses parents avant toute chose lorsqu'elle lâcha sa bombe :

– C'est en relation avec un certain M. Bobby Pendragon.

Les mots magiques.

– Nous arrivons, déclara-t-il, et il raccrocha avant qu'elle n'ait pu le saluer.

Mark appela aussitôt Courtney et eut de la chance : elle était chez elle. Une demi-heure plus tard, ils se retrouvaient devant un grand bâtiment de béton gris portant une inscription en larges lettres de bronze : BANQUE NATIONALE DE STONY BROOK.

Mark n'avait jamais compris comment Stony Brook pouvait avoir une banque nationale, mais comme elle avait toujours été là, ils devaient connaître leur métier. La banque elle-même était une construction à l'ancienne, une immense salle au plafond haut couronné d'un dôme de verre. Rien à voir avec les banques modernes où Mark était allé avec sa mère. Il y avait beaucoup de bois verni, de bronze et de mobilier de cuir. Beaucoup de clients, aussi, et tous parlaient en murmu-

rant. On aurait plutôt dit une bibliothèque. Elle n'avait probablement pas changé depuis sa construction, en 1933, s'il fallait
en croire la plaque apposée à l'extérieur.

Mark et Courtney dirent au réceptionniste qu'ils venaient
voir Mlle Jansen. On leur demanda de s'installer dans la salle
d'attente : ils allèrent donc s'enfoncer dans les fauteuils de
cuir pour attendre cette mystérieuse banquière qui leur
donnerait des nouvelles de Bobby.

– Tu as une idée de ce qui se passe ? demanda Courtney.

– Pas la moindre.

C'est alors qu'ils virent une femme incroyablement mince
se diriger vers eux. Elle portait un tailleur gris et ses cheveux
étaient ramenés en chignon. Ses lunettes noires avaient des
verres circulaires. Sans doute Mlle Jane Jansen. Elle ressemblait parfaitement au portrait que Mark s'était fait d'après sa
voix. Et elle n'était pas de première jeunesse. Mark se
demanda si elle travaillait ici depuis l'ouverture de la banque.

Elle se dirigea vers le réceptionniste et lui posa une question qu'ils n'entendirent pas. Il lui désigna Mark et Courtney.
Mlle Jansen se tourna vers eux et fronça les sourcils.

– J'ai l'impression que nous ne sommes pas ce qu'elle attendait, chuchota Courtney.

Mlle Jansen marcha vers eux d'un pas vif. Elle se tenait très
droite et son cou était raide. Lorsqu'elle regardait dans une
direction, elle faisait pivoter tout son corps.

– Monsieur Dimond ? Mademoiselle Chetwynde ? demanda-
t-elle d'un ton sec.

– C'est nous, répondit Mark.

– Avez-vous des papiers d'identité ? demanda-t-elle d'un air
soupçonneux.

Courtney et Mark lui tendirent leurs cartes d'étudiants.
Jansen les regarda par-dessus ses verres et fronça les sourcils.

– Vous êtes plutôt jeunes, remarqua-t-elle.

– Vous avez devinez ça toute seule ? rétorqua Courtney.

Mark fit la grimace. Courtney faisait encore sa maligne.
Mlle Jansen lui jeta un regard noir et lui rendit sa carte
d'identité.

– C'est comme ça que les jeunes d'aujourd'hui s'habillent pour assister à une réunion d'affaires ? demanda-t-elle d'un petit air supérieur.

Mark et Courtney se regardèrent. Tous deux portaient un short, un tee-shirt et des baskets. Et alors ?

– Nous avons quinze ans, m'dame, répondit Courtney. Vous vous attendiez à quoi ? Nous n'avons pas de costume comme le vôtre.

Jansen savait reconnaître une remarque désobligeante, mais préféra laisser passer.

– Veuillez me suivre.

Elle tourna les talons et rentra à l'intérieur de la banque.

Courtney regarda Mark et leva les yeux au ciel. Il haussa les épaules, et ils suivirent la femme maigre. Un peu plus tard, ils se retrouvèrent devant son bureau de chêne.

– Nous détenons une enveloppe qui vous est adressée, expliqua-t-elle. Sans doute l'héritage d'un de vos parents. Avez- vous des liens de sang avec M. Robert Pendragon ?

Difficile de répondre à ça. Mark allait dire qu'ils étaient juste amis, mais Courtney le prit de vitesse :

– Oui, c'est un parent éloigné.

– En fait, continua Jansen, ça n'a pas d'importance. Les instructions sont très claires.

Elle tendit l'enveloppe à Mark. Celle-ci était vieille et le papier jauni. Deux noms y étaient écrits : « Mark Dimond » et « Courtney Chetwynde ». C'était bien l'écriture de Bobby. Mark et Courtney durent se retenir pour ne pas sourire.

– Nous devons vous remettre cette lettre à la date d'aujourd'hui. Selon les instructions, vous êtes censés l'ouvrir sur-le-champ.

Mark haussa les épaules et ouvrit la lettre. Il en tira une feuille de papier pliée en deux, tout aussi antique et jaunie que l'enveloppe. Un en-tête disait : « BANQUE NATIONALE DE STONY BROOK » en lettres ouvragées. En dessous, il était écrit : « Boîte postale n° 15-224 ».

Il y avait autre chose dans l'enveloppe : une petite clé.

Comme Mark et Courtney ne savaient que penser de tout ça, ils les montrèrent à Mlle Jansen. Elle regarda le mot, puis la clé et déclara :

– Veuillez me suivre.

Elle se leva et repartit d'un pas vif. Ils la suivirent.

– Ça devient angoissant, murmura Courtney.

Cette fois-ci, Mlle Jansen les emmena dans un lieu où Mark avait toujours rêvé d'entrer : la salle des coffres. Il y avait une immense porte rotative qu'on aurait bien vu à Fort Knox. Lorsqu'elle était fermée, plus personne ne pouvait entrer. Où sortir, d'ailleurs.

Mark se demanda si, une fois à l'intérieur, ils verraient de gros sacs frappés du signe du dollar. Ou des liasses de billets neufs. Ou peut-être même des lingots d'or.

Mais il ne découvrit rien de tout ça. Mlle Jansen les mena à une pièce dont le mur était rempli de casiers en bronze. Certains étaient aussi gros que des casiers d'école, d'autres faisaient quelques centimètres tout au plus. C'était les coffres de dépôts de la Banque nationale de Stony Brook.

Mlle Jansen marcha le long du mur en vérifiant les numéros. Elle finit par trouver le 15-224. Elle s'arrêta et tendit la clé à Mark.

– Vous êtes désormais les seuls propriétaires du contenu du coffre numéro 15-224. Je vais vous laisser seuls le temps que vous inspectiez son contenu. Lorsque vous aurez terminé, veuillez refermer le coffre et me rendre la clé. Des questions ?

– Je ne comprends pas bien, dit Mark. Qui a organisé tout ça ?

– Je vous l'ai dit, un certain Robert Pendragon.

– Il est venu ? demanda Courtney. Vous l'avez vu ?

Mlle Jansen prit un air encore plus revêche, si c'était possible.

– Je sais qu'à vos yeux, Mademoiselle Chetwynde, je ne suis qu'un fossile, mais croyez-moi, ce compte a été ouvert bien avant que je ne commence à travailler ici.

– Quand était-ce ? demanda Mark.

– Il faudrait que je vérifie, mais je crois que c'était en mai.

– Il est venu ici il y a trois mois ? s'écria Courtney stupéfaite.

– Je vous en prie, Mademoiselle Chetwynde, inutile de jouer au plus fin avec moi. Ce compte a été ouvert en mai 1937.

Mark et Courtney en restèrent sans voix.

– D'autres questions ?

Tous deux se contentèrent de secouer la tête.

– En ce cas, vous me trouverez dans mon bureau.

Jansen leur décocha un dernier regard courroucé et s'en alla.

Mark et Courtney étaient incapables de bouger. Ils tentaient désespérément d'absorber cette dernière information.

– C'est possible ? finit par demander Courtney.

– Il n'y a qu'une façon de le découvrir.

Il inséra la clé dans la serrure du coffre 15-224. Comparé aux autres, il était plutôt gros : environ soixante centimètres de haut. La porte coulissa sur ses gonds, révélant une poignée accrochée à une boîte de métal. Pendant que Mark tenait la porte, Courtney tira sur la poignée. La boîte glissa sans heurts. Elle était de la taille approximative de deux cartons à chaussures.

– Pose-la par ici, dit Mark.

Contre un autre mur, il y avait une rangée de quatre bureaux séparés par des cloisons. Ils avaient l'air ancien, comme tout dans cette banque. Courtney posa la boîte sur un des bureaux et chacun prit une chaise. Heureusement, il n'y avait personne d'autre.

Ils examinèrent la boîte. Comme le couvercle était fermé, ils ne pouvaient voir ce qu'il y avait dedans. Le cœur de Mark battait à tout rompre, et il savait que celui de Courtney ne valait pas mieux.

– Je ne peux plus respirer, dit-il.

– Alors ouvre-la ! Je ne tiens plus !

Mark tendit la main vers le couvercle, eut une hésitation, puis l'ouvrit.

La boîte était presque vide. Mais au fond, il y avait quatre livres, chacun doté d'une reliure en cuir brun. Ils étaient de la taille d'une feuille de papier A4. Chacun faisait bien quatre centimètres d'épaisseur. Le plus étrange, c'est qu'ils ne comportaient pas de titre. En fait, il n'y avait aucune inscription sur les couvertures.

Il y avait aussi autre chose. Coincé à côté des livres, Mark vit une enveloppe. Il la prit dans ses mains tremblantes. Elle était de taille normale avec une adresse de retour imprimée sur le coin supérieur gauche. C'était le nom et l'adresse de la banque. Celui qui avait rédigé cette lettre l'avait fait ici. Et il avait écrit sur l'enveloppe, avec l'écriture de Bobby : « Mark et Courtney ».

– C'est nous, dit-elle avec un faible sourire.

Mark ouvrit nerveusement l'enveloppe et en tira une feuille, une seule. Il la déplia, dévoilant une lettre écrite sur un papier à l'effigie de la banque. L'écriture était bien celle de Bobby.

Chers Mark et Courtney,

je dois faire vite. Je n'ai pas beaucoup de temps devant moi. Alors voilà : je n'ai plus mon anneau. Ça fait des mois que je l'ai perdu. C'est pour ça que vous n'avez pas reçu mes journaux. Pourtant, je n'ai pas arrêté d'écrire. J'ai couché sur le papier tout ce qui m'arrivait, comme toujours. Mais ça me rend dingue. Je n'aime pas garder ces journaux au même endroit. Ils ne sont pas en sécurité. Je me demande pourquoi j'ai mis si longtemps à trouver une solution.

Je suis revenu à Stony Brook. Je savais que la Banque nationale était là depuis des lustres, et ça n'a pas raté. J'espérais que le Garden Poultry serait ouvert pour que je m'offre un cornet de frites, mais que dalle. Vous savez ce qu'il y a à la place ? Une échoppe de barbier.

Je pourrais radoter pendant des heures sur l'étrangeté de tout ça, mais je n'ai pas le temps. Si mon plan fonctionne, et je ne vois pas de raisons qu'il échoue, vous serez assis au même endroit où je me trouve, à lire cette lettre.

J'ai mis les quatre journaux dans la boîte. J'y raconte toute mon aventure. Avec un peu de chance, la prochaine fois que vous aurez de mes nouvelles, ce sera par le biais de l'anneau. Je crois savoir où se trouve le mien, et j'y vais de ce pas.

Merci, les gars. Vous me manquez.
Bobby

31 mai 1937

P.S. S'il y a toujours ces bureaux de bois dans la salle des coffres, regardez sous celui du fond à droite.

Courtney et Mark relurent la lettre plusieurs fois pour être sûrs de bien comprendre. D'une façon ou d'une autre, Bobby était venu ici en 1937 pour leur laisser ces journaux. C'était logique. Il savait que la banque serait toujours là, dans le présent, donc son plan était infaillible. Mais comment avait-il fait pour se retrouver en 1937 ? Ce point soulevait toutes sortes de questions sur les flumes : ils pouvaient donc envoyer des Voyageurs à travers le temps aussi bien que l'espace ?

Ils tournèrent leur attention vers le bureau face auquel ils étaient assis. Il avait l'air assez vieux pour être déjà là lorsque Bobby y était venu. Ils se mirent à genoux pour regarder sur celui le plus à droite. Ils n'avaient pas la moindre idée de ce qu'ils devaient chercher, jusqu'à ce que...

– Oh, bon sang ! Regarde ! s'écria Courtney.

Elle désigna un point sous le bureau. Il y avait une inscription gravée dans le bois. À moins d'être allongé sur le sol, il était impossible de la voir. Il y avait écrit « Bon anniversaire, Mark ».

Mark et Courtney se mirent à rire. C'était du Bobby tout craché. Mark aurait voulu avoir un appareil photo sous la main pour prendre un cliché et le garder avec les journaux. Il comptait bien revenir rien que pour ça.

Tous deux s'extirpèrent de sous le bureau. Ils fixèrent le coffre ouvert et les quatre volumes à l'intérieur.

– Je n'arrive pas à croire qu'ils contiennent toute l'histoire, fit Courtney.

– On devrait les ramener chez nous.

– Oui, mais je n'aurai pas la patience... Regardons juste la première page.

Mark ne voyait pas pourquoi lui refuser ce plaisir. Il ramassa le premier journal. Il était joliment relié, comme un livre qui n'aurait jamais été ouvert.

– Ce ne sont pas vraiment des vieux parchemins, commenta Mark.

Il ouvrit soigneusement la première page.

Contrairement aux récits de Denduron et de Cloral, ce journal-là était tapé à la machine. Les feuilles étaient de format A4 standard d'ordinateur, mais plus lourdes et de couleur crème. De plus, la frappe semblait assez primitive. Rien à voir avec un listing d'imprimante bien propre. Non, on avait tapé ça sur une bonne vieille machine à écrire. Aucun des deux n'avait jamais rien vu de tel – ils avaient l'impression de regarder un document historique. Et d'une certaine façon, c'était bien ça.

– Voyons au moins où il a atterri, dit Courtney.

– D'accord.

Tous deux se rassirent devant le bureau et se mirent à lire.

Journal n° 9

PREMIÈRE TERRE

Ouaip, la Première Terre. C'est là que je suis. Veelox n'était qu'une erreur d'aiguillage. Spader et moi avons pris le flume pour Veelox, mais ce n'est pas là que se noue le drame. C'est en Première Terre.

Où est la Première Terre ? Il vaudrait mieux demander *quand* est la Première Terre. Je suis à New York en 1937. Mars 1937, plus précisément. Encore plus précisément, le 11 mars 1937. Je vous écris à la date de mon anniversaire. Voilà une drôle d'idée : si je fête mon anniversaire en 1937, ai-je toujours quinze ans ? Étonnant, non ?

Pour commencer, je dois vous dire que je suis tombé sur la situation la plus bizarre, la plus dangereuse que j'aie jamais connue. Mais ça doit vous rappeler quelque chose, pas vrai ? Laissez-moi vous donner une idée de ce qui m'est tombé dessus durant les premières minutes précédant mon arrivée…

À PARAÎTRE À L'AUTOMNE 2004

Pendragon n° 3

Impression réalisée sur CAMERON
par BRODARD ET TAUPIN
La Flèche

pour le compte des Éditions du Rocher
en mai 2004

Imprimé en France
Dépôt légal : mai 2004
N° d'impression : 23999